La Science
Pour le meilleur et contre le pire

Maurice JAVILLIER
1875-1955

Acteurs de la Science

collection dirigée par

Richard Moreau, professeur émérite à l'Université de Paris XII,
et Claude Brezinski, professeur émérite à l'Université de Lille I

La collection *Acteurs de la Science* comprend des études sur les acteurs de l'épopée scientifique humaine, des inédits et des réimpressions de textes anciens écrits par les savants qui firent la Science ou sur eux par leurs pairs, des débats et des évaluations sur les découvertes les plus marquantes et sur la pratique de la Science.

Titres déjà parus :

René Vallery-Radot, *La Vie de Pasteur*. Préface par Richard Moreau, 2009.

Jean Dominique Bourzat, *Une dynastie de jardiniers et de botanistes: les Richard. De Louis XV à Napoléon III*, 2009.

Nausica Zaballos, *Le système de santé Navajo. Savoirs rituels et scientifiques de 1950 à nos jours*, 2009.

Robert Locqueneux, *Henri Bouasse. Réflexion sur les méthodes et l'histoire de la physique*, 2009.

Étienne Mollier, *Mémoires d'un inventeur. De la photographie 35 mm au rétroprojecteur (1876-1962)*. Préface et épilogue de Suzanne Séjournant-Mollier, 2009.

Jérôme Janicki, *Le drame de la thalinomide. Un médicament sans frontières (1956-2009)*, 2009.

Yves Delange, *Plaidoyer pour les Sciences naturelles. Dès l'enfance, faire aimer la nature et la vie*. Introduction de Richard Moreau, 2009.

Marie-Thérèse Pourprix, *Des Mathématiciens à la Faculté des Sciences de Lille (1854-1971), 2009.*

Pierre de Félice, *Histoire de l'Optique*, 2009.

Roger Teyssou, *Dictionnaire des médecins, chirurgiens et anatomistes de la Renaissance*. Préface de Richard Moreau, 2009.

Alexis Blanc et Dominique Blanc, *Personnages célèbres des Côtes d'Armor*, 2009.

Jacques Arlet, *La Fayette, gentilhomme d'honneur*, 2008.

Jean-Pierre Renau, *Eugène Woillez (1811-1882). Le véritable auteur du « poumon d'acier »*. Préface du Dr Pouliquen, 2008.

Roger Teyssou, *Dictionnaire mémorable des remèdes d'autrefois*. Préface de Richard Moreau, 2007.

(Suite des titres page 303)

Anne-Claire Déré

La Science
Pour le meilleur
et contre le pire

Maurice JAVILLIER
1875-1955

L'Harmattan

5-7, rue de l'Ecole polytechnique, 75005 Paris

http://www.librairieharmattan.com
diffusion.harmattan@wanadoo.fr
harmattan1@wanadoo.fr

ISBN : 978-2-296-08254-0
EAN : 9782296082540

Anne-Claire Déré

La Science Pour le meilleur et contre le pire

Maurice JAVILLIER 1875-1955

L'Harmattan

5-7, rue de l'Ecole polytechnique, 75005 Paris

http://www.librairieharmattan.com
diffusion.harmattan@wanadoo.fr
harmattan1@wanadoo.fr

ISBN : 978-2-296-08254-0
EAN : 9782296082540

Note de l'édition

J'ai rencontré tardivement Anne-Claire Déré, mais j'ai reconnu très vite en elle une pharmacienne dans la tradition des *apoticaires chrestiens et craignans Dieu* de notre vieux serment. *Lances et pondera servant*: ils conservent les balances et les poids, ce qui demandait honnêteté et méticulosité. L'apothicaire doit être prudent, sage, de bonnes mœurs, modéré en ses passions, sobre, laborieux, vigilant, pour reprendre les termes de Nicolas Lemery, l'un des grands noms de la profession au XVIIe siècle. Anne-Claire Déré fut élevée dans cette tradition par son père, pharmacien d'officine. Elle s'installa à sa suite, puis elle quitta la profession quand, dans son exercice, le commerce l'emporta par trop. Elle se voua alors à l'histoire des sciences et la servit avec ardeur.

Nos maîtres pharmaciens sont trop ignorés. C'est pourquoi, quand ma consœur me parla de ses recherches sur Maurice Javillier, j'ai accepté d'emblée son projet. À la différence des poètes, les savants s'insèrent dans une longue suite où les progrès de la science les enfouissent peu à peu: *Admirables sciences que les vôtres,* disait Ernest Renan dans sa réponse au discours de réception de Pasteur à l'Académie française. *Rien ne s'y perd. Vous aurez inséré une pierre de prix dans les assises de l'édifice éternel de la vérité,* mais, aux yeux de l'écrivain, c'était tout. La méthode expérimentale implique en effet une marche dans l'inconnu, à la lumière de la raison, les découvertes vite dépassées des uns s'ajoutant aux autres, et leurs auteurs sont rapidement oubliés, d'où l'utilité d'un livre comme celui-ci.

La première façon d'écrire la biographie d'un savant est de s'en tenir à l'essentiel: son œuvre scientifique. Le modèle est *Pasteur, histoire d'un esprit,* d'Émile Duclaux, mais pour cela, il faut être expérimentateur. La seconde est de suivre l'exemple de la *Vie de Pasteur,* de René Vallery-Radot, vaste fresque où se trouvent à la fois les éléments de la vie de tous les jours et l'œuvre scientifique du savant. Ce fut évidemment le choix d'Anne-Claire Déré. Ma consœur nous propose le tableau de la vie dans son siècle d'un jeune pharmacien issu d'un bourg au nom prestigieux, Nuits-Saint-Georges, marié, père de famille, mû par un goût évident pour la recherche et qui passa d'une officine tourangelle aux Facultés, dans un *cursus honorum* qui le conduisit à l'Institut. Le choix biographique, d'ailleurs obligé, de l'auteur a l'avantage de montrer en détail la vie privée du héros avec les siens et de donner un panorama des événements qui les entourent, avec trop de détails parfois pour les premiers et l'inconvénient d'être plus succinct sur ses travaux, voire sur sa carrière universitaire, ce qui est dommage. La famille et les proches y trouveront leur compte, les scientifiques un peu moins, mais c'est la loi du genre et la mort brutale d'Anne-Claire Déré ne lui a pas permis de rééquilibrer son texte. Tel quel cependant, il est d'un grand intérêt. Le lecteur y puisera notamment des renseignements sur le fonctionnement des institutions où se déroula l'essentiel de la vie de Maurice Javillier, et même sur la création de l'Ordre des Pharmaciens, à laquelle il prit une part active.

La Biologie moderne est née pour une bonne part des fulgurances de Pasteur, génie de la science. Il fut relayé par des élèves de grande qualité : Émile Duclaux, Émile Roux, Jules Raulin et d'autres. On reconnaît la qualité de l'arbre à ses fruits et celle du savant à sa descendance. Maurice Javillier, à ses débuts élève de Duclaux, fut l'un d'eux. Mais, au milieu de sa carrière, il y eut la Grande Guerre de 1914-1918 et tous les scientifiques y furent mêlés. Chacun connaît peu ou prou le meilleur de la science car nous en profitons tous les jours, mais le pire nous est inconnu sauf à l'occasion de commémorations des événements les plus marquants des guerres. Ce pire, justement, le pharmacien-chimiste militaire Javillier le côtoya durant quatre années et, comme beaucoup d'autres, même sans être combattant, il en fut victime et en conserva des séquelles pour le restant de ses jours. J'ai connu cela : un de mes oncles, qui avait été aussi pharmacien militaire pendant la Grande Guerre, porta les mêmes stigmates toute sa vie. Cette partie est de loin la plus originale du livre.

Anne-Claire Déré est morte brutalement en 2008 avant d'avoir complètement revu son livre. Je m'en suis acquitté à sa place, confraternité oblige. Je conserve d'elle le souvenir d'une historienne des sciences de qualité et je souhaite que son livre chaleureux et enthousiaste soit largement lu, d'autant plus que, pour une fois, il est à la gloire de la Pharmacie.

Richard Moreau,
Agrégé de Pharmacie,
professeur émérite de Microbiologie à l'Université de Paris XII

Quis pius laboriusque beatus et liber.
Devise de Maurice Javillier

Toute ma gratitude va naturellement aux petits-enfants de Maurice Javillier : Nicole Daumard, Jacques, Françoise, Jean-Stanislas Retel, Sylvie Boinvilliers et à Dominique Dubois son arrière-petite-fille, qui se sont mobilisés pour retrouver des archives, des lettres et les souvenirs dont ce livre est fait.
Il me faut également remercier les conservateurs qui m'ont ouvert leurs archives, principalement l'Institut Pasteur, l'Académie des Sciences et l'Académie de Médecine où j'ai pu retrouver les émouvantes et rares lettres où Maurice Javillier évoque sa dernière maladie.
Je voudrais enfin remercier tout particulièrement trois personnes :
Madame Michèle Vignot qui m'a aimablement adressé des renseignements sur l'Institut d'Hygiène Alimentaire à l'époque où M. Javillier y travaillait ;
Monsieur André Edouard à qui l'on doit la qualité des illustrations ;
et à nouveau, Jean-Stanislas Retel qui m'a accompagnée, page à page, dans la création de cet ouvrage.

Ce qui fait le savant c'est l'esprit de recherche, l'impatience de connaître, la faculté de trouver quelque chose de neuf dans le domaine des sciences.
Un savant, c'est un homme, comme les autres, avec des défauts certains et des qualités que je voudrais croire, elles aussi, certaines.

M. Javillier.
Qu'est-ce qu'un savant ?

Préface

Si le précepte selon lequel on reconnaît les élèves aux maîtres qu'ils ont eus est exact, Maurice Javillier pourrait en être une illustration parfaite.

Ce n'est pas un hasard si le premier de ses maîtres fut Émile Duclaux, à qui il doit « quelques horizons lumineux » et à qui il « a tenté d'emprunter un peu de sa passion du savoir ». Le disciple, comme son maître, cultivera l'humanisme, ainsi que les qualités de probité et de sensibilité.

Très tôt, Maurice Javillier choisit sa voie qui sera jalonnée par les idéaux pasteuriens répondant à ses aspirations.

Séduit par « la science du meilleur », il rejoint l'Institut Pasteur, où l'on enseigne « le meilleur de la science », mais il est aussi séduit par la notion d'application de la recherche, l'un des fondements de la doctrine pasteurienne.

L'autre rencontre décisive sera celle de Gabriel Bertrand – qui succédera à Émile Duclaux au laboratoire – analyste très fin et grand meneur d'hommes, auquel l'uniront des liens étroits et durables d'amitié.

À ces côtés, il soutiendra sa thèse sur le rôle du zinc dans les plantes. À sa suite, il poursuivra des recherches sur les oligo-éléments, les vitamines, bâtissant un champ de connaissances aujourd'hui pleinement intégrées à nos pratiques quotidiennes de consommateurs.

Fils de pharmacien, petit-fils de vigneron de Nuits-Saint-Georges, fier de son ascendance bourguignonne, il restera fidèle à sa terre. Sans doute cet attachement l'a-t-il engagé à se consacrer à l'étude de la chimie agricole et à faire progresser la science dans divers domaines de l'agronomie.

Travailleur acharné et méthodique, il ne limite pas son horizon aux seules activités de recherche. La science est pour lui source de connaissances qu'il faut transmettre par l'enseignement,

enseignement qu'il ne cessera de prodiguer avec enthousiasme, clarté, élégance, là encore dans la ligne d'Émile Duclaux.

Chercheur, enseignant, il est aussi un homme de conviction. Il appartient à cette génération d'hommes qui durent affronter deux grandes calamités du XXe siècle : les deux guerres mondiales. Témoin actif de la guerre sanglante des tranchées et d'un détournement tragique de la science vouée à la destruction, il n'en sera que plus ardent défenseur d'une science « qui doit forger une humanité meilleure ». La seconde guerre confortera son engagement humaniste, et il n'aura de cesse de lutter contre « le pire » révélé, et militera sans relâche pour un monde de justice et de fraternité.

Les Académies et les Sociétés savantes lui offriront des tribunes d'où il pourra affirmer ses engagements. Sans partager ses opinions politiques, il se rallie aux côtés de Joliot Curie pour participer au mouvement pacifiste.

Le cinquantenaire de la mort de Maurice Javillier a été l'occasion pour Anne-Claire Déré de nous livrer la biographie édifiante d'un grand pasteurien, trop méconnu. Puisant dans les remarquables et inédites archives familiales, elle nous révèle, avec une chaleureuse humanité, une personnalité trop oubliée.

La lecture de ce livre nous renseigne magnifiquement, non seulement sur l'homme mais aussi sur ses idéaux et sur la doctrine pasteurienne, qui peuvent aujourd'hui nourrir nos aspirations et nos actes.

Philippe Kourilsky.
Membre de l'Institut de France.
Ancien directeur général de l'Institut Pasteur.

Avant-propos

Il faut que la puissance, dont la science nous comble, incline nos esprits vers les solutions que la Morale seule aurait dû nous inspirer. Sans cela s'en est fait de l'Humanité et de l'Idéal qui, au cours des civilisations, a illuminé les meilleurs des hommes.

M. Javillier, mai 1953.
Conférence pour la négociation de la paix.

Au moment où la Science est de plus en plus évocatrice de « marées noires », « d'E.S.B. », de guerres et d'attentats, où, divinité du pire, elle inspire des fictions, où les hommes de sciences, nouveaux démiurges, éprouvent le besoin de se réunir pour en mesurer les dangers, l'exemple d'un savant comme Maurice Javillier s'impose, non pour nous rassurer, mais pour comprendre et pour retrouver, au nom de la science, l'enthousiasme qui fut toujours le sien. Pour retrouver la science de la vie, la science du meilleur en laquelle il croyait profondément, et non cette science de la mort, cette science du pire dont on nous menace aujourd'hui.

Pourtant, le pire, Maurice Javillier l'a aussi connu. Né en 1875, soit cinq ans après le désastre de Sedan et l'émergence de ce qu'Ernest Renan dénonçait, dès le lendemain de la déclaration de la première guerre franco-prussienne, comme *une haine violente entre les deux parties de la race européenne dont l'union importait le plus au progrès de l'esprit humain*[1], Maurice Javillier appartient à la génération qui a vécu l'atrocité des deux grandes guerres mondiales de 1914-1918 et de 1939-1945.

Ayant grandi à une époque où la foi en la science, prêchée tout au long du XIXe siècle, donnait naissance à des vérités tangibles avec la synthèse des produits organiques par Marcelin

1. E. Renan, « La guerre entre la France et l'Allemagne », *La Revue des deux mondes*, 15 septembre 1870.

Berthelot et surtout la découverte des microbes et des vaccins par Louis Pasteur ; élevé dans une famille, où se léguait comme le plus précieux des héritages, l'idée que la science devait forger une humanité meilleure[2], le jeune Maurice Javillier s'engage allègrement dans la voie nouvelle qui s'ouvre devant lui : celle de la chimie de la vie. Principalement cultivée à l'Institut Pasteur créé en 1888, elle contient déjà en germes les branches fructueuses en lesquelles elle va s'épanouir pour donner naissance à la biocatalyse, à l'agro-alimentaire et, bientôt, à la biochimie moléculaire.

Mais alors que Maurice Javillier participe à cette émergence dans le laboratoire de Gabriel Bertrand à l'Institut Pasteur, le 2 août 1914, éclate la première guerre mondiale. Mobilisé dès les premiers jours, il va vivre et souffrir, sur le front de Dunkerque, la première apocalypse scientifique, le 22 avril 1915[3]. Il découvre, ce jour là, que la chimie peut, par la folie des hommes, devenir une arme exterminatrice de l'humanité qu'elle était censée, pour lui, rendre meilleure. De cette terrible période, Maurice Javillier nous a laissé, un précieux témoignage : la vie au jour le jour d'un laboratoire de chimie et de bactériologie aux armées du 27 novembre 1914 au 22 février 1917[4].

Pourtant loin d'accuser la science, alors que les savants, avec lesquels il a travaillé pendant le conflit, hésitent entre deux voies possibles : continuer à orienter la recherche vers les armes chimiques en prévision d'une nouvelle guerre ou utiliser les résultats obtenus à des fins pacifistes, il en choisit délibérément une troisième. Misant sur la vie victorieuse de la mort, il reprend ses travaux sur les facteurs de croissance depuis les oligo-éléments jusqu'aux vitamines et les complète par des études sur la nutrition.

Mais son expérience de la science du pire a fait de lui un militant. Il veut délivrer un message à tous les scientifiques en montrant, par ses recherches personnelles que la chimie peut encore et même doit plus que jamais, accomplir sa tâche de bienfaitrice envers une humanité agressée par les conflits et les

2. F. Retel (1981) *Une famille de la moyenne bourgeoisie.* Mémoire de maîtrise en sociologie, Paris.

3. C'est ce jour-là que les Allemands lancèrent pour la première fois leurs gaz toxiques (du chlore) sur les tranchées françaises. Voir O. Lepick (1998), *La Grande Guerre chimique 1914-1918,* PUF, Paris.

4. Archives J.-O. Retel.

maladies, sous-alimentée ou mal nourrie. Après avoir lutté contre le pire dans sa patrie en guerre, de cette science du meilleur, il se fait l'apôtre en formant des élèves à la Sorbonne et au Conservatoire national des Arts et Métiers et en prêchant, partout à travers le monde, sa foi et son espérance en la chimie de la vie. Membre de plusieurs académies et sociétés savantes, il s'efforce d'infléchir la barre vers la route du meilleur, pour que des hommes, après lui, partagent et propagent l'enthousiasme et l'ardeur qui l'ont porté tout au long des quatre-vingts années que dura son existence.

Cet enthousiasme, cette ardeur, mais aussi la force qui l'animaient, c'est aux pastoriens Émile Duclaux et Gabriel Bertrand, qu'il les devait. Car la grâce qui l'avait touché, alors qu'après un stage dans l'officine de son père à Nevers, il effectuait ses études à l'École supérieure de Pharmacie de Paris et à la Sorbonne, n'est autre que l'esprit de Pasteur lui-même[5]. Pasteur qui, décédé un an tout juste après l'arrivée de Maurice Javillier à Paris, ne s'est consacré qu'à une seule recherche, malgré l'apparente diversité de ses travaux de la cristallisation à la rage : celle de la compréhension de la vie pour sa sauvegarde.

Forgé à cette quête, dès ses débuts, Maurice Javillier n'a jamais quitté la voie pastorienne et, s'il s'est éloigné des laboratoires de la rue Dutot après la première guerre mondiale, c'est pour mieux en répandre l'esprit en d'autres lieux. Jusqu'au bout, conscient de la mission qu'il s'est lui-même fixée, il se dépense sans compter ; aux commandes de la science, président de multiples associations, il brave même la nouvelle guerre qu'il lui faut encore subir. Celle-ci sera pour lui la révélation d'un engagement décisif sur le chemin de la paix et de la Foi. Une paix universelle que seuls le respect d'autrui et la tolérance peuvent apporter à notre Monde.

Ceci explique que le récit que nous consacrons aujourd'hui à sa mémoire, plus de cinquante ans après sa disparition le 15 juin 1955, n'a pas pour but de donner à la littérature scientifique une biographie de plus sur l'un de nos grands savants. Certes la place que Maurice Javillier a tenue parmi eux, nous a obligé à entrer parfois dans des explications scientifiques pour faire comprendre

5. É. Duclaux (1896), Pasteur, *Histoire d'un esprit*, édition Imprimerie Charaire, Paris.

ce que ses travaux ont apporté tant à son époque qu'à la nôtre. Chaque fois nous avons essayé de le faire le plus simplement et le plus clairement possible pour permettre au lecteur d'assister à la découverte de grandes notions devenues usuelles aujourd'hui, comme les carences vitaminiques, les apports minéraux des oligo-éléments ou le rôle des acides nucléiques dans les tissus vivants. Ce récit est aussi pour nous l'occasion d'inviter le lecteur dans les coulisses des grandes institutions dont il fut membre, Institut Pasteur, Académie des Sciences ou Conservatoire National des Arts et Métiers.

Mais, par-dessus tout, ce livre veut faire entendre à notre monde, qui en a tant besoin, la voix de Maurice Javillier, quand, en 1952, président sortant, il exhortait ses collègues de l'Académie des Sciences à préserver : *Cette paix du Monde, que le bon sens et la morale commandent plus que jamais, en vue de laquelle il serait possible à des hommes de bonne volonté de s'accorder sur des formules communes, [et que] nous devons tenter de promouvoir d'un même cœur, avec une volonté tenace, guidés par un haut et pur idéal humain*[6].

Les biographies classiques racontent l'histoire des hommes célèbres et des savants disparus. Mais qu'est-ce qu'un savant ? Javillier le disait lui-même : *Ce qui fait le savant c'est l'esprit de recherche, l'impatience de connaître, la faculté de trouver quelque chose de neuf dans le domaine des sciences.* Mais aussi : *Un savant, c'est un homme comme les autres, avec des défauts certains et des qualités que je voudrais croire, elles aussi, certaines*[7]. C'est pour cela que nous avons voulu aller plus loin, en prolongeant à travers ses paroles, la vie qui demeure dans le souvenir de ses petits-enfants qui, par leurs témoignages et l'ouverture d'abondantes archives privées inédites, nous ont accompagnée tout au long de notre tâche.

Nantes, le 20 octobre 2004.

6. *Comptes-rendus des séances de l'Académie des Sciences,* tome 234, p. 1517, 2 janvier 1952.
7. M. Javillier, *Qu'est-ce qu'un savant*? Manuscrit d'une conférence donnée au Centre universitaire vers 1925-1926. Archives F. Retel.

1

De la vigne au mortier (1817-1894)

Si loin que je puisse remonter dans le passé familial, je ne trouve, dans la lignée paternelle, que des hommes de la terre, tous vignerons de l'arrière côte bourguignonne ou des riches terres de Nuits-Saint-Georges.

M. Javillier, 1931.
Leçon inaugurale au C.N.A.M.

Existerait-il des terroirs propices aux « grands hommes » comme il en existe pour les « grands crus » ? Est-ce vraiment un hasard si la Touraine compte tant d'écrivains célèbres et si la Bourgogne ajoute, à la réputation de ses vins, la gloire de ses savants, Lazare Carnot, Louis-Jacques et Paul Thenard, Louis Pasteur[8]... mais aussi Maurice Javillier.

Pour ce dernier, du moins, le lien entre la terre et la science est volontairement affiché, puisque c'est au nom de ses racines terriennes qu'il revendiquera la chaire de chimie agricole du Conservatoire National des Arts et Métiers, en 1931 ; qu'il sera membre de la section d'économie rurale à l'Académie des Sciences, en 1936 ; et qu'enfin, élu président de l'Académie d'Agriculture, en 1945, il comprendra parmi les circonstances qui lui valent cet honneur, *ce regret et cet amour des choses de la terre que me léguèrent mes ancêtres du côté paternel et mon père lui-même*[9].

8. Nous prenons ici la Bourgogne au sens historique du terme, quand la Franche-Comté – Pasteur est né à Dole – faisait partie du duché bourguignon.
9. M. Javillier, Allocution prononcée à l'Académie d'Agriculture, le 10 janvier 1945. Archives J.-O. Retel.

Le label bourguignon (1817-1874)

Il est difficile d'imaginer plus Bourguignon que Maurice Javillier. À lui seul, par ses racines, son enfance et même son mariage, il exprime toute la diversité de cette belle région. Si ces ancêtres paternels appartiennent, comme il ne cesse de s'en vanter, aux plateaux ensoleillés des côtes de Beaune et de Nuits où le vignoble allonge au pied des collines sa bande étroite entre la route et la forêt, par son enfance, par sa mère et par sa femme, c'est la diversité des paysages du Nivernais agricole et industriel qui le féconde, alors qu'il franchit, en vacancier, l'obstacle forestier du Morvan surgi entre Côte d'Or et Nièvre, et plus tard, parcourra ses escarpements en faille, chaque été, jusqu'en 1938.

De ses racines bourguignonnes, Maurice Javillier, si sobrement modeste quand il parle de ses travaux, s'est forgé un véritable titre de gloire ; une fierté qu'il est aisé de comprendre pour qui longe la chaîne de la Côte d'Or que jalonnent les noms évocateurs des crus légendaires : le clos Vougeot, Vosnes, La Romanée, Nuits-Saint-Georges, Aloxe, Beaune, Meursault...

Pourtant, comme Javillier le dit lui-même, si « les riches terres de Nuits » sont celles qui ont marqué son enfance pour les avoir parcourues avec son grand-père, François Javillier, c'est « dans l'arrière-côte bourguignonne » que se trouve le berceau de la famille.

Par delà le vignoble incliné en pente douce vers la plaine, par delà la forêt où serpente le Muzin au pied des moulins aujourd'hui muets, surgit soudain, dans un vallonnement verdoyant et doré, Villars-Fontaine, et tout au fond du paysage, Curtil-Vergy chacun escaladant sa colline. Ici la vigne a fait place aux vergers. C'est là que se cultive le célèbre cassis de Dijon. Si elles sont propres et coquettes, les maisons, ouvertes sur leurs rues pentues n'ont point l'opulence bourgeoise de celles de la plaine et il est aisé de sentir que pour François Javillier, né à Curtil le 19 avril 1819, la descente vers Nuits fut la première étape de l'ascension familiale.

Fils d'Antoine Javillier et de Claudine Morot, François n'est pas l'aîné de la famille. Pourtant, son frère Jean, né le 12 octobre 1812, et par conséquent de 7 ans plus âgé, ne semble pas avoir eu la même audace – ou la même chance – car ce n'est que progressivement qu'il se rapprochera de son cadet.

MAURICE JAVILLIER À L'ÂGE DE TROIS ANS EN 1878.
Carreau de faïence de Nevers.

Selon une tradition fréquente en milieu rural, c'est en venant mettre son courage et ses bras au service d'une « héritière » que François devient le « vigneron » tant admiré par son petit-fils. « L'héritière » a nom Pierrette Mennevers et a 23 ans lorsqu'elle l'épouse, alors qu'il n'en a que 21. Sa mère, est morte six ans plus tôt laissant son mari Jean Mennevers avec trois enfants encore au logis, Jean – ou Jacques, selon les sources – alors âgé de 23 ans, Anne de 19 et Pierrette de 17.

Jean Mennevers, le père, vigneron à Nuits, semble bien avoir suivi un parcours voisin de celui de son futur gendre, puisqu'il n'est devenu Nuiton que par son mariage avec Françoise Baroche, d'une famille ancienne et connue de Nuits. Un certain Claude Baroche s'est même illustré, lors des fêtes du Directoire, comme un brillant élève et s'est vu récompensé par deux prix, celui d'écriture et celui de mémoire (sic)[10]. Ce détail confirme l'hypothèse précédente d'autant que, sur l'acte de mariage de Pierrette et de François, Jean Mennevers dit ne pas savoir signer, alors que Jacques Mennevers témoin de sa sœur, et même la mariée, quoique maladroitement, apposent leur nom en bas du registre auprès des signatures des hommes de la famille Javillier, François, son frère Jean qui est son témoin et Antoine, son père.

Mais il n'est pas nécessaire de savoir écrire pour être un bon vigneron travailleur et pour s'enrichir. Il est probable que la parcelle de « Nuits-Caille[11] » mentionnée par Françoise Retel dans son mémoire de maîtrise[12] constituait la dot de la jeune Pierrette. Classé juste après les « Saint-Georges », ce cru, à l'appellation poétique – qui n'évoque pas l'oiseau dodu et douillet, mais les fragments de roches parsemés dans le vignoble – est réputé pour sa « finesse »[13] et, bien qu'en Bourgogne, contrairement au Bordelais, les propriétés viticoles soient de petite superficie, cette vigne assurait à François Javillier une aisance suffisante pour inciter son aîné à le rejoindre à Nuits.

Déjà, lors du mariage de François, Jean et ses parents avaient quitté Curtil pour s'avancer jusqu'à Villars-Fontaine, village à portée de vue de leur ancienne demeure. Cela constitue une étape, timide certes, qui leur permet de se dire « vignerons » eux aussi au mariage de François. Mais ce n'est qu'après son mariage, en 1841, avec une jeune fille de Concœur, Marguerite Grivot, que Jean osera rejoindre son cadet à Nuits où, le 16 juin 1845, il déclare son premier fils, né de la veille, sous le nom de Jean-François.

Bien que marié un an avant son aîné, ce n'est qu'un an après lui, le 24 octobre 1846, que François déclare à son tour le fils que vient de lui donner Pierrette et prénommé Jacques, celui que

10. C. Theuriet (1886, 1983) *Histoire de Nuits sous Beaune*, Le Meure/Michaut, p. 389.
11. Les Nuits-Caille, couvrent 40 hectares et sont divisés en 38 hectares appartenant à des propriétaires cités dans le livre de M.-J. Lavalle : il reste donc deux hectares répartis en parcelles entre les autres propriétaires non mentionnés explicitement. M.-J. Lavalle (1855) *Histoire et statistique de la vigne et des grands vins de la Côte d'or*, p. 12.
12. « Mes aïeux Javillier sont vignerons à Nuits-Saint-Georges où ils possèdent un clos réputé (le Nuits Caille). Leur maison est située au milieu de la vigne » in F. Retel, *op. cit.*
13. A. Joanne (1866) *De Paris à Lyon*, Hachette, Paris, p. 227.

l'on retrouve sous les prénoms de François lors des recensements, de Henri pour ses descendants et que nous appellerons Jacques-Henri.

Cet enfant venu après six ans de mariage et qui demeurera unique, cause à son père une émotion telle qu'il ne se souvient plus de la date de son propre mariage et donne celle de son frère à l'officier d'État civil.

Heureusement, contrairement à ses cousins qui meurent les uns après les autres – le petit Jean-François au bout de quinze jours et les deux jumeaux, nés en 1847, à l'âge de trois ans [14], – Jacques Javillier est un enfant bien portant, solide et intelligent.

Les cinq premières années du petit Jacques s'écoulent au 33 de la rue Thurot qui cerne la petite ville de Nuits en offrant aux voyageurs, sur la route de Dijon à Beaune, l'hospitalité gourmande de ses caves dont les portails en arc s'ouvrent au rez-de-chaussée des maisons. En 1851, on retrouve la petite famille de François Javillier, rue Saint-Symphorien où ils sont les voisins directs du frère de Pierrette. Le père Mennevers, quant à lui, depuis le mariage de sa dernière fille, s'est retiré au 2 de la rue de Chaux, dans une maison bourgeoise qui témoigne de l'aisance acquise par son propriétaire. C'est là que cinq ans plus tard [15], François Javillier et Pierrette, accompagnés de leur fils, viendront habiter à leur tour, pour y rester jusqu'à leur mort.

Pour ce jeune Jacques-Henri, sur lequel nous n'avons que très peu d'éléments, une qualité cependant s'impose : ce fut certainement un enfant « consciencieux », car cette « conscience » est le terme qui revient sous la plume de son fils Maurice chaque fois qu'il parle de son père. S'il *vit encore du travail de ses parents*, comme le précisent les registres de recensement, et s'initie avec son père au travail de la vigne, il est aussi, très probablement, un élève studieux et même sans doute remarqué par les instituteurs qui, depuis la Révolution, se succèdent dans l'école primaire de Nuits, incitant sa famille à l'envoyer poursuivre des études secondaires à Dijon. En effet *il n'y eut jamais à Nuits de collège communal, malgré les vœux, souvent réitérés, de la population. Il y eut*

---

14. C'est le quatrième enfant, Jean-Symphorien, né en 1850, qui assurera la lignée des Javillier aujourd'hui propriétaires à Meursault.

15. Ces renseignements proviennent des registres de recensement pour la ville de Nuits des années 1846, 1851 et 1856. Archives départementales de la Côte d'Or.

une institution privée, remontant jusqu'à M. l'abbé Garreau, qui l'avait établie sous l'Empire, dans le lieu même où elle siégea longtemps sous M. Roi[16].

Cette institution privée s'adressait surtout à des familles de la haute bourgeoisie nuitonne plus qu'aux fils de vignerons. Ajoutons que l'absence de Jacques-Henri à Nuits, lors du recensement de 1861, semble prouver que l'arrivée du Chemin de fer à Nuits, en 1849, ne fit pas que favoriser « l'extension du commerce des vins[17] ». Elle facilitera également aux écoliers les plus brillants les déplacements à Dijon pour suivre leurs études jusqu'au baccalauréat et, même, après leur succès, pour entrer à l'université.

C'est ainsi que Jacques-Henri Javillier s'y inscrivit en vue d'obtenir le diplôme de pharmacien.

La question qui se pose est de savoir pourquoi, ce jeune homme, fils unique de vigneron, aimant suffisamment la terre et la vigne pour transmettre, plus tard, cet amour à son fils, s'engage dans des études longues et coûteuses qui l'éloignent immanquablement de sa ville natale. Surtout nous interpelle son choix des études pharmaceutiques.

S'il est fréquent, au cours de la troisième République, de voir les meilleurs élèves des écoles rurales entrer dans des écoles normales pour devenir des instituteurs, bien peu sont ceux qui se destinent à une profession libérale aussi fermée que la pharmacie et réservée surtout aux enfants du corps médical.

Pour tenter de comprendre une décision qui influencera d'importante façon la vie de Maurice Javillier, nous ne pouvons que faire des suppositions, en essayant de réfléchir aux influences qui ont incité le père de Maurice à s'engager dans cette voie.

Il nous semble qu'à cette époque, deux figures, l'une locale, l'autre régionale et même nationale, sont peut-être à l'origine de cette orientation.

L'exemple le plus direct que le petit Jacques-Henri a connu est celui de Jacques Duret, maire de Nuits depuis 1835 et conseiller général depuis 1836. Médecin à l'Hôpital de cette ville, marié avec la fille d'un confrère, il donne à ses administrés une image très positive du corps médical qui fait converger vers lui leur

---

16. C. Theuriet, *op. cit.* p. 397.
17. Panneau historique, mairie de Nuits-Saint-Georges.

confiance et leur admiration. C'est ainsi qu'ayant perdu la municipalité nuitonne au moment de la révolution de 1848, il est rappelé par la voix de la population et réélu par acclamation quelques mois plus tard [18]. N'étant décédé qu'en 1874, soit deux ans après l'obtention de son diplôme par le fils de François Javillier, il n'est pas interdit de supposer que ce personnage, auteur d'une flore bourguignonne, ait suscité, chez son jeune concitoyen, le goût pour la botanique dont Maurice Javillier témoigne dans ses écrits.

Le second modèle possible pourrait être Paul Thenard, fils du célèbre chimiste Louis-Jacques Thenard [19]. Marié à une jeune, belle et riche héritière, il est devenu le propriétaire du château de Talmay, à quelques kilomètres de Dijon. L'amour de la terre bourguignonne, tout autant que celui qu'il porte à la jolie Fanny, devenue son épouse, a orienté sa carrière de chimiste vers l'étude de l'action des fumiers sur le sol arable. Sans pouvoir encore en connaître la raison microbienne, il a compris la transformation de l'azote organique en nitrites assimilables par les plantes et a eu ainsi *le mérite d'être entré, l'un des premiers, dans la voie des synthèses organiques, et d'avoir établi la théorie de l'action des fumiers sur une base scientifique solide* [20].

Ces travaux démontrent l'espoir que la chimie apportait désormais à l'agriculture et parallèlement à la viticulture dans la lutte contre l'oïdium et plus tard contre le mildiou. La pharmacie, dont les études reposent en grande partie sur des connaissances chimiques ouvrait donc au fils d'un vigneron comme François Javillier, des promesses jusqu'alors insoupçonnées.

Ajoutons qu'en 1864, au moment probable où Jacques Henri Javillier est sur le point de s'inscrire à l'Université, Paul Thenard entre à l'Académie des Sciences dans la section d'économie rurale. Qu'il y ait eu véritablement ou non un lien entre la vocation du père de Maurice Javillier et cette consécration est sans

18. C. Theuriet, *op. cit.* p. 451 et passim.
19. A.-C. Déré et G. Emptoz (2006) *Le château de la Ferté-sur-Grosne, mémoire d'une abbaye disparue*, M.-G. Éditions. A.-C. Déré et G. Emptoz, *Autour de Louis-Jacques Thenard, grandeur et fragilité d'une famille de Notables au XIXe siècle*, Université pour tous de Bourgogne, centre de Chalon-sur-Saône (2008).
20. Discours de M. Bouley, vice-président de l'Académie aux funérailles de M. le Baron Thenard, décédé au château de Talmay, le 8 août 1884. Archives de l'Académie des Sciences, dossier biographique.

importance, mais nous ne pouvons résister à signaler que, soixante-douze ans plus tard, c'est justement, au fauteuil de Paul Thenard que Maurice Javillier sera élu en 1936.

Quoi qu'il en soit, Jacques-Henri Javillier devint pharmacien en 1872 et acheta, la même année, une officine à... Nevers.

Pharmacien-chimiste et... viticulteur (1875-1892)

Le choix de ce lieu soulève bien évidemment une nouvelle question : pourquoi Nevers et non Dijon, Châlons ou Beaune, plus proches du domicile familial ? Certes la progression par étapes [21] d'une liaison ferroviaire entre Nuits et le chef-lieu de la Nièvre, est un argument favorable à cette décision, mais ne l'explique que partiellement. De même pourrait être invoqué le mariage de Jacques-Henri Javillier avec une Neveroise, mais cette union n'ayant eu lieu que deux ans après l'achat de la pharmacie, semble bien indiquer que les événements se sont déroulés dans le sens contraire et que c'est parce qu'il s'est installé à Nevers que le père de Maurice Javillier a rencontré sa future femme dont les parents habitaient place Saint Sébastien où se trouvait l'officine.

Beaucoup plus prosaïquement, c'est à la façon dont ce faisait à cette époque, l'enseignement de la pharmacie que l'on doit cette installation neveroise. À la fin du XIXe siècle, les études médicales étaient encore, en effet, sous la loi Fourcroy, datant de... 1803 qui divisait les titulaires du diplôme en deux catégories : les pharmaciens de première classe, diplômés dans l'une des trois universités – Paris, Montpellier et Strasbourg – et habilités à exercer leur profession sur tout le territoire français, et les pharmaciens de seconde classe, ayant fait leurs études dans des écoles préparatoires, comme celle de Dijon et qui ne pouvaient s'installer que dans un département déterminé. Tel fut le cas de Jacques-Henri Javillier, *pharmacien de seconde classe pour exercer dans le département de la Nièvre*[22].

Peut-être aurait-il été terminer ses études à Strasbourg, si l'époque où se déroulent ses études universitaires n'avait corres-

21. D'abord Dijon-Chagny inaugurée en 1849, puis Chagny-Mauchanin en 1861, Monchanin-Cercy-la Tour et Cercy-Nevers en 1866 et 1867. Renseignements dus à François Touzelet.
22. Diplôme de J.-H. Javillier. Archives J.-S. Retel.

pondu à la guerre de 1870. Si ce premier conflit franco-prussien n'a pas eu l'étendue que prendront les deux guerres suivantes, il n'en a pas moins marqué violemment certaines régions françaises et tout particulièrement la Bourgogne qui, sitôt la capitulation de Strasbourg, est envahie par l'armée allemande qui assiégeait la ville alsacienne. Après un premier combat près de Talmay, les Allemands entrent à Dijon le 31 octobre 1870 et s'y installent. Mais ils ne s'en tiennent pas là. Comme le dit l'auteur de *l'Histoire de Nuits, Les riches produits de la Côte de Nuits ne pouvaient échapper à leur convoitise*[23] et dès le 20 novembre, ils attaquent la petite ville et le lendemain, le Clos Vougeot. Repoussés, ils reviennent à Nuits le 30 novembre, sans succès. Ayant compris que la « montagne » de Chaux est une position stratégique pour les Nuitons, ils décident de recommencer l'offensive en venant de Concœur et les 17 et 18 décembre, une sanglante bataille oppose 11.000 Allemands à 12.000 français qui parviendront, après des combats acharnés et meurtriers, à leur faire rebrousser chemin[24].

En tant qu'étudiant en pharmacie en temps de guerre, Jacques-Henri Javillier fut mobilisé comme interne à l'ambulance des Capucins. Sa conduite y fut si exemplaire qu'en 1874, le chirurgien chargée de cette ambulance, attesta par lettre : *Que J.-H. Javillier a rempli les dites fonctions depuis le premier jour de septembre 1870 jusqu'à la suppression de l'ambulance et notamment que le 30 octobre, jour de l'attaque de la ville de Dijon par les troupes allemandes, il a été à ma disposition depuis le matin, et pendant toute la nuit suivante, et même qu'il a fait preuve du plus courageux dévouement en allant avec nos infirmiers chercher les blessés sur le champ de bataille au milieu duquel se trouvait du reste notre ambulance*[25].

Cette conduite exemplaire lui valut d'être nommé lui-même pharmacien aide-major au camp de Sathonay de février à avril 1871. Mais cette interruption dans ses études, fit qu'il n'obtint son diplôme qu'à l'âge de 26 ans et qu'il s'empressa d'aller acheter à Nevers, la pharmacie de Monsieur Bec, pour la somme considérable à l'époque, de 38.000 francs, dont 20.000 versés de suite et 18.000 à valoir, ainsi que nous le dévoile le contrat de mariage

23. C. Theuriet, *op. cit.* p. 161.
24. C. Theuriet, *op. cit.* pp. 156-183.
25. Lettre du 22 septembre 1874, du médecin aide-major de la garde nationale de Dijon. Archives J.-S. Retel.

établi de 12 avril 1874 entre « Jacques Javillier et Marie Lucie Blanche Chaumeil ».

Ce contrat est pour nous extrêmement révélateur. D'une part, il nous indique que l'achat de l'officine ne s'est pas fait grâce à la dot de la fiancée et nous conduit à rejoindre l'hypothèse émise par Françoise Retel, à savoir la vente de la parcelle du Nuits-Caille par François Javillier. Car *un vigneron bourguignon n'est pas un paysan pauvre du Massif Central ; il est propriétaire de sa terre et celle-ci constitue un capital même si elle est de taille réduite*[26].

Cette vente supposée ne signifie nullement le renoncement de François et de Pierrette à la viticulture, même si, en tant que parents de l'époux, ils se disent « propriétaires » sur l'acte de mariage.

Cet acte, d'autre part, nous fournit un éclairage significatif sur la famille maternelle de Maurice Javillier. Certes, le mariage du fils du vigneron François Javillier avec la fille d'un négociant en bois de Nevers représente une promotion sociale, mais l'union de Lucie Chaumeil avec un pharmacien en est une également. C'est le passage de la moyenne bourgeoisie commerçante au rang des notables de province. Tout dans le libellé même du contrat, – inspiré, n'en doutons pas, par la famille Chaumeil –, transpire la mentalité de cette bourgeoisie balzacienne[27] pour laquelle l'argent, difficilement gagné, – un avoir de 14.295 francs sur la dot fixée à 28.295 francs, étant seul versé, le solde ne devant être réglé que trois mois plus tard, le 15 juin 1875 –, est un bien précieux qu'il faut protéger de tous dangers. Contre les dettes contractées par le futur époux, contre l'absence éventuelle d'héritiers et même contre une séparation entre les époux, tout à été prévu pour que le bien *constitué par imputation sur les droits de la future épouse sur la succession du premier mourant de ses père et mère*[28], revienne à la source, c'est-à-dire à ses parents.

Loin d'être exceptionnel, le style de ce contrat est fréquent à l'époque, mais il nous explique peut-être, l'aversion que Maurice Javillier eut toute sa vie, envers la constitution d'un patrimoine financier.

---

26. F. Retel, *op. cit.*
27. D'autant que la famille maternelle de Lucie Chaumeil est de Tours.
28. Contrat de mariage passé devant Maître Bouillard, le 12 avril 1874. Archives départementales de la Nièvre.

De ce mariage, devaient naître deux enfants : dix mois plus tard, le 5 février 1875, Jean-Maurice Javillier et quatre ans après, le 15 avril 1879 – au lendemain de l'anniversaire de cette union – un second fils prénommé Henri-François.

La petite enfance constitue toujours, pour un biographe, une étape difficile de l'écriture. Face à l'absence évidente de souvenirs chez les descendants, face à la pénurie des documents officiels, il lui faut reconstituer les premières années du héros à l'aide de toutes espèces de renseignements glanés çà et là : mémoire des lieux pour en restituer le cadre, archives locales dans l'espoir de voir surgir des noms, apparaître des liens ou des engagements permettant de mieux situer la famille dans sa façon de vivre.

C'est Nevers, enclose dans l'hémicycle de ses remparts depuis la porte du Croux jusqu'à la Loire qui prend sous le pont unique menant vers le sud, des allures de grand fleuve intrépide, qui sera principalement le cadre de cette enfance. C'est dans ses rues pentues, ses vastes places, son étrange cathédrale à deux chœurs, ses somptueux hôtels témoins de la splendeur des Ducs de Nevers et c'est enfin, sur la place Saint Sébastien – petite celle-là – en forme de virgule charnue, où s'ouvre, au numéro douze, la façade de la « Pharmacie centrale » de J.-H. Javillier, que grandira le petit, puis le jeune Maurice. Au-dessus de la devanture, un grand balcon cerné d'une balustre en fer forgé orné d'un motif Restauration, porte le nom de l'officine. On accède aux étages constituant l'habitation des propriétaires par un couloir et un escalier situé après l'arrière-pharmacie et donnant sur une cour, qu'évoque M. Javillier quand il décrit son père : *Mon père était un praticien consciencieux, aimant que fussent faites toutes les vieilles préparations galéniques qu'il réalisait dans l'arrière pharmacie, le laboratoire et la cour attenant à celle-ci.*

Dans cette cour, le jeune Maurice s'entraîne à la carabine, jusqu'au jour où, grâce à de ses tirs de plus en plus précis, il s'apercevra que ses balles passent directement à l'intérieur de l'officine [29]. Cette performance fera le lui un champion régional à l'âge de 12 ans, ce qui lui vaudra de gagner, en guise de trophée, une assiette en faïence de Nevers, décorée d'un fantassin vêtu du pantalon rouge et de la casaque bleue traditionnelle, et d'un goût

29. J. Retel.

patriotique indéniable. Cet exercice très militaire était en effet tout à fait dans l'esprit du temps : celui de la revanche de la France contre l'Allemagne victorieuse en 1870. Consciencieux à l'entraînement, il l'est également dans sa vie scolaire, ce qui lui permet l'année suivante de s'exercer à l'art poétique et d'offrir pour les trente-sept ans de sa mère,

De son fils les premiers vers
A sa bonne et chérie mère
Pour l'anniversaire du jour
Où ses yeux virent le jour[30].

Comme il le dit toujours en vers :

C'est en cassant une croûte,
Que tout à coup, par la tête l'idée m'est passée
De t'offrir mes premiers vers
Ma bien bonne mère.

Le cadeau de ce poète néophyte et quelque peu maladroit, comprend trois courts poèmes, qui fixent pour nous quelques images de l'enfance du petit Maurice, écolier ébloui par le latin et le monde de la mythologie antique qu'il vient de découvrir en entrant au collège, comme nous le révèle le « *Crépuscule à Messène* » où *la barque de Caron* accompagne allègrement *les arbres secoués par le vent qui font frifri*. C'est aussi, le cadre campagnard de ses vacances et son amour de la nature qu'il dépeint dans son « *réveil de la nature* » assez conventionnel, malgré quelques observations charmantes de fraîcheur.

L'oiseau commence son chant matinal,
Salue le voyageur sur le chemin vicinal.
Le coq passe en revue sa troupe,
Pendant que le laboureur va manger sa soupe.

Mais c'est surtout la tendresse partagée entre sa mère et lui dans l'instant d'un bonheur matinal qui explose dans le plus touchant des trois textes : *Le baiser de l'enfant.*

Soudain ils s'entrouvrent les rideaux roses
Et du fond des draps surgit une tête d'enfant.
Bonjour maman, crie le mutin aux lèvres roses.
La mère s'approche et baise le front de son enfant ;
Et tous deux dans une même étreinte, de tout cœur
S'embrassent, et mutuellement respirent le bonheur.

30. Poèmes de Maurice Javillier, 10 avril 1887. Archives F. Retel.

Pour esquisser le portrait de cette tendre mère, nous n'avons que peu de documents : quelques fragments d'une correspondance tardive et une photographie prise à Nuits-Saint-Georges avec son mari et ses beaux-parents. Comme nous l'avions deviné à travers le texte de son contrat de mariage, Lucie reste marquée par son éducation bourgeoise et vit dans le respect des convenances et de l'économie. Une lettre qu'elle adresse à son fils, alors qu'en 1901, elle s'apprête, à son tour à le marier, semble le confirmer.

Mon cher Maurice

Tu as reçu aujourd'hui de M. et Mme Champigny une pince et une cuillère à sucre. Ne manque pas de leur envoyer un mot de remerciement. Tu feras sagement de pas augmenter le nombre de tes invités, il est probable que les dames feront défaut. D'après la lettre de M. Simon, il est probable que sa femme ne viendra pas. Mme Rocher ne peut accompagner son mari. Il est donc certain que l'on sera obligé de donner des hommes mariés aux demoiselles Labard [...] *Les dentelles sont arrivées assez tôt et j'ai reçu ce matin un flot de remerciements.*

Allons bon courage, mon cher chéri, et surtout aie confiance en toi. Lucie[31].

La façon dont Lucie, pour rédiger cette missive, fait usage du papier à lettre de son fils, portant l'entête de la pharmacie dont il vient de se rendre propriétaire à Tours, est également révélatrice de la fierté qu'elle éprouve à avoir été la femme, puis à être la mère d'un pharmacien. Est-ce cependant le contact permanent avec la maladie que cette profession impose et les connaissances qu'elle a plus ou moins bien acquises en entendant parler les confrères de son mari, ou une réelle nature maladive qui l'incite à se préoccuper constamment de ses maux et de ceux des autres ? En 1904, déjà, lorsqu'elle reçoit pour les vacances, sa petite-fille Jacqueline, son mari signale sa langueur, sans toutefois paraître bien inquiet : *Sommes heureux de la bonne nouvelle : Jacqueline pousse sa voiture. Dans quelques jours elle marchera. Notre malade ne va pas plus mal, nous avons fait une promenade en voiture de 4 heures*[32].

31. Archives J. Retel.
32. Lettre de J.-H. Javillier, 1904. Archives J. Retel.

En 1919, âgée de soixante-neuf ans, alors qu'elle est en cure à Aix les Bains, Lucie annonce pour elle une amélioration de sa santé, mais taquine son fils sur la sienne. *Et toi, mon Maurice, Comment vas tu ? Tu as tout le loisir de te reposer aux bains de mer. Fais comme moi, mon vieux, aie de la patience, n'écoute pas trop les médecins et tu guériras sûrement. J'ai donc bon espoir de te voir bien portant ainsi qu'Anna et les fillettes qui n'ont rien à désirer sur ce rapport*[33].

Un mois plus tard, ayant appris que Jacqueline a été souffrante elle tance son fils, *Malgré tout tu me ferais plaisir en me donnant des nouvelles de ta fille et je désire de tout cœur que cette indisposition n'ait été que passagère.*

Cette fragilité qui la pousse à passer la mauvaise saison d'hiver sur la Côte d'Azur, ne l'empêche pas d'être une grand-mère attentive et accueillante pour ses petits-enfants. Après Jacqueline, venue faire chez elle ses premiers pas, c'est le fils de Henri-François et sa belle-fille, Lucie, qu'elle reçoit à Nuits avant de partir pour le Midi *: J'ai auprès de moi Lucie et son petit Robert. Henri doit revenir samedi pour 48 heures avec nous*[34], écrit-elle à son fils en 1919.

Après le départ de Maurice à Tours et la vente de la pharmacie de Nevers, Lucie et Jacques-Henri Javillier, sont revenus vivre à Nuits, dans une belle maison au 29 bis de la rue du Tribourg, parallèle au Muzin et proche de celle de François et de Pierrette. Foncièrement, ainsi qu'en témoigne son fils à plusieurs reprises, J.-H. Javillier n'a jamais cessé d'être un viticulteur. Une carte postale adressée à son fils à Tours, confirme que loin de couler une paresseuse retraite à Nuits, il s'est lancé dans la vente des vins : *Il m'est impossible de faire une vente quelconque de vin vieux en bouteilles. Il y a belle lurette que le vin semblable à celui de M. Champenois est vendu. Ce qui me reste est plutôt du passe-tout-grain ; je ne puis pas le vendre comme vin fin*[35].

Déjà, une photographie, que, grâce au costume des dames et l'âge apparent des personnages, on peut dater des années 1880, nous représente les parents et grands-parents de Maurice, dans

33. 27 juillet 1919. Archives J.-S. Retel.
34. *Idem.*
35. Lettre de J.-H. Javillier du 21 octobre (entre 1901 et 1905), adressée à son fils à Tours, sur une carte représentant Mademoiselle Héglon de l'Opéra. Archives J. Retel.

une vigne que la position de l'église Saint Symphorien, sur la gauche en arrière plan, permet de situer sur les premières pentes de la Côte, en arrière de la rue de Chaux.

C'est de même à Nuits que Maurice et son petit frère passent leurs vacances et c'est dans cette vigne qu'il s'initie avec son grand-père à « l'œuvre patiente et décevante du paysan [36] » et au dur labeur que requiert la vigne. *Tout jeune j'ai vu mon grand-père paternel aux prises avec les difficultés de la culture de la vigne, puis engagé dans la lutte antiphylloxérique. Combien de fois ai-je, en sa compagnie, arpenté les vignes, portant le pal à sulfure de carbone!*

Le petit Maurice vient tout juste d'avoir 6 ans, quand, en 1881, un insecte, s'attaquant aux racines des vignes, dévaste tout le vignoble bourguignon, ruine totalement un grand nombre de propriétaires et fait disparaître à jamais des clos célèbres, *comme Saint-Péray et Côte-Rôtie dont il ne reste plus que le nom pour la postérité*[37]. Contre le drame phylloxérique, la science chimique, d'abord avec des pulvérisations de sulfure de carbone, va se mobiliser. Cette lutte, dans laquelle s'engage naturellement J.-H. Javillier, accompagne toute l'adolescence de Maurice puisque ce n'est qu'en 1888 que le vignoble sera reconstitué, grâce à l'arrivée de plants sauvages américains résistants à l'insecte dévastateur, sur lesquels furent greffés les différents cépages attaqués par le phylloxera. De cet engagement, Maurice se souviendra longtemps : *Mon père était avec un zèle égal, pharmacien et viticulteur. Et parmi les initiateurs de la reconstitution des vignobles bourguignons. Avec lui je m'informais des qualités et des défauts des Ripariæ des Rupestris et des Solinis, je voyais faire des greffes par milliers. Je m'instruisais des méfaits du mildiou et de l'oïdium. J'apprenais qu'il convient de mettre dans le sol du fumier de ferme ou de sulfate d'antimoine, à quoi servent le soufre et la bouillie bordelaise*[38].

L'importance même du soufre et des produits sulfurés dans la lutte contre les maladies de la vigne, nous permet d'expliquer à la fois les titres de pharmacien-chimiste dont se qualifie J.-H. Javillier

36. M. Javillier (1931) « A.-T. Schloesing et son œuvre. La biologie et ses relations avec la chimie agricole ». Leçon inaugurale de son entrée au C.N.A.M., *Bulletin des sciences pharmaceutiques,* tome XXXVIII, pp. 643-662.
37. C. Theuriet, *op. cit.* p. 17.
38. M. Javillier, 1931, *op. cit.*

sur son papier à lettres et la curieuse disposition de l'officine de Nevers, dont l'arrière pharmacie ouvre comme le laboratoire sur une cour, non pas indépendante, mais décrite par Maurice comme faisant partie des lieux où travaille son père. Pour tout apprenti pharmacien qui s'est un jour exercé aux analyses chimiques, la nécessité de placer en plein air les bombonnes malodorantes et dangereuses d'hydrogène sulfuré, est évidente, tout comme leur relation avec la composition des produits sulfurés que fabrique très probablement le père de Maurice Javillier, en plus des préparations galéniques traditionnelles. Nous confirment cette hypothèse ses propres expériences : *Dans la pharmacie paternelle, j'ai acquis, avant même la fin des études secondaires, puis pendant mon stage officinal, mes premières notions de chimie, apprenant par des séries d'essai que j'improvisais l'A.B.C. de l'analyse minérale*[39].

Ces séries d'essais appliquées à l'analyse minérale ressemblent fort « aux sauces » que l'on pratiquait alors pour précipiter, séparer et caractériser, les ions des deuxième et troisième groupes, tel que l'antimoine ou le fer, sous forme de sulfures insolubles. Ainsi c'est bel et bien de la chimie agricole que le père de Maurice Javillier pratiquait déjà, montrant à son fils que le rôle d'un pharmacien, dans un pays agricole, ne se limite pas à une science théorique et que son premier devoir est d'appliquer les connaissances acquises à l'amélioration de la culture et à sa protection. Formé à cette école praticienne, le jeune Maurice l'est également à l'amour et au respect de la nature. Un amour et un respect, dont il ne se départira jamais et qu'il cherchera à transmettre, chaque fois que l'occasion lui en sera donnée, à ses petits-enfants.

Une personnalité attachante et multiple (1892-1894)

L'adolescent tiendra les promesses de l'enfant élevé dans la curiosité des secrets de la nature vivante. Fervent lecteur des Anciens, il répond totalement à la formule consacrée : *Mens sana in sano corpore*, et, d'un naturel passionné, il pratique toutes choses avec un égal enthousiasme. S'il est un intrépide trapéziste inscrit au manège Bertrand de Nevers, pour lui, « être bon en gymnastique » ne signifie pas être mauvais dans les autres matières, au

39. M. Javillier, 1931, *op. cit.*

contraire même, il y excelle. Son carnet scolaire de terminale au lycée de Nevers est là pour en témoigner : *Exemplaire, sens droit, esprit sérieux et fin,* pour le professeur de Lettres, *Le premier de la classe dans toutes les compositions d'histoire naturelle de l'année scolaire, bon esprit recommandable à tous,* pour son professeur de Sciences naturelles, *le proviseur ne peut que confirmer les témoignages des professeurs ci-dessus exprimés*[40].

À seize ans, le 31 juillet 1891, il s'est présenté aux épreuves de la première partie du baccalauréat ès lettres, qui se passait alors en deux ans – la première partie portant sur une culture générale et classique, la seconde plus spécialisée avec trois sections : philosophie, sciences expérimentales et mathématiques élémentaires. La copie de la composition française, première épreuve que subissaient les candidats, a été pieusement conservée par le jeune Maurice. Elle constitue un document d'autant plus précieux pour nous qu'on y retrouve esquissés les traits marquants d'une ligne de vie dont il ne se départira jamais. Au très traditionnel sujet : « Quelle est des tragédies de Corneille celle que vous préférez ? », Maurice répond en profitant de l'introduction pour manifester son enthousiasme envers le dramaturge français : *Le théâtre de Corneille est une école de grandeur de l'âme. Voltaire l'a dit et il a bien vu que c'est là ce qui en fait l'éclatante supériorité. Est-il en effet beaucoup de poètes qui puissent se vanter de n'avoir jamais inspiré de sentiments bas et honteux ? Oui, toutes les pièces de Corneille nous donnent de grandes et nobles pensées*[41].

Évidemment son choix se porte sur le Cid où l'élévation de l'âme des héros permet d'excuser les entorses faites à la sacro-sainte règle des trois unités, que le candidat Javillier rappelle avant de céder à l'admiration que lui inspirent l'esprit chevaleresque de Rodrigue et le récit épique du combat contre les Maures. Cependant, ce n'est pas le panache de ce morceau de bravoure, mais au contraire la juste mesure et le contrôle dont le héros espagnol fait preuve dans son récit qui lui plaisent : *Quelle simplicité ! Et comme cette parole calme et modeste nous révèle l'âme du héros*[42].

---

40. Appréciations notées sur le livret scolaire de M. Javillier, année 1891-1892. Archives J.-S. Retel.
41. M. Javillier « Composition française de la première partie du baccalauréat ès lettres ». Manuscrit. Archives F. Retel.
42. *Idem.*

Ce contrôle, cette modestie, il s'appliquera à les observer toute sa vie, ne laissant qu'à de rares instants entrevoir « son âme douce et tendre », qualités toutes aussi importantes à ses yeux d'adolescent que la bravoure de l'amant de Chimène. *Si Rodrigue n'était que brave et chevaleresque, il ne nous inspirerait qu'une demie sympathie, mais c'est en même temps une âme douce et tendre*[43]. Cette tendresse, ce dévouement à ceux qu'il aime, dans cet homme à l'aspect sévère, voire rigide, sera également chez Javillier un élément constant de son caractère qui se lit en filigrane dans sa correspondance et les témoignages de ceux qui l'ont connu.

Brillant élève, doué d'une maturité rare chez un adolescent, Maurice Javillier obtient brillamment, l'année suivante, à dix-sept ans, la seconde partie du baccalauréat, clef indispensable pour envisager l'avenir.

Bien que dès l'année de son premier bac, son père, probablement, l'ait inscrit comme étudiant en pharmacie dans son officine, lors du recensement[44], la partie n'est pas encore gagnée. Dix-sept ans c'est bien jeune pour renoncer à explorer le vaste champ des sciences et des lettres afin de se consacrer, en entreprenant des études supérieures, à une voie unique qui semble bien étroite quand on a des goûts aussi multiples que les siens. *Lorsque, mes études secondaires closes, il fut question d'avenir et de carrière, des tendances diverses se heurtaient en mon esprit enthousiaste pour beaucoup de choses, mais fermement décidé pour aucune. Et ce n'est pas en consultant ma table de travail que mes parents eussent pu déterminer mes goûts. Je vois un certain soir, par exemple, les discours de Mirabeau, dans une petite édition populaire à couverture rouge, voisinant avec un traité de physique classique – C'était le Ganot – lui aussi dans une reliure rouge, et le Journal intime de Maine de Biran dont j'allais, le soir, discuter les si profondes introspections de lui-même avec mon ancien professeur d'histoire*[45].

Pourtant la description de cette table de travail est pour nous un précieux enseignement sur l'adolescent qu'était alors Maurice

---

43. M. Javillier « Composition française de la première partie du baccalauréat ès lettres ». Manuscrit. Archives F. Retel.
44. Registre du recensement, Place Saint-Sébastien, 1891. Archives municipales de Nevers.
45. M. Javillier, « Allocution au banquet de l'association confraternelle des internes en pharmacie des hôpitaux et des hospices civiles de Paris, 11 mai 1937 », *Bulletin des sciences pharmaceutiques*, tome XLIV.

Javillier et nous révèle en germe certains traits de sa personnalité future. Son goût pour la physique classique annonce déjà un besoin de rigueur scientifique liée à des applications concrètes. Ce n'est pas la « pensée pure » des mathématiques qui l'attire, mais bien une science fondée sur l'expérience et pleine de promesses pour l'avenir. Son amour des Lettres, qui en ont fait « un latiniste distingué » selon l'expression traditionnelle, semble le pousser vers l'histoire et plus particulièrement vers l'histoire de la Révolution française dont Mirabeau et Maine de Biran ont été des acteurs. Pourquoi cette période tumultueuse et cruelle attire-t-elle le jeune Javillier ? Peut-être, est-ce un moyen pour lui de s'interroger, déjà, sur la folie des hommes et parce qu'il partage avec Maine de Biran sa haine de la violence tout en reconnaissant la nécessité de respecter la liberté et de céder à ses aspirations. Pour lui surtout, le vécu – la vie déjà – l'emporte sur le récit historique. Les deux auteurs sont des témoins qui ont traversé les événements qu'ils jugent et non des historiens qui les commentent *a posteriori.* Pour le physiocrate Mirabeau, il éprouve, probablement aussi, une attirance « d'homme de la terre » et trouve déjà dans ses livres sur « *L'Économie générale de l'Agriculture* » et sur la « *Philosophie rurale* » des idées dont il nourrit son intérêt pour le monde agricole.

On conçoit néanmoins qu'un père, comme Jacques-Henri Javillier, ait pu ne pas vraiment approuver les rêveries philosophiques de son fils et ait craint, qu'en adepte du mélancolique Maine de Biran, il considère que *cette malheureuse existence n'est qu'une suite de moments hétérogènes qui n'ont aucune stabilité. Ils sont flottants, fuyants rapidement, sans qu'ils soient jamais à notre pouvoir de les fixer*[46].

Pour lui éviter de « flotter » comme son idole et de sombrer dans une impuissance totale à se donner un grand dessein faute de savoir choisir entre ses aspirations, Jacques-Henri Javillier n'hésite pas à glisser sur la table de son fils quelques saines lectures, tels le *Bourgoin* ou de le *Dorveau,* véritables bibles des pharmaciens de ce temps.

Le propriétaire de la *Pharmacie centrale* de Nevers voit déjà en son fils aîné l'héritier que souhaite tout pharmacien praticien. La transmission de l'officine est, dans cette profession, un acte

46. Maine de Biran, Journal intime.

voisin de la succession au trône. Même si, à cette époque, la succession de père en fils, dans une profession est une pratique sociale courante, cette tradition remonte, pour les pharmaciens, aux temps les plus lointains. Il suffit pour s'en convaincre de faire la généalogie des membres du corps médical contemporain. Ce n'est pas seulement un patrimoine immobilier, doublé d'une charge de notabilité que recueille le descendant, c'est aussi la passation d'un devoir moral et d'une continuité envers la clientèle et les autres membres de la profession.

Une photographie de la pharmacie Javillier, datant probablement des années 1890, peut se lire comme une illustration parfaite de cette tradition successorale. Sur l'image, point de femme, mais de chaque côté de l'entrée le père, Jacques-Henri Javillier, et son fils cadet, Henri-François, jeune collégien en culotte courte, alors que Maurice, en costume sombre comme son père, s'encadre dans la porte de l'officine.

Certes, nanti de deux fils pour lui succéder, Jacques-Henri Javillier, père, n'était pas obligé, apparemment, de convaincre Maurice à s'engager dans des études pharmaceutiques. Apparemment, car le cadet, loin de présenter le sérieux et l'application de son aîné pour les études, ne rêvait que de parties de chasse et de musique. Doué pour cet art, il espérait d'ailleurs y faire carrière sans être approuvé et encore moins soutenu dans ce projet par sa famille qui le poussera à devenir avocat. Entre les deux frères, la disparité est grande. Alors que tout adolescent Maurice expliquait déjà son admiration pour les personnages du Cid de Corneille, en ces termes : *Tous mettent le devoir au-dessus de tout et c'est justement ce qui me les fait aimer. « Un jeune homme qui n'admirerait pas le Cid, a dit Sainte-Beuve, serait bien malheureux » et il a raison, car le Cid nous apprend le respect du devoir et de l'honneur*[47].

Henri-François est volage; à l'image du Chérubin de Mozart, il butine les plaisirs de la vie et, à plus de vingt ans, en 1900, il folâtre encore dans sa correspondance. À son frère, qui vient d'acheter sa pharmacie à Tours, il envoie une carte postale représentant le cimetière et le monument aux morts de

47. M. Javillier « Composition française de la première partie du baccalauréat ès lettres ». Manuscrit. Archives F. Retel.

Nuits Saint Georges et se lance dans un délirant exposé pré-surréaliste :

Je t'envoie mes meilleurs vœux de fête. Je n'ose pas y ajouter mes baisers affectueux car le facteur est tellement indiscret qu'il pourrait faire des suppositions fâcheuses pour ta réputation. C'est là le désagrément des cartes postales qui sont plutôt faites pour une communauté de vins de quinquina ou de l'huile de noix. Ce n'est pas non plus un moyen que les conspirateurs doivent employer, sous peine de voir leur complot découvert, mais comme tu n'as pas le caractère d'un conspirateur, tu pourras m'écrire quelquefois sur une simple carte postale pour m'annoncer les nouvelles banales de ta ville d'adoption[48].

Certes Maurice Javillier n'est pas hostile, ni même indifférent à l'art et aux artistes comme le prouvera, plus tard, son vif intérêt pour la peinture, comme acheteur et comme abonné à des publications artistiques et la façon dont il accueillera avec plaisir le mariage de sa seconde fille Jeannine, professeur de musique, avec un jeune peintre, plein de talent, Henri-Jacques Masson. Encore plus tardivement, il saura même se faire le complice des goûts artistiques de certains de ses petits-enfants, mais dans l'intransigeance de la jeunesse, Maurice, tout comme ses parents, a bien du mal à supporter le côté bohème et imprévisible de son frère.

On comprend dès lors, qu'en 1892, J.-H. Javillier, père, ait fait pression sur son aîné pour l'inciter à faire choix des études pharmaceutiques. Par d'habiles discussions qui font valoir à la fois la sécurité que lui procureront son diplôme et la possibilité, une fois celui-ci acquis, d'envisager autre chose, le père réussit aisément à convaincre son fils. D'autant mieux que le jeune Maurice n'était pas hostile à un métier que son enfance avait eu pour cadre.

Pharmacien, je l'étais de naissance, écrira-t-il en 1947, *Mon père exerçait la pharmacie* et dix ans plus tôt, il déclare de même : *Fils de pharmacien, j'ai vu dès ma jeunesse ce que c'est, ou plutôt, ce qui était alors l'exercice professionnel.*

Il faut sans doute être soi-même enfant de pharmacien pour comprendre jusqu'où ce métier peut imprégner et forger l'esprit d'un héritier potentiel. Ayant vécu moi-même cette formation, il

48. Carte d'Henri Javillier à son frère Maurice, le 22 septembre 1900. Archives J. Retel.

m'est aisé d'imaginer ce que le petit Maurice a ressenti entre les murs de l'officine paternelle. Une pharmacie, c'est d'abord une symphonie subtile d'odeurs dominées par celles des plantes, accommodées d'une note éthérée ou aromatique des liquides volatils que l'on transvase à longueur de journée ; c'est aussi l'harmonie des couleurs et des transparences qu'offrent des bocaux aux formes rebondies et des boites cubiques portant des noms magiques truffés de « ph », « th » et « y » : Cardiophylline, Théophylline, Térébenthine. Des mots étranges, proches parents de ceux que, devenus collégiens, les fils et les filles de pharmaciens découvrent avec une familiarité certaine dans leurs livres d'histoire grecque ou romaine ; c'est enfin, au centre de cet univers enchanté, un homme, souvent vêtu d'une blouse blanche, qui piste, concasse, filtre, évapore, agite, pulvérise et mélange divers produits de teintes, de consistances et de senteurs variées. À cette magie du cadre et du geste, il est bien difficile de résister lorsque l'on est enfant. Il est presque impossible de ne pas en subir l'empreinte inéluctable et Maurice Javillier n'a pas failli à la règle. Septuagénaire, il se souvient encore : *J'ai vécu mes jeunes années, familier avec le laboratoire et l'officine paternels apprenant sans effort les gestes du praticien qui contuse le cochléaria et le cresson, agite le flacon où belladone, digitale, aconit macèrent dans l'alcool, piste le carbonate de magnésium avec la térébenthine, prépare la magistrale potion et la délivre « élégante, svelte et coquette, pimpante sous son étiquette ».*

À travers les gestes paternels que suivent les yeux admiratifs de l'enfant, c'est aussi un héritage culturel qui se transmet : *Mon père*, dira-t-il, *exerçait [la pharmacie] avec une conscience, un amour du métier qui ne s'est jamais démenti.* Ce père, en effet, doit non seulement à son métier de s'être hissé au rang de notable par son diplôme, mais il s'est de plus, en quelque sorte, « anobli » par l'aura qu'apporte la science, à tout homme qui la représente, dans le dernier quart du XIXe siècle.

Durant tout un siècle, des hommes comme Jacques-Henri Javillier, persuadés que la Science doit faire le bonheur de l'humanité, ont œuvré pour parvenir à cet objectif et semblent près de l'avoir atteint. Un homme qui se serait endormi en 1794, quand disparaissaient Lavoisier et Condorcet, et qui, telle la Belle au Bois, se réveillerait un siècle plus tard, pourrait penser avoir reconquis l'Éden des premiers temps. Un Éden, certes, non conforme à la Bible, où Adam n'a pas été créé tel qu'il est, mais s'est transformé d'espèces en espèces et a survécu au prix d'une lutte incessante et vitale, comme le savant anglais Darwin l'a fait savoir. Un Éden où, grâce à de nouveaux instruments inventés par le génie humain, on connaît désormais la couleur des étoiles et celle de nouveaux éléments chimiques. Un Éden où, grâce à la synthèse des substances organiques, on peut rêver, comme Marcelin Berthelot, au cours d'un banquet de la Chambre syndicale des produits chimiques, au monde de demain : *En l'an deux mille, chacun, apportera pour se nourrir une petite tablette azotée, sa petite motte de matière grasse, son petit morceau de fécule ou de sucre, son petit flacon d'épices aromatiques accommodées à son goût personnel ; tout cela fabriqué économiquement et en quantité inépuisable par nos usines*[49].

Alors sera venu le temps où l'homme, s'étant enfin approprié l'Arbre de la Science, aura reconquis le Paradis terrestre, afin que le chimiste puisse se faire écologiste : *Ce jour là, la chimie aura accompli dans le monde une révolution radicale dont personne ne peut calculer la portée ; il n'y aura plus ni champ couvert de marais, ni vignoble, ni prairie remplie de bestiaux. L'homme gagnera en douceur et en moralité parce qu'il cessera de vivre par le carnage et la destruction des créatures vivantes* [...] *Si la surface terrestre cesse d'être utilisée comme aujourd'hui, et disons le tout bas, défigurée par les travaux géométriques de l'agriculture, elle se couvrira alors de verdure, de bois, de fleurs ; la terre deviendra un vaste jardin, arrosé par l'effusion des eaux souterraines, où la race humaine vivra dans l'abondance et dans la joie du légendaire Age d'or*[50].

Mais plus encore que ces découvertes qui inspirent scientifiques et poètes et nourrissent l'œuvre d'un Jules Verne pour en abreuver les enfants, c'est à la révolution pastorienne que l'humanité doit ses plus belles espérances.

Penser que les maladies attribuées jusqu'au milieu du siècle à des causes obscures, à des miasmes éclos spontanément dans l'air, soient désormais définitivement reconnues comme provoquées par des organismes vivants, observables au microscope;

---

49. M. Berthelot (1894) Allocution au banquet de la chambre syndicale des produits chimiques, p. 513.
50. *Idem.*

que des épidémies qui décimaient jadis des populations entières puissent être guéries grâce à la sérothérapie et que l'on puisse même s'en protéger par la vaccination, n'est-ce pas la plus merveilleuse conquête du XIXe siècle ? Voilà pourtant, ce que le chimiste franc-comtois, Louis Pasteur a apporté à l'humanité. Certes, il reste encore beaucoup de maladies dont on ignore l'agent pathogène, mais l'espoir est là et un Institut a été fondé en 1888 pour que des chercheurs venus du monde entier participent au Grand œuvre qui doit, un jour, permettre d'éradiquer à jamais l'une des souffrances de l'homme.

Il est clair qu'un adolescent comme Maurice Javillier ne peut être qu'attiré par cet aspect humain de la science et éprouver l'envie d'acquérir une petite place, à quelque échelon qu'elle soit, dans la grande chaîne des professions de santé.

Les études pharmaceutiques sont, par leurs diversités, bien propres à former le fondement d'ambitions encore assez floues, sans pour cela devenir le carcan d'une spécialisation trop étroite. Or, Maurice Javillier est déjà doué d'une personnalité affirmée où curiosité et indépendance font un étrange, mais excellent ménage avec un sens profond du devoir moral et un amour de l'étude assez rare chez les jeunes garçons. Dès l'âge de quatorze ans, il s'est choisi une devise qu'il a inscrit en tête de ses cahiers : *Quis pius laboriusque beatus et liber*, celui qui est fidèle à ses devoirs et travaille est heureux et libre.

Entrer en stage dans l'officine nivernaise c'était se montrer « *Pius* » envers ce père qui était pour lui, depuis toujours, un exemple. Avec un acharnement sans égal, il se met au travail. Pour ne pas être sujet aux distractions, il a demandé à ses parents de louer une chambre en ville et là, jusque très tard dans la nuit, il met sa mémoire à l'épreuve des disciplines pharmaceutiques. Jouant à la fois le rôle du professeur et de l'élève, il s'interroge au tableau noir. La pharmacie est alors en pleine métamorphose : tandis qu'autrefois il suffisait d'une pratique quotidienne et soigneuse pour exécuter les anciennes préparations du Codex, l'invasion des spécialités oblige l'étudiant à acquérir une maîtrise parfaite de la chimie organique et à mémoriser les formules complexes des nouvelles substances prescrites par les médecins. *Le branle-bas est grand, dans le monde divers, coloré et envahissant des spécialités. Flacons et boites, ampoules et tubes, en des condi-*

tionnements multiformes, sont, un beau matin, partis à la conquête des officines. La chose s'est faite doucement, presque sournoisement. Tandis que je faisais mes premiers pas dans l'art pharmaceutique, en 1892, l'agression était déjà caractérisée. Mais elle acquit bientôt un rythme accéléré. De ce fait, l'aspect traditionnel des pharmacies, l'exercice de la profession et l'intérêt même qu'il offrait, le mode d'instruction des stagiaires, la thérapeutique usuelle et l'art de formuler, les relations des pharmaciens avec les médecins et le public, ont subi des transformations profondes[51].

Heureusement pour se distraire un peu, existent les promenades botaniques au cours desquelles le stagiaire va s'initier à la reconnaissance des végétaux avec un ami de son père, un botaniste fort marri que ce brillant lycéen, fils de pharmacien, ignore presque tout de la classification linnéenne. Pourtant, preuve d'un intérêt certain, sur un petit carnet de molesquine noire, alors qu'il était encore au lycée, entre la généalogie des rois de France, les œuvres de Molière, un résumé de l'histoire de la littérature grecque et la Carte du Tendre, il a dessiné différentes dispositions de feuilles, alternées, opposées, pennées ou verticillées[52].

Mais là encore, le respect des maîtres et un travail acharné permettront au fils aîné des Javillier de triompher de tous les obstacles y compris celui de l'examen qu'il présente avec succès deux ans plus tard en novembre 1894.

Étrange coïncidence, c'est à Clermont-Ferrand qu'il passe cette épreuve, sans savoir que vingt ans plus tôt, celui qui sera le guide de son destin, Émile Duclaux, était professeur à la Faculté des Sciences de cette même ville et recevait chez lui son ami Louis Pasteur qui, humilié par la défaite de 1870, mettait au point, dans son laboratoire, *la Bière de la Revanche.*

Une anecdote que Maurice Javillier apprit sans doute beaucoup plus tard, car il n'avait alors qu'un seul désir, son diplôme de stage en poche, vivre comme un étudiant en pharmacie « libre et heureux ».

51. M. Javillier, « Allocution à la séance annuelle de la société de pharmacie du 7 janvier 1942 », *Journal de Pharmacie et de chimie*, 9e série, tome II.
52. Archives J.-S. Retel.

SPORTIF MAIS ÉGALEMENT EXCELLENT ÉLÈVE.

2
Le meilleur de la science (1894-1897)

Heureux sont ceux qui savent associer deux modes de formation, d'une part une discipline concentrée, d'autre part une liberté qui permet à leur intelligence de s'épanouir dans la direction élue par elle.

M. Javillier.

À son arrivée à Paris, à la fin de novembre 1894, le jeune Maurice Javillier entre de plain-pied dans la réalité du dogme qui a bercé son enfance. Partout autour de lui surgissent des preuves tangibles de la grandeur de la science et des savants.

La capitale de la France est en pleine révision de ses valeurs traditionnelles. Déjà vaincue à Sedan pour avoir évalué sa force en « boutons de guêtre » quand l'Allemagne misait, elle, sur ses obus, l'armée, jusque-là porteuse des valeurs traditionnelles d'une France tant royale, qu'impériale ou républicaine, vient d'être éclaboussée par une sombre histoire de trahison et d'antisémitisme que les siècles futurs retiendront sous le nom « d'Affaire Dreyfus ».

Face aux remous anti-militaristes ou racistes qui vont déchirer les familles pendant dix ans, la science apparaît comme une valeur montante et sûre, digne de symboliser une République qui se veut celle du progrès et de la revanche. Et, tandis que le 5 janvier 1895 le juif alsacien Alfred Dreyfus est publiquement dégradé dans la cour de l'École Militaire, le 5 octobre de la même année, la France rend hommage, par des obsèques nationales, à Louis Pasteur bienfaiteur de l'humanité.

Si l'enlisement du sabre dans la fange des calomnies et des faux témoignages, jusqu'au célèbre *« J'accuse »* de Zola, n'a point laissé de traces visibles dans les souvenirs du jeune étudiant, il ne peut que se féliciter du « palpitant regain d'intérêt pour les sciences » qui incite l'État français à leur élever des temples vers lesquels il se dirigera tour à tour.

Des temples à la gloire de la science

De la montagne Sainte-Geneviève au voisinage du Montparnasse, trois établissements de prestige sont en reconstruction ou en construction. L'École supérieure de Pharmacie de Paris a inauguré ses nouveaux locaux rue de l'Observatoire en 1882. La nouvelle Sorbonne, commencée en 1884 au cœur du quartier latin, entre dans sa dernière tranche avec la démolition de la Sorbonne de Richelieu dont il a été prévu de ne garder que la chapelle. Enfin, l'Institut Pasteur, dont la première pierre a été posée en juillet 1888 rue Dutot, songe déjà à s'agrandir par l'achat de terrains de l'autre côté de la rue pour y installer une école de brasserie [53].

Ces trois chantiers en dix ans ont rapidement progressé, malgré la gageure que certains projets représentent, notamment la Sorbonne. Symbole de la culture française aux regards de toute l'Europe, voire du monde, elle doit être, pour la République, une vitrine de prestige et, comme telle, abriter en son sein les trois entités d'une grande métropole universitaire, que sont l'Académie de Paris et les Facultés des Lettres et des Sciences. Vouloir regrouper sous un même toit des établissements ayant des motivations, et par conséquent des exigences aussi divergentes, ne va pas sans difficulté. Et si les vastes salons de réception du rectorat et les bureaux des services académiques font assez bon ménage avec la simplicité des bâtiments nécessaires pour les cours littéraires, la complexité qu'engendre la diversité des amphithéâtres et des laboratoires pour chaque discipline scientifique est un véritable casse-tête pour le jeune Nénot, architecte lauréat du concours ouvert pour la construction de ce somptueux édifice.

C'est là le revers de cet engouement pour les sciences. Alors qu'un espace, plus modulable et par conséquent mieux adapté au développement constant des sciences, aurait été préférable, tel

53. Compte-rendu de l'Institut Pasteur, séances du 20 décembre 1890 et du 23 mars 1892.

qu'il avait été primitivement prévu à l'emplacement de la Halle aux vins de Jussieu, on n'a pu se résoudre à installer hors des murs de la Sorbonne, le fleuron le plus glorieux du savoir en cette fin du XIXe siècle. Pour bien prouver l'estime que l'on éprouve alors pour les savants, ordre a été donné de leur construire « une Sorbonne sur mesure », au gré des désirs des illustres professeurs appelés à y implanter leur laboratoire. Et chacun de Javal à Moissan, ne se prive pas de faire entendre ses exigences.

Il est aisé d'imaginer les gravats, le bruit et la poussière qui environnent les nouvelles constructions. En 1893, la partie ouest de l'ancienne Sorbonne a été démolie et se reconstruit sans que les cours soient interrompus. En 1895 ce sera le tour des maisons de la rue Saint-Jacques où les cours de chimie et de botanique ont trouvé refuge avant de rejoindre, au cours de l'été 1894, leurs confrères de la Faculté des Sciences installés un an plus tôt dans l'aile qui lui est réservée et où s'ouvre déjà le nouvel amphithéâtre de physique. C'est là, que Maurice Javillier, âgé de 19 ans, vient s'inscrire aux certificats qui compléteront utilement son futur diplôme de pharmacien.

Dans le prolongement du boulevard Saint-Michel qui irrigue la place de la Sorbonne et les jardins du Luxembourg, l'avenue de l'Observatoire s'est vue également dotée d'un nouvel établissement scientifique. Après avoir grandi rue de l'Arbalète, tout près des Feuillantines chères à Victor Hugo, l'École supérieure de Pharmacie de Paris a quitté son berceau, devenu trop exigu pour le nombre sans cesse croissant des étudiants, et s'est installée sur le vaste terrain triangulaire libéré par la suppression des pépinières du Luxembourg.

C'est dans ces lieux, refusés par l'Académie de Paris qui n'entendait pas être ailleurs que dans la Sorbonne, et libérés des derniers baraquements qui avaient servi de refuge à l'Institut de Chimie et à quelques laboratoires de la Faculté des Sciences en attente de leurs nouveaux locaux, que Maurice Javillier va compléter la formation acquise dans l'officine de son père.

Certainement l'un des plus jeunes des huit cents étudiants [54] qui déjà s'y pressent – puisque, après avoir présenté le baccalau-

---

54. La période où Maurice Javillier est étudiant à l'École supérieure de Pharmacie de Paris est en effet l'un des moment où sa croissance atteint le chiffre record de 850 étudiants.

réat avec un an d'avance, il a réduit son stage en officine à deux ans alors que le règlement prévoit alors trois années – Maurice Javillier est probablement aussi l'un des plus curieux et des plus ambitieux, comme semblent l'indiquer ses choix et les confidences qu'il fera plus tard.

Une initiation choisie parmi les meilleures

La décision même de venir faire trois ans d'études théoriques à Paris, alors que le décret du 12 juillet 1878, toujours en vigueur pour les futurs pharmaciens, n'exige qu'une seule année dans une École supérieure, montre déjà que ses projets ne se limitent pas uniquement à la succession de son père dans l'officine neveroise. De toute évidence, l'étudiant Javillier entend profiter de ses années parisiennes pour goûter, afin de s'en faire une idée, aux multiples disciplines que la pharmacie offre à la curiosité de son appétit scientifique.

C'est certainement parce qu'il envisage cette formation *comme une étape, une initiation, une sécurité d'avenir, laissant aux proches années le soin de tempérer la fermentation des idées et d'assurer la permanence de l'une d'entre elles*[55] que son choix s'est porté sur l'École de Paris et non sur celles de Dijon ou de Clermont-Ferrand, plus proches du domicile familial. La diversité des enseignements proposés, comme le renom des professeurs et la discipline même qui règnent au sein de l'École, ont certainement été des arguments qui ont pesé lourd en faveur de sa décision.

Quand le jeune Maurice entre en première année, les remous qui avaient succédé au transfert de l'École se sont définitivement calmés. Par contre la tentative de réforme disciplinaire qui, en 1886, avait provoqué le soulèvement des étudiants contre Adolphe Chatin et entraîné sa double démission du poste de directeur et de la chaire de botanique, a été imposée sans coup férir, par son successeur Gustave Planchon. C'est de bonne grâce que les étudiants acceptent de répondre à l'appel qui contrôle la présence de chacun aux travaux pratiques désormais obligatoires. Le jeune Maurice sera le premier à respecter cette règle, sans s'en plaindre, quand, après les

55. M. Javillier, 1942, *op. cit.* p. 230.

vacances de Noël 1894 passées dans sa famille à Nevers, il se voit contraint d'y prolonger son séjour afin de remplacer son père cloué au lit par une mauvaise grippe. Il fait écrire par ce dernier une lettre au directeur sollicitant pour son fils obligé « d'assurer le service de la pharmacie, aidé d'un employé encore valide », une autorisation « de ne pas paraître au laboratoire de travaux pratiques cette semaine [56] ».

Si ces changements administratifs et disciplinaires ont été paisiblement admis grâce à la bonhomie souriante mais ferme du nouveau directeur, ils ont également profité au développement de la botanique, science fondamentale en pharmacie. Successeur d'Adolphe Chatin dans cette chaire, Léon Guignard a mis toute son énergie à créer un jardin botanique digne de ce nom. Un simple coup d'œil lui a suffi pour comprendre que, malgré les 8.000 m^2 qui sont destinés à cette annexe indispensable, le sol, essentiellement composé de matériaux de remblais et gravats, était impropre à toute culture. Aussi s'est-il employé, en priorité, à faire venir de la terre végétale aisément trouvée dans les environs de l'École et de ce fait assez peu coûteuse. Ainsi replanté selon les règles de la classification linnéenne, le jardin botanique est désormais digne de l'École supérieure de Pharmacie de Paris et offre aux étudiants un support précieux pour l'étude des plantes et un complément fort utile aux cours de L. Guignard, d'autant que celui-ci a pris soin de faire éditer, à leur usage, un guide paru en 1890.

Ce cadre propice à des études sérieuses sert d'écrin à des cours où se succèdent de prestigieux enseignants. Dans les douze chaires que comptent alors l'École, un quart seulement des titulaires ne siègent pas à l'Académie de Médecine. Encore s'agit-il des disciplines nouvellement introduites dans le cursus des études pharmaceutiques que sont la cryptogamie enseignée depuis 1881 et confiée à Léon Marchand et la chimie analytique dont la chaire créée en 1895 sera offerte à Antoine Villiers Moriane. Pour la chaire de physique, occupée jusqu'en 1902 par François Pierre Leroux, cette situation est provisoire puisque son successeur, Daniel Berthelot, fils de Marcelin, sera membre à la fois de l'Académie de Médecine (1914) et de celle des Sciences (1919).

56. Archives Nationales AJ 16 1989. Lettre reproduite dans la thèse de C. Clarté, (1988). *Maurice Javillier, un pharmacien, membre de l'Institut, sa vie, son œuvre*, Thèse du diplôme de docteur en pharmacie, Faculté de Pharmacie de Tours.

Parmi les neuf autres titulaires, quatre ne sont membres que de l'Académie de Médecine. Gustave Bouchardat, dans la chaire d'hydrologie ; Alfred Bourgoin, célèbre par son traité de pharmacie galénique, véritable livre de chevet de tout pharmacien d'officine, en titre dans la chaire de galénique depuis 1877 et largement suppléé par Émile Bourquelot qui en 1897 lui succédera doublement dans cette chaire et dans son fauteuil d'académicien ; Léon Prunier, professeur de pharmacie chimique qui aura pour successeur Charles Moureu en 1906, Gustave Planchon enfin qui, en plus de ses fonctions de directeur, enseigne la très ancienne matière de « l'histoire naturelle des médicaments ».

Les cinq autres sont en plus membres de l'Institut ou sont sur le point d'y être élus, tels Émile Jungfleish [57] en chimie organique et son successeur et pour l'instant « concurrent » Auguste Béhal [58]. La réputation de ceux qui sont déjà doublement académiciens n'est plus à faire puisqu'il s'agit d'Alphonse Milne-Edwards, membre de l'Institut depuis 1879 et de l'Académie de Médecine en 1885 qui, en plus de la responsabilité de la chaire de zoologie à l'École de Pharmacie et de celle de Cuvier au Muséum national d'Histoire naturelle est directeur de cet établissement ; d'Henri Moissan, élu à l'Académie de Médecine en 1888 et à celle des Sciences en 1891, futur prix Nobel de chimie, mais qui n'obtiendra qu'en 1899 la chaire de chimie minérale ; enfin de Léon Guignard reconnu pour ses travaux dès 1877 par l'Académie de Médecine, alors qu'il devra attendre 1895 pour être élu au fauteuil de Pierre Duchartre à la section botanique de l'Académie des Sciences.

L'ouverture sur des horizons lumineux

Face à ce déploiement de talents scientifiques, le souvenir plus marqué que Maurice Javillier déclare avoir gardé de certains de ses professeurs est pour nous une indication précieuse sur « l'orientation » qui déjà se dessine dans la tête du jeune étudiant : *à Guignard, à Bourquelot, à Delage, à Émile Duclaux*

57. Élu en 1903 à l'Académie de Médecine et en 1921 à l'Académie des Sciences.
58. Élu en 1907 à l'Académie de Médecine et également en 1921 à celle des Sciences.

notamment, je dois quelques horizons lumineux sur la connaissance et j'ai tenté de leur emprunter un peu de leur passion de savoir[59].

Que cette sélection drastique délaisse Henri Moissan au profit de Guignard et Bourquelot, que les enseignements de Delage en zoologie soient cités préférentiellement à ceux de A. Milne-Edwards, a de quoi intriguer le lecteur. Certes, elle peut trouver une explication dans la mesure où Henri Moissan, qui donne alors ses cours en toxicologie ne laisse pas paraître son génie dans une discipline fort éloignée de ses travaux. Il est certain, de même qu'Alphonse Milne-Edwards est assurément plus présent au Muséum d'Histoire naturelle, cadre de son enfance et objectif de toute sa carrière, qu'à l'École de pharmacie. Plus surprenante est l'absence également des professeurs de chimie organique, quand on sait l'importance de cette science dans les travaux futurs de Javillier. Heureusement, en retraçant son parcours, lors de sa leçon inaugurale dans la chaire de chimie agricole et biologique au Conservatoire national des Arts et Métiers (C.N.A.M.), il s'est montré plus explicite sur ses choix. *Étudiant à la Sorbonne et à l'École supérieure de Pharmacie, je me dirigeais assidûment vers les cours de chimie et de sciences naturelles dont plusieurs ont laissé en moi une empreinte durable. Avec Guignard, le monde végétal dévoilait sa structure, sa vie, ses modes de reproduction; avec de Lacaze-Dutheil et Delage, le monde animal; sous nos yeux, en quelque sorte, se différenciaient les colonies d'Hydraires, où s'effectuait l'extraordinaire développement de la saccaline. Bourquelot étoffait ses leçons de pharmacie de notions précises sur la composition chimique des végétaux et les phénomènes diastasiques. Jungfleish dont le nom ne saurait être oublié dans cette maison, traduisait dans son enseignement chimique, sa maîtrise d'expérimentateur et ses timidités de théoricien. Béhal, avec une flamme ardente, entraînait notre enthousiasme à la théorie atomique, Émile Duclaux m'ouvrait sur la chimie biologique des horizons lumineux et lointains*[60].

Cette rétrospective de ses années d'études, replacée dans son contexte biographique, est d'autant plus éclairante qu'elle fait inconsciemment la synthèse entre les sentiments ressentis par le jeune étudiant des années 1890 et les réflexions mûries du professeur des années 1930.

---

59. M. Javillier, 1937, *op. cit.* p. 149.
60. M. Javillier, 1931, *op. cit.* p. 654.

Que la Sorbonne soit citée, dans son discours, avant l'École supérieure de Pharmacie, illustre bien ici la continuité d'une vocation émergeante chez le jeune étudiant et qui culmine lors sa nomination comme professeur au C.N.A.M. Pour un pharmacien d'officine, l'École de Pharmacie de Paris eut été amplement suffisante. Par contre, la nécessité d'un doctorat pour les candidats se destinant à l'enseignement supposait l'inscription à des certificats complémentaires dispensés dans une Faculté des Sciences, seule habilitée à décerner le titre de docteur. Que Maurice Javillier se soit inscrit d'emblée dans les deux établissements laisse entendre que, dès les premiers jours de son arrivée à Paris, frais émoulu de son stage en officine, il se donne les moyens de s'engager, s'il le souhaite, dans une voie différente de celle suivie par son père.

Un an plus tard cette voie s'affirme en lui comme un choix, après l'expérience que sa réception à l'Internat lui a permis de faire : *Chez Cornil, où l'on faisait plus de laboratoire que de clinique,* expliquera-t-il, *je fus appelé à participer à l'instruction des stagiaires. Je fus chargé de faire des conférences de chimie urinaire avec démonstration et des conférences de pharmacologie*[61].

Loin de rebuter le jeune novice, les difficultés de la tâche le fascine, d'une part en lui révélant la multiplicité des possibilités offertes par les études de pharmacie; et d'autre part, en permettant à ce perfectionniste invétéré de déployer sa curiosité et d'affiner ses talents afin d'améliorer sans cesse sa façon de transmettre et de partager le savoir acquis.

Chez ce professeur en herbe, c'est donc d'abord les diverses caractéristiques des modèles qu'il rencontre au cours de ses études que retient sa mémoire. Et, particulièrement, déjà, « la vie » que l'orateur parvient ou non à donner à la présentation de ses travaux. La magie de la vie végétale dévoilée par Guignard, celle du surgissement des colonies d'hydraires au cours des leçons de Henri Lacaze-Dutheil et de Marie-Yves Delage, tout comme la flamme révolutionnaire du jeune Béhal passionnent très certainement beaucoup plus Maurice Javillier que les « timidités » de son futur collègue au C.N.A.M. Émile Jungfleish, même s'il tentera plus tard d'égaler sa « maîtrise d'expérimentateur » et choisira le laboratoire d'Émile Bourquelot pour s'initier

61. M. Javillier, 1937, *op. cit.* p. 149.

à la recherche, justement, dans le dessein de mieux connaître le secret des phénomènes diastasiques chez les plantes.

Car ce n'est pas seulement l'art d'enseigner dont il attend la révélation, c'est aussi celle des sujets vers lesquels il dirigera ses recherches. Là encore, le choix des professeurs dont il cite le nom n'est pas innocent. Que ce soit les études de Léon Guignard sur la reproduction et le mode de développement des espèces végétales qui le conduiront à mettre en évidence le dédoublement longitudinal des chromosomes en éclairant la transmission des caractères héréditaires [62], ou l'œuvre conjointe de H. Lacaze-Dutheil et de son successeur M.-Y. Delage, néo-lamarckiens convaincus et fondateurs de la station biologique de Roscoff pour étudier l'adaptation des organismes marins à leurs milieux [63], l'intérêt qu'il leur porte, montre que les goûts du jeune Maurice sont délibérément orientés vers ce que nous appellerions aujourd'hui des « sciences émergentes » et qui, en sortant des tubes à essais pour s'intéresser directement à l'observation des phénomènes du vivant, vont donner naissance aux grandes découvertes du XXe siècle telles que la génétique et la biocatalyse.

De même, l'enthousiasme que suscitent en lui les leçons d'Auguste Béhal, n'est pas seulement allumé par la « flamme ardente » du jeune assistant, mais bien par le piment d'une théorie chimique alors mise à l'index par le tout puissant Marcelin Berthelot : la théorie atomique. Dans le XIXe siècle finissant, l'opposition entre équivalentistes et atomistes est en France assez voisine de la querelle des anciens et des modernes entre les comédiens du XVIIe siècle ou des piccinistes et des glucksistes du XVIIIe siècle. Cette dispute est d'autant plus surprenante que l'atomisme et la formule hexagonale supposée par Kékulé pour le benzène sont largement adoptés en Allemagne et donnent des résultats satisfaisants en matière d'applications, notamment dans l'industrie des colorants [64]. Mais en France, tout est question de théorie. Or, dans un moment où Lavoisier est devenu l'égal du drapeau tricolore ou de la Marseillaise [65] pour les scientifiques

62. Archives de l'Académie des Sciences, Dossier L. Guignard.
63. *Idem.* Dossiers H. Lacaze-Dutheil et Y. Delage.
64. Cf. « La chimie et l'Alsace », *Bulletin de la Société industrielle de Mulhouse*, décembre 1994.
65. A.-C. Déré (2005) « Is Chemistry a French or a German science ? », *Actes du colloque sur Wilhelm Ostwald*, University press de Leipzig.

français, l'équivalent, aussi mal pratique soit-il, est une conséquence directe de l'analyse élémentaire laissée en héritage par le maître de la chimie un siècle plus tôt. Si l'on ajoute que le positivisme comtien a forgé l'esprit des maîtres à penser de la science française qui occupent les postes clefs de l'enseignement, il est bien naturel que ces fameux atomes « que personne n'a vus » ne puissent avoir droit de cité dans le pays d'Auguste Comte où l'hypothèse est considérée comme trompeuse, métaphysique et, en tout cas, absolument, anti-positive.

Auguste Béhal est bien placé pour connaître les désagréments de son insubordination. Reçu au concours d'agrégation de février 1889, après avoir « réuni en un corps de doctrine tous les faits relatifs aux composés azoïques », sujet qui lui avait été donné, « il n'est nommé que pour cinq années seulement, alors que le statut en vigueur depuis 1874 portait dix années ». Si « les raisons évoquées demeurent obscures[66] », les raisons profondes sont évidentes : les composés azoïques, objets de recherche des industries chimiques sur les colorants, notamment l'usine française de Poirier à Saint-Denis[67], ne peuvent s'expliquer sans faire appel à la théorie atomique. Ajoutons que de toute façon, Béhal, même durant cinq ans, ne risque pas d'introduire ses théories révolutionnaires dans la sage maison, puisque les agrégés à l'École de Pharmacie de Paris, n'ont alors le droit d'enseigner « qu'en l'absence du professeur titulaire de la chaire ». Mais l'audace ne manque pas au nouvel admis. Dès la première année de son recrutement, puis l'année suivante, il demande l'autorisation de faire un cours libre de chimie. On imagine l'émoi que suscite la question. Néanmoins, il obtient gain de cause, en juillet 1890, après moult reports de séances dont certaines houleuses. *L'annonce de ce cours libre tout nouveau produisit dans l'école de pharmacie un émoi irrésistible et la plus vive impression. Le succès fut considérable ; et tous ceux qui se pressaient à ses cours en ont conservé un souvenir impérissable*[68].

66. Archives de l'Académie des Sciences, dossier A. Béhal.
67. Cf. La biographie d'Auguste Rosensthiel, par A.-C. Déré dans C. Fontanon et A. Grelon (dir.) *Les professeurs du C.N.A.M. Dictionnaire biographique 1794-1955*, INRP/CNAM, 1994, tome II.
68. Archives de l'Académie des Sciences, dossier A. Béhal.

Cependant, contrairement à la génération des héros romantiques de l'atomisme Auguste Laurent et Charles Gerhardt, exilés en province par Jean-Baptiste Dumas et morts prématurément sans avoir été officiellement reconnus, les partisans de l'atome à la fin du siècle ont pour les défendre des champions comme Adolphe Wurtz ou Charles Friedel, chefs de l'école alsacienne et académiciens. Et, malgré la préférence donnée à Jungfleish, disciple et continuateur de Berthelot, pour la chaire de chimie organique, la comparaison s'impose d'elle-même aux étudiants. Face aux incohérences patentes de l'équivalent qui font de Jungfleisch un « timide théoricien », et « un professeur froid, peu communicatif, peu enclin à enflammer la jeunesse [69] », Auguste Béhal apparaît comme celui qui « eut le grand mérite d'avoir le premier en France, et tout jeune agrégé, introduit la théorie atomique dans l'enseignement, en opposition avec la grande autorité de Berthelot en regroupant autour de lui une pléiade d'internes à qui il inspira l'amour de la recherche [70] », avec, parmi ces élèves enthousiastes, Maurice Javillier, mais aussi Gabriel Bertrand et bon nombre de futurs pastoriens.

Il est clair que sa décision de suivre, comme beaucoup de ses condisciples, le cours libre de chimie d'A. Béhal – qui sera reconduit jusqu'en 1897 – fut un choix, pour Javillier, déterminant dans ses recherches futures.

La révélation pastorienne

Si tout ceci ne faisait d'ailleurs que [le] *fortifier dans l'idée vraiment haute [qu'il se] faisait du rôle de pharmacien* [...] *et dans* [sa] *sympathie pour les études pharmaceutiques*[71], dans la voie ouverte sur les « horizons lumineux » que lui offrait l'École, il manquait pourtant une constellation. L'une des plus brillantes et des plus nouvelles : la « microbiologie [72] ». Si nouvelle même que les « microbes » dont elle se veut la science n'ont été groupés sous ce terme qu'en 1878 par le général Sédillot [73].

69. Archives de l'Académie des Sciences, dossier A. Béhal.
70. *La faculté de pharmacie* - 1882-1982, éditions Comarco, 1982.
71. M. Javillier, 1937, *op. cit.* p. 149.
72. La chaire de « chimie biologique » ne verra le jour qu'au début du XXe siècle, à l'École de Pharmacie (en 1907).
73. Au cours d'une conférence à l'Académie de Médecine. Ce terme s'imposera progressivement au détriment des appellations diverses employées jusque-là.

Due aux travaux de Louis Pasteur, au cours de la seconde partie du XIXe siècle, la découverte de leurs rôles, précieux pour certains, pathogènes pour d'autres, a été utilement élargie par son collègue allemand Robert Koch, vers l'étude de leur mode de vie et de leur reproduction [74]. Dans la dernière décennie du siècle, la recherche franchit une nouvelle étape. Tout en continuant à isoler de nouveaux microbes spécifiques des maladies connues en vue de mettre au point, en les affaiblissant par des moyens divers, le vaccin susceptible de provoquer chez les malades une résistance qui les mène à la guérison, elle s'intéresse désormais parallèlement, *à toutes les méthodes d'analyses chimiques qui peuvent servir à l'étude des microbes, de leurs besoins alimentaires, de leurs moyens de nutrition, de leurs produits de sécrétion et d'excrétion*[75].

Depuis 1885, la Faculté des Sciences a inclus la chimie biologie parmi les certificats qu'elle propose et en a confié l'enseignement à un brillant élève de Louis Pasteur, Émile Duclaux. Reçu à l'âge de 19 ans aux concours de l'École polytechnique et de l'École normale supérieure (E.N.S.), Duclaux a préféré devenir normalien, malgré les astreintes que cette consécration implique. Ayant obtenu, sitôt l'agrégation en 1862, l'autorisation de travailler, comme préparateur de Louis Pasteur dans son laboratoire de la rue d'Ulm, « *à condition que si, dans le courant de l'année, il est nommé ailleurs, il devra rejoindre aussitôt son poste* », il doit, trois ans plus tard obtempérer aux ordres du ministère et se rendre à Tours pour enseigner la physique à des lycéens de troisième à partir du 1er juillet 1865. Il ne s'y attardera guère il est vrai, puisque, le premier janvier 1866, le doyen de la Faculté des Sciences de Clermont-Ferrand, M. Aubergier, se voit autorisé à se faire suppléer par le jeune normalien dans la chaire de chimie dont il est titulaire. Pour achever son tour de France [76], il rejoint Lyon en 1873 comme professeur de physique, avant de regagner Paris en 1878 où il est à la fois professeur de physique et de météorologie à l'Institut agronomique et nommé maître de

74. Médecin en Silésie, Robert Koch acquit la célébrité en découvrant que la permanence de la contagiosité du bacille charbonneux venait de sa persistance sous la forme de spores dans les sols où l'on avait enterré des animaux morts du charbon.
75. A. Delaunay, *L'Institut Pasteur*, p. 53.
76. Tour de France que Pasteur a lui-même accompli. Cf. P. Debré (1994) *Louis Pasteur*, Flammarion, Paris.

conférence à la Sorbonne, puis, titulaire de la chaire de chimie biologie à sa création.

Chimiste, et non-médecin contrairement à ce que beaucoup ont encore tendance à croire, Pasteur ne pouvait manquer de consacrer à cette discipline naissante l'un des services de l'Institut qui portait son nom et d'en confier la direction à Émile Duclaux, déjà nommé à l'unanimité sous-directeur de cet original établissement.

Dans un pays comme la France où l'État règne en maître sur ses institutions, depuis le règne de l'absolutisme royal de Louis XIV, l'Institut Pasteur étonne par l'indépendance que lui confère son statut de fondation. C'est en effet à l'ouverture d'une souscription publique qu'il doit sa naissance, à la générosité de souscripteurs du monde entier, mais surtout à l'acte courageux qui a permis à Pasteur d'entrer définitivement dans la légende.

« Deux enfants, une maladie mortelle, c'est ainsi que l'histoire a commencé », titre A. Delaunay dans son livre sur l'Institut Pasteur. Une belle histoire qui servait, il n'y a pas si longtemps, aux écoliers français à vérifier leurs connaissances en orthographe et qui met en scène un petit Alsacien, Joseph Meister, et un jeune berger du nom de Jupille, tous deux atrocement mordus par un chien enragé et voués à une mort affreuse et certaine sans l'intervention de Pasteur, qui ose expérimenter sur eux le sérum antirabique. Mais toute légende, lorsqu'elle n'est pas pur produit imaginaire, est confrontée aux réalités du quotidien. Et celles, contre lesquelles Pasteur n'a cessé de lutter tout au long de sa vie en réclamant l'attribution de moyens financiers décents à la recherche scientifique, sont plus que jamais en cause. Le décalage entre la réussite et même le triomphe obtenu par la vaccination antirabique – 349 personnes guéries en moins d'une année – et les moyens de fortune mis en œuvre pour héberger les malades et leur famille dans un ancien collège de la rue Vauquelin, proche de la rue d'Ulm, ne peuvent qu'inciter l'Académie des Sciences à donner son assentiment à « la création d'un établissement vaccinal contre la rage » et la mise en place d'une souscription destinée à son financement.

Telle sera donc la vocation initiale de l'Institut Pasteur. Néanmoins, dès son inauguration en novembre 1888, après avoir réuni 2.284.935 francs [77], l'Institut s'annonce déjà comme un établissement de recherches et d'études sur la science des microbes, partagé en six grands services : celui de la rage (Grancher), de la microbie générale (Duclaux), de la microbie technique (Roux), de la microbie appliquée à l'Hygiène (Chamberland), de la microbie morphologique (Metchnikoff) et de la microbie comparée (Gamaleïa).

C'est vers ce lieu prestigieux que, le cœur plein d'émotion, l'étudiant Javillier dirige ses pas. *En novembre 1897, l'étudiant que j'étais se dirigeait, le pas rapide et l'âme un peu inquiète, vers l'Institut Pasteur. D'où venait que s'engageant rue Dutot, il sentait son attention plus éveillée encore que de coutume ? C'est d'abord qu'il réalisait cette intention depuis longtemps conçue d'étudier la chimie dans ses relations avec la vie. Et c'est ainsi qu'il allait s'initier de la bouche même d'un des plus fervents disciples du Maître. Les heures passées dans la petite salle de cours de l'Institut Pasteur comptent parmi les meilleures de ma vie d'étudiant* [78].

En dix ans à peine, l'Institut s'est prodigieusement développé. Sous la direction d'É. Duclaux, successeur de Pasteur, ont été construits de l'autre côté de la rue, de nouveaux bâtiments destinés « aux applications des méthodes pastoriennes » qui vont d'une école de brasserie – pour fournir aux brasseurs la levure de la meilleure qualité possible [79] – aux laboratoires de fabrication des vaccins contre les deux maladies les plus mortelles de l'époque, la tuberculose [80] et la diphtérie [81].

Cette notion « d'application » inséparable de la recherche qui règne à l'Institut Pasteur, entre très probablement dans l'attirance qu'éprouve le jeune Maurice, dans la mesure où, à l'opposé de l'esprit théoricien qui domine la culture scientifique française, cette originalité répond à sa quête d'une science vouée au progrès de tout ce qui peut améliorer la vie des hommes.

Mais cette caractéristique fondamentale de l'esprit pastorien a aussi ses détracteurs. L'affaire des vaccins de la diphtérie en

77. Dont 1.087. 786 dépensés et les 1.197.149 restants placés en obligations financières. Archives de l'Institut Pasteur, conseil d'administration du 28 octobre 1888 (CA Reg. 1).
78. M. Javillier, 1931, *op. cit.*
79. Archives de l'Institut Pasteur, conseil du 23 mars 1892.
80. *Idem*, conseil du 20 décembre 1890.
81. *Idem*, conseil du 23 mars 1892.

février 1895 en est la preuve. L'image du savant aux mains pures s'accommode mal des nécessités économiques et la colère monte quand on apprend que l'Institut n'est qu'une « maison de commerce » qui « vend du sérum aux pharmaciens[82] ». C'est pourtant, grâce à ces ventes que l'achat de nouveaux terrains a rendu possible l'extension des laboratoires. Ajoutons que « le commerce » des vaccins et des sérums n'est qu'un complément aux donations que lui permet son état de fondation. C'est notamment à la généreuse baronne Hirsh, qu'Émile Duclaux doit de pouvoir réaliser son rêve, en 1896, avec la construction d'un Institut de chimie biologie, un rêve qui ne tardera pas à devenir également celui de Javillier : *Ainsi, le jour où pour la première fois, j'allais aux cours d'Émile Duclaux, j'avais sans le savoir fixé mon destin,* avouera-t-il.

Bien que dans les années où il suit ces cours, le nouvel institut ne soit encore qu'un projet dont la construction commence en avril 1898 et qui, en mars 1899 n'a encore que les murs et la toiture, cet édifice symbolise, n'en doutons pas, la révélation pastorienne qu'il mentionne dans nombre de ses écrits. C'est là que se cristallise la vocation du jeune Maurice, c'est en comprenant le lien qui existe entre l'engrangement de toutes les connaissances qu'il vient d'acquérir au cours de ses études en pharmacie et les besoins de la biochimie dans ses applications diverses et multiples, qu'il découvre la réponse aux aspirations de sa nature généreuse. *C'est une science exigeante que la biochimie,* reconnaît-il en 1937, *or les études pharmaceutiques sont ainsi réglées – justement d'ailleurs – qu'elles apportent à l'étudiant toutes les connaissances de base indispensables à un biologiste.*

Dès lors, l'Institut Pasteur devient pour lui, non seulement le lieu où l'on construit « la science du meilleur » tant vantée par sa famille, mais aussi celui où l'on enseigne « le meilleur de la science », non en répétant à des étudiants attentifs et soumis les résultats d'une recherche, mais en les initiant à découvrir par eux-mêmes la voie qui mène à l'excellence, par l'exposition, au cours de toute une année scolaire, d'un domaine restreint, comme le fait É. Duclaux. *Les étudiants devaient alors reconstituer,*

82. Archives de l'Académie des Sciences, dossier É. Duclaux. Affaire de la souscription du *Figaro.*

par un effort personnel, par des recherches dans les traités d'alors [...] *dans les revues critiques* [...] *et dans maints mémoires originaux, la substance d'une large partie du cours. Cet effort personnel avait un grand prix. Il contribuait de façon merveilleuse à la formation de l'esprit, fixait dans les mémoires une multitude de faits. Le profit était immense*[83].

Originaux, les cours de Duclaux l'étaient assurément autant que le professeur l'était d'ailleurs lui-même. Mais « son farouche individualisme » qui l'obligeait à partager avec ses collaborateurs et élèves « le vin de l'indépendance [84] » n'était certes pas pour déplaire à Maurice Javillier. Et sans savoir s'il lui a été permis d'écouter le discours prononcé par son modèle, devant les étudiants de la Sorbonne en 1896, on peut sans crainte affirmer qu'il eût applaudi à cette conception de l'enseignement exposée audacieusement, dans les salons du Grand Véfour : *La jeunesse a ceci de bon qu'elle n'écoute pas les conseils,* ose déclarer Duclaux. *Quel est le torrent qui s'est jamais laissé endiguer ou canaliser par de bonnes paroles ?* [...] *La sagesse consiste à l'abandonner à lui-même. Chaque goutte d'eau y suit sa pente et sa destinée. Il y en a qui se font prendre par un remous et tourbillonnent longuement sur place, d'autres qui se précipitent en écumant et en jetant dans l'air des reflets irisés, d'autres qui, plus sages ou plus heureux, contournent les obstacles, évitent les rapides et vont parfois plus loin que ceux qui bouillonnent. Mais aux uns comme aux autres, il faut au départ, la liberté. Ce n'est que plus loin, dans la plaine, que le torrent s'assagit, qu'il accepte les directions, les drainages. Vous êtes encore sur la pente abrupte, enivrés d'air et de soleil. Soyez aussi enivrés d'indépendance*[85].

Qu'y a-t-il d'étonnant à ce qu'un jeune homme aux curiosités multiples, comme Maurice Javillier ait trouvé en Émile Duclaux le modèle qui convenait le mieux à son dilettantisme studieux et l'invitait à suivre pleinement sa devise : Q*uis pius laboriusque beatus et liber.*

83. M. Javillier, 1937, *op. cit.* p. 151.
84. Pasteur-Vallery Radot, préface du livre d'A. Delaunay (1962).
85. Archives Institut Pasteur. Discours d'É. Duclaux à l'Université de Paris au banquet du mois de juin 1896 dans les salons du Grand Véfour (carton DUC 3).

LA PHARMACIE JAVILLIER À NEVERS.
Henri (à gauche), Maurice (au centre), Jacques-Henri, leur père (à droite).

3
L'ange Gabriel[86] (1897-1900)

Je me trouvai en présence d'un homme de trente-deux ans, à la figure souriante et au regard vif, simple préparateur, qui me présenta au professeur Arnaud.

M. Javillier.

Comme il fallait s'y attendre, le nouveau pharmacien diplômé ne rentre pas à Nevers pour y aider son père, mais décide de poursuivre ses études à l'École de pharmacie. Son intention de devenir enseignant est probablement à l'origine de ce choix. L'École de pharmacie, en effet, n'a rien d'un institut de recherche, les seuls travaux pratiqués étant uniquement ceux des professeurs qui s'entassent avec leurs élèves dans des laboratoires mal appropriés. *Lors de son déménagement en 1882, la plupart des douze laboratoires de chaire ne disposaient que de locaux exigus. Le seul à faire exception à cette regrettable situation fut celui de chimie organique, sans doute à l'initiative du professeur Jungfleish et de son ancien maître devenu professeur au Collège de France*[87]. Ceux qui ne bénéficient pas de la haute protection du tout puissant Marcelin Berthelot doivent se contenter de lieux dont on a peine à croire l'état. Le chauffage se fait par des calorifères installés au sous-sol et l'air chaud arrive directement sous les paillasses ; l'éclairage est parcimonieusement distribué par des employés en blouse grise qui ont la charge de l'entretien des becs de gaz et de leur allumage ; enfin, l'alimentation en eau de la Seine, concédée gratuitement à l'École par la Ville de Paris, convient mieux aux

86 «Ange Gabriel » : surnom donné à Gabriel Bertrand par les Javillier.
87. J. Flahaut (1982) « Cent ans de recherche à la faculté de pharmacie » in *La faculté de pharmacie*, 1882-1982, éditions Comarco.

toilettes qu'aux pompes à vide ! Une telle misère est d'autant moins supportable que les salles attribuées aux collections, sont beaucoup plus spacieuses et mieux équipées [88].

Certes, progressivement, la situation s'améliore. En 1888, L. Guignard fait construire un laboratoire de botanique au fond du jardin et l'année suivante, s'ouvrent à leur tour deux nouveaux laboratoires attenants aux amphithéâtres, nord pour la synthèse chimique et sud pour la pharmacie galénique. C'est dans les 122 m^2 de ce nouveau lieu de recherche que Javillier va accomplir ses tout premiers travaux.

Dans le laboratoire d'Émile Bourquelot

La personnalité du professeur tout autant que ses thèmes de recherches expliquent sans doute la détermination du nouveau pharmacien. Ayant eu, tout au long de ses études parisiennes, Émile Bourquelot comme professeur de galénique en place de Bourgoin, titulaire de la chaire, mais trop âgé pour assurer ses cours, Javillier a pu apprécier cet homme dont la stature imposante et l'extraordinaire pâleur cachaient sous un abord froid et sévère, une qualité d'écoute qui, au cours de conversations familières, laissait à ses élèves une totale liberté d'expression. Si l'on ajoute à cela que *Bourquelot était un professeur remarquable* [...] *maintenant toujours son enseignement au courant de toutes les nouveautés qu'il considérait comme constituant un progrès véritable pour la pharmacie ou la thérapeutique* [89], et que cette modernité l'avait entraîné à introduire dans son cours les principes de la sérothérapie et de l'opothérapie, l'on comprend aisément la volonté du jeune pharmacien de figurer parmi ses élèves.

Le sujet des recherches de Bourquelot sur « le mécanisme du fonctionnement vital » est bien fait également pour lui plaire. Depuis 1885, date de sa thèse pour le doctorat ès sciences qui portait sur la digestion chez les mollusques céphalopodes, Bourquelot s'est plus particulièrement consacré à

88. P. Rossignol (1982) « Les aménagements et la vie quotidienne à l'École supérieure de pharmacie à la fin du XIXe siècle » in *La faculté de pharmacie*, 1882-1982, éditions Comarco.
89. J. Bougault et H. Hérissey « *Émile Bourquelot* ». Dossier biographique de Bourquelot, p. 8. Archives de l'Académie des Sciences.

l'étude des ferments diastasiques. *Je me suis trouvé à mes débuts aux prises avec les ferments digestifs* – explique-t-il, lorsqu'en 1911 il présente sa candidature à l'Académie des Sciences – *c'est-à-dire avec les ferments solubles hydratants, qui sont les agents de la digestion. Ces recherches en attirant mon attention sur le rôle que jouent les ferments solubles chez les êtres vivants ont, en quelque sorte, décidé de tous mes travaux ultérieurs qui se sont étendus, non seulement aux autres ferments hydratants, mais encore aux principes (sucres, glucosides etc....), sur lesquels ils agissent, et, en outre, aux ferments oxydants*[90].

Après avoir préoccupé les savants, de façon récurrente pendant plus de cent ans, la compréhension du rôle chimique de ce que nous nommons les « enzymes » atteint son apogée dans les dernières années du XIXe siècle. Selon la marche immuable des découvertes scientifiques, les ferments ont été utilisés empiriquement bien avant que l'on comprît leur action. Depuis la plus haute Antiquité, l'on savait faire lever le pain, fermenter le jus des fruits. Lavoisier, lui-même, universellement reconnu comme le premier chimiste à avoir vu l'égalité qui existe entre le poids du sucre et ceux de l'alcool et du dioxyde de carbone formés dans la fermentation, a cependant, dans sa célèbre équation, négligé la levure comme ne variant pas de poids. Ce n'est qu'en 1814 que Kirchhof reconnut que l'orge germé, dans la transformation en sucres de l'amidon, jouait un rôle semblable à celui des catalyseurs employés en chimie minérale, la présence de ces produits étant indispensable à la réaction, sans que pour cela ils interviennent chimiquement dans la transformation subie. Vingt ans plus tard, Anselme Payen et Jean-François Persoz isolaient dans l'orge ce premier « *biocatalyseur* » en lui donnant le nom de « *diastase* ».

Tout au long du XIXe siècle, la mise en évidence d'autres ferments va souligner leur diversité, chacun apparaissant comme le réactif propre d'une réaction spécifique. Si la *diastase* simplifie l'amidon en sucre, l'*invertine*, découverte par Berthelot dans la salive agit de même sur les solutions sucrées et la lipase, isolée par Claude Bernard, intervient dans la digestion des graisses. Longtemps vécue comme un phénomène difficile à connaître, la

90. E. Bourquelot (1911) *Exposé des titres et des travaux scientifiques.* Archives de l'Académie des Sciences.

digestion, grâce aux ferments, s'éclaire d'un jour nouveau et avec elle, la plupart des phénomènes vitaux, tant dans le règne animal que végétal. Un champ immense d'exploration s'offrait à la perspicacité des chercheurs et Bourquelot, comme bien d'autres, l'avait immédiatement compris.

Homme méthodique, il s'oriente vers une recherche systématique du vaste éventail de sujets que présente l'étude des enzymes. Après l'extension aux mollusques de l'étude des ferments hydratants, reconnus par C. Bernard comme responsables des différentes phases de la digestion, il interroge le règne végétal et travaille « sur les ferments solubles sécrétés par l'*Aspergillus niger* ». De là, il étudie les différents groupes d'hydrate de carbone sur lesquels s'exerce l'action des ferments. Mais il n'oublie pas, non plus, qu'il est avant tout pharmacien et inclut dans ses préoccupations l'application de l'action diastasique à l'hygiène, à la pharmacie et à la conservation de produits galéniques, comme les teintures, en détruisant le ferment, cause de leur dégradation, par l'alcool bouillant.

En 1897, sa nomination comme titulaire de la chaire de galénique où il enseignait déjà depuis cinq ans, va lui permettre de répartir les nombreux élèves qui l'entourent, dans ses différents domaines de recherche.

Tout juste diplômé pharmacien de première classe à cette époque, Maurice Javillier est d'abord incorporé dans l'équipe de recherche en galénique pour y étudier l'huile de croton. Puis, très vite, il se voit associé aux travaux portant sur « l'action des ferments solubles sur les produits pectiques ». En 1898, Bourquelot a en effet décelé, dans l'orge germé, l'existence d'une enzyme responsable de la coagulation des pectines. Ces produits, que l'on regroupe alors avec les gommes et les mucilages, ont comme eux la propriété de donner des gels avec l'eau. Systématiquement tous les sucs de fruits et de fleurs présentant cette propriété vont être explorés successivement par Bourquelot et ses élèves. *Ces recherches [permettant d'établir] la nature chimique variable de ces produits* [...] *d'une plante à l'autre, tous coagulables par la pectase et tous saccharifiables par un ferment soluble, la pectinase, présent dans l'orge germé*[91].

91. E. Bourquelot (1911) *Exposé des titres et des travaux scientifiques.* Archives de l'Académie des Sciences.

Le résultat de cette première année d'initiation, passée dans le laboratoire de Bouquelot ne se fait pas attendre. Dès 1898, trois publications – l'une sur l'huile de croton et deux sur les pectines de roses et de coings – paraissent dans le *Journal de physique et de chimie*[92].

Pourtant, malgré ce premier succès et l'aide que peut lui apporter un tel directeur, Maurice Javillier ne s'attardera pas plus longtemps à l'École de pharmacie. Connaissant mieux à présent notre personnage, il nous est permis de soupçonner les exigences qui l'ont poussé à cette séparation. Gageons que dans le cadre rigide du programme imposé par le professeur de galénique, il n'a pas trouvé de place pour l'indépendance qu'Émile Duclaux lui avait fait entrevoir. Si l'on ajoute à cela la réflexion du disciple préféré de Bourquelot, Henri Hérissey : *Sans l'exiguïté du laboratoire mis à sa disposition à l'École de pharmacie, ce chercheur infatigable aurait alimenté de son inspiration de nombreux travailleurs ; si la place lui eut été permise, il eut pu augmenter notablement le nombre de ses collaborateurs et développer le programme de ses travaux*[93], il n'y a rien d'étonnant à ce que Javillier soit allé se chercher un autre directeur, hors de l'école qui l'avait formé.

La rencontre

Le maître idéal, c'est au Muséum d'histoire naturelle de Paris qu'il va le trouver : *Une certaine matinée de juin 1899, je traversai le Jardin des Plantes et, rêveur cherchant à lire dans l'obscur avenir, je me dirigeai vers le laboratoire de Chimie appliquée aux corps organiques*[94].

Cette innocente promenade méditative est moins fortuite que le jeune chercheur le laisse à croire. Situé en plein cœur de

92. M. Javillier (1898) « Note sur l'huile de croton tiglium », *Journal de physique et de chimie*, 6e série, tome VII, p. 524 ; « Note sur la pectine de coing », *idem*, tome IX, (1899) p. 163 et p. 513 ; « Note sur la pectine de rose », *idem*, p. 509. Ces travaux sont dans la lignée de ceux que poursuit Bourquelot. Ainsi, pour l'huile de croton, s'agit-il d'étudier « les variations constatées sur cette huile par les divers modes de préparation », visant à une meilleure conservation du produit, tandis que les notes sur les pectines complètent les recherches sur l'action respective de la pectase et de la pectinase.
93. J. Bougault et H. Hérissey, *Émile Bourquelot*, *op. cit.*
94. « Allocution de Maurice Javillier, au nom des anciens élèves français de G. Bertrand », *Archives de l'Académie des Sciences.* Dossier biographique G. Bertrand.

Paris, dans le quartier latin, le Jardin des Plantes est, pour celui qui le traverse, un véritable paradis terrestre où cohabitent, en plein air, dans des serres ou dans des pavillons émaillant le parc, animaux exotiques, végétaux rares, collections prestigieuses, amphithéâtres, laboratoires de recherche et demeures de certains professeurs.

On comprend que ceux, qui comme Alphonse Milne-Edwards ont eu le bonheur d'y naître, n'ont eu pour ambition première que d'y revenir, comme professeur d'abord, puis comme directeur, afin d'y finir leurs jours, le plus tard possible en suivant l'exemple de Michel-Eugène Chevreul, mort en 1889, à l'âge de 103 ans.

Le Muséum de Paris n'a rien, en effet, d'une école comme celle de pharmacie, ni d'une faculté comme la Sorbonne. S'il faut lui trouver un élément de comparaison, c'est à une grande maison familiale qu'il faut penser. Et « familiale » au sens propre du mot, car les liens du sang tout autant que ceux de l'esprit ne manquent pas entre les professeurs. Outre la filiation intellectuelle qui a engendré la lignée des chimistes, Fourcroy-Vauquelin-Chevreul, qui se sont succédé dans la seconde chaire de chimie par delà la Révolution, on ne peut omettre de souligner les alliances matrimoniales qui unissent les familles Brongniard-Dumas-Milne Edwards. Ainsi, Alphonse Milne-Edwards, successeur de Chevreul à la direction du Muséum et marié à la fille de Dunoyers ancien bibliothécaire de ce même Muséum, est doublement, par les mariages successifs de ses deux sœurs Julie et Cécile, le beau-frère du fils du chimiste Jean-Baptiste Dumas, lui-même gendre d'Alexandre Brongniard. Aussi n'y a-t-il rien d'étonnant à ce que le Muséum, où ces familles habitent, vivent et se reçoivent, ressemble, certains soirs, à un salon parisien où se croisent les plus grands noms de la science du présent comme de l'avenir.

Car le Muséum est aussi, aux yeux de beaucoup, une indispensable chrysalide pour qui rêve de s'envoler vers les hautes sphères de la renommée. Ce n'est pas un hasard si Pierre Curie, Henri Moisan et Gabriel Bertrand sont venus se former à l'école de chimie ouverte par Edmond Frémy, en 1863 ; pas un hasard non plus, si Daniel Berthelot, fils de Marcelin, a quitté la Sorbonne et le laboratoire pourtant prestigieux de Gabriel Lippmann pour venir au Muséum travailler avec Henri Becquerel – successeur de son père Edmond, dans la chaire de physique appliquée à l'histoire naturelle – dont il est le préparateur [95] depuis 1892.

Dans ce cénacle, on le voit, les liens avec l'École supérieure de pharmacie de Paris sont nombreux. Cette alliance affichée, qui peut paraître naturelle en raison de la proximité des sujets enseignés dans ces deux lieux, répond également à des raisons d'ordre purement administratif.

LE TEMPS DE L'ORIENTATION.

95. Le rôle du préparateur correspond aujourd'hui à celui d'assistant. Libres de s'adonner à leurs propres travaux, ils étaient cependant également chargés de la préparation des produits destinés aux expériences faites, dans ses cours, par le professeur en titre. C'était une place enviable car elle conduisait la plupart du temps à la succession du maître.

S'il n'est point besoin de se classer en tête d'un difficile concours pour suivre les cours gratuits donnés au Muséum et si un simple entretien suffit pour être admis à l'école de chimie de Frémy, il y a, à ce côté très attirant, un envers plus négatif : s'il ne demande pas de diplôme, le Muséum n'en délivre pas non plus. C'est ce qui explique que, dans un contexte bureaucratique comme celui de la France, des élèves, tels H. Moisan, P. Curie ou G. Bertrand soient aller chercher ce document indispensable à toute carrière, à l'École de pharmacie. Ce phénomène entraîne un va-et-vient constant entre les étudiants formés au Muséum et ceux de l'École de pharmacie venant compléter le diplôme acquis par une recherche de haut niveau dans le laboratoire de leur choix.

Cette démarche, qui est celle de Javillier, ne peut que nous confirmer ce que nous savons déjà de ce jeune homme. Sa visite au « laboratoire de chimie appliquée aux êtres organisés » répond à un plan bien précis.

Le nom même que porte ce laboratoire n'est-il pas l'expression de la voie où le jeune pharmacien a décidé de s'engager, en proposant d'appliquer la chimie à l'étude des êtres organisés, c'est-à-dire, à l'étude des êtres vivants qu'ils appartiennent au règne végétal ou animal ?

Entrer dans ce laboratoire c'est aussi, pour lui, mettre à profit la grande diversité des connaissances acquises dans ses études de pharmacie, au service de son idéal. Comme l'écrira, plus tard, C. Mentzger, en prenant possession de la chaire dont le laboratoire dépend : *L'étude de la chimie des êtres vivants exige avant tout la connaissance des multiples composés organiques élaborés par les animaux et les plantes. Toute la biologie devrait peu à peu s'édifier sur une telle connaissance, qui permettra peut-être un jour l'explication définitive des mécanismes de la vie*[96].

Intégrer ce laboratoire, c'est enfin devenir l'un des maillon d'une prestigieuse lignée de chimistes qui de Fourcroy à Chevreul sont passés « de l'analyse des plantes en vue d'isoler des médicaments [97] » aux secrets des êtres vivants. Anciennement « chaire des arts chimiques » et transformée en 1850 en « chaire

96. C. Mentzger, *La chimie dans le cadre et la tradition du Muséum national d'histoire naturelle,* Leçon inaugurale du cours de chimie appliquée aux corps organisés, prononcée le 4 avril 1959, pp. 195-208. Bibliothèque centrale du M.N.H.N.
97. Acte de fondation du Jardin du Roy, cité par C. Mentzger, *op. cit.*

de chimie appliquée aux corps organiques » par Michel-Eugène Chevreul, qui par la mise au point de l'analyse organique immédiate a ouvert la voie à la compréhension des produits complexes contenus dans les organismes vivants et à leur transformation, cette chaire est depuis la mort du maître, celle d'Albert Arnaud.

Arnaud est l'illustration parfaite de ce que permet la liberté qui règne au Muséum dans le recrutement de ses professeurs qui, pour être national, tient surtout compte de l'orientation des travaux des candidats et non de leur diplôme [98]. De santé fragile, celui qui est le grand spécialiste des cardiotoniques végétaux et des poisons africains, n'a pas fait d'autres études que celles qu'il a accomplies au Muséum, comme préparateur de Chevreul. Bien que ses travaux soient loin des préoccupations des pastoriens, c'est à la protection de Louis Pasteur qu'il doit sa nomination et l'on comprend que, dans ce contexte, il ait de grand cœur ouvert son laboratoire à un préparateur travaillant sur les venins de serpents et les enzymes, sujets beaucoup plus susceptibles d'intéresser un élève de Duclaux.

Aussi n'est-ce pas au professeur Arnaud, mais bien à son préparateur, Gabriel Bertrand, qu'en ce beau jour de juin, Maurice Javillier vient rendre visite dans l'espoir de trouver en lui le maître qu'il espère. *Le nom de Gabriel Bertrand, j'avais appris à le connaître en parcourant dans notre bibliothèque de l'Hôtel-Dieu, les Comptes-rendus de l'Académie des Sciences et le Bulletin de la Société chimique* [...] [Il] *s'attachait à toutes espèces de choses qui m'avaient frappé : venins, oxydases, fermentation pectique, sorbose. Tout cela m'était apparu comme prodigieusement intéressant et nouveau. L'auteur avait recueilli des prix importants à l'Académie des Sciences et à l'Académie de Médecine. Il ne pouvait s'agir que d'un savant d'âge respectable, pourvu d'une forte situation sociale. Je me trouvai en présence d'un homme de 32 ans, à la figure souriante et au regard vif, simple préparateur, qui me présenta au professeur Arnaud*[99].

98. Acte de fondation du Jardin du Roy, cité par C. Mentzger, *op. cit.*.
99. Allocution de Maurice Javillier pour le Jubilée de G. Bertrand, *op. cit.*

Aux sources des mécanismes de la vie

Malgré la sincérité qui est l'une des qualités premières de Maurice Javillier, la surprise qu'il prétend avoir éprouvée en se trouvant en présence de Gabriel Bertrand, nous semble bien devoir être attribuée à un effet rhétorique visant à souligner la fulgurante carrière qui est déjà celle du préparateur d'Arnaud.

Bien difficile est en effet de croire que Maurice Javillier n'a jamais rencontré son futur maître avant ce matin de juin 1899. Il semble presque impossible même qu'au moment de son arrivée en première année à L'École supérieure de Pharmacie de Paris, en novembre 1894, il n'ait pas entendu parler de la thèse qui venait d'y être soutenue par le meilleur élève de Frémy. L'audace même du choix de l'atomiste Auguste Behal comme président du jury a dû faire grand bruit dans les couloirs de la rue de l'Observatoire. La personnalité du candidat est non moins étonnante : à l'âge de 27 ans, Bertrand est déjà célèbre, ayant réussi, dans cette même année 94, à obtenir, en même temps que son diplôme de pharmacien de première classe, le prix Monthyon de l'Académie des Sciences et de faire la découverte qui lui vaut aujourd'hui de figurer dans le *Petit Robert* : celle de la laccase, premier ferment oxydant isolé.

Ce succès, de plus, n'a pas manqué d'attirer l'attention d'Émile Bourquelot qui, des ferments hydratants, oriente aussitôt sa recherche vers les oxydants et cosigne avec G. Bertrand une série d'articles en 1896, ce qui permet de supposer que Javillier a très probablement croisé son futur maître dans le laboratoire de galénique de l'École de pharmacie.

Beaucoup plus sûrement, il faut voir dans la surprise qu'il souligne dans son hommage à Bertrand, l'image de la relation profonde et rare qui liera les deux hommes tout au long de leur vie. Une relation où le respect qu'il porte au savant se mêle à l'amitié qu'il éprouve pour un jeune homme qui n'est que de huit ans son aîné. En effet, celui qu'il ne cessera de nommer « son très cher maître » est né le 17 mai 1867 dans la rue Saint-Jacques, à l'ombre de la Sorbonne. Parisien quand Javillier est un provincial, Bertrand a également suivi un parcours à l'opposé de tout ce qu'a vécu son élève. Enfant intelligent et curieux qui passe son enfance au Muséum d'histoire naturelle et s'enthousiasme pour ses herbiers, il est loin d'avoir la docilité du petit Maurice. Et quand son père, épicier-distillateur, pense à le pourvoir d'une promotion sociale confortable en le destinant au Bureau des douanes, il s'arrange adroitement pour rater le concours et retourne au Muséum où il entre, sur simple entretien, à l'École de Frémy.

En 1886, les querelles qui ont opposé, quatorze ans plus tôt, le célèbre chimiste à Louis Pasteur au sujet des fermentations sont encore dans toutes les mémoires. Certes, Pasteur est sans conteste, celui qui a compris le rôle joué par la levure, organisme vivant, dans la transformation du sucre en alcool, en le rapportant à un acte respiratoire de ce champignon, qui privé, en anaérobie, de l'oxygène de l'air s'en procure en prenant celui de la molécule de sucre. Cependant, persuadé qu'il s'agit purement d'un phénomène vital et physiologique, comme le dit son biographe Patrice Debré : *L'interprétation purement chimique de la fermentation ne l'a guère préoccupé. Il a notamment négligé de prendre en compte la découverte de ferments solubles absolument dépourvus de germes vivants, les diastases, qu'on appelle aujourd'hui les enzymes, dont la mise en évidence, notamment par Marcelin Berthelot, renouvelle les théories de Berzélius sur la force catalytique*[100].

Frémy soutient alors la thèse contraire, prétendant que la transformation est toute chimique et n'a rien a voir avec la vie. Relancée au moment où Liebig daigne enfin répondre à Pasteur en se rangeant du côté « anti-vitaliste », la polémique vient désagréablement échauffer les oreilles de ce savant, qui, ulcéré par la défaite de la France devant l'Allemagne, n'a pas hésité à renvoyer à l'Université de Bonn son diplôme de docteur *Honoris Causa* et à prendre un brevet pour sa « *bière de la revanche* ». Les échanges à l'Académie des Sciences seront d'une violence extrême, mais il en faut plus pour décourager Frémy et en 1877, il écrit à Chevreul :

Je vous adresse par écrit le résumé de mes opinions sur les fermentations et les ferments [...] *Les ferments sont des agents de composition créés par l'organisme qui donnent la mobilité aux corps organiques qui les modifient, les dédoublent et qui déterminent, avec*

100. P. Debré, 1994, *op. cit.* p. 134.

le concours de l'air, leur décomposition finale. Ma définition des ferments est basée sur leur action chimique et non sur leur composition organique comme le fait Pasteur. La fermentation est donc le phénomène de décomposition qui s'accomplit par l'action du ferment[101].

Il est aisé, alors de comprendre qu'avec un tel maître, G. Bertrand se soit intéressé à ces agents vitaux et ait contribué, par ses travaux, à la victoire finale des enzymes que le chimiste Eduard Buchner obtiendra, en 1897, en isolant la zymase, ferment présent dans la levure et responsable de la fermentation alcoolique.

La première étape de la marche vers ce résultat passe, en effet, par la recherche de ferments solubles capables, non plus de réaliser des hydrolyses comme tous ceux connus jusque-là, mais actifs dans le transport de l'oxygène de l'air sur les substances organiques, afin de les dégrader par oxydation.

Un Japonais du nom de Hikorokura Yoshida a déjà attribué au ferment qu'il a isolé du latex de l'arbre à laque ou *Rhus vernicifera*, la propriété qu'a celui-ci de donner à l'air ce vernis noir qui fait le secret des laques chinoises. C'est ce que G. Bertrand va s'employer à prouver. Après avoir isolé à nouveau cet enzyme qu'il baptise, laccase, il démontre qu'il est l'agent responsable de la transformation de diphénols incolores en cétones colorées *par élimination des hydrogènes phénoliques, c'est-à-dire par oxydation. En outre la laccase agit bien à la manière d'un ferment et comme un réactif de laboratoire. Elle joue en effet le rôle d'intermédiaire entre l'oxygène libre et l'hydroquinone, mais ne cède pas celui qui existe dans sa molécule*[102].

Mais Gabriel Bertrand n'est pas homme à se contenter d'une réaction. Tout de suite, il cherche à la généraliser à d'autres colorations observées, mais non expliquées telles que le bleuissement des russules ou le brunissement des fruits à l'air. Dans chaque cas, il met en évidence un ferment dont la nature varie selon la fonction chimique de la substance à oxyder. Restait à connaître la composition de ces diastases. Comme tout bon chimiste formé

101. Lettre d'E. Frémy à M.-E. Chevreul, Versailles, 14 septembre 1877. M.N.H.N. Archives Chevreul. Nous remercions Madame Serres de nous les avoir laissées consulter.

102. G. Bertrand (1897) « Recherches sur la laccase nouveau ferment soluble à propri-étés oxydantes », *Annales de chimie et de physique*, 7e série, tome XII, p. 131.

à l'analyse, il en étudie d'abord les cendres après calcination et découvre des traces infiniment petites de minéraux dont on ne soupçonnait pas la présence dans les végétaux. Persuadé de l'importance que ces minéraux – qu'il nomme « oligo-éléments » – jouent dans les phénomènes biologiques, il consacrera la majeure partie de son œuvre à les étudier.

Malgré une célébrité qui aurait fait tourner la tête à plus d'un, Gabriel Bertrand n'hésite pas à accueillir un élève formé, dans le laboratoire de Bourquelot, à des travaux voisins des siens. Et, comme le confirmera Javillier, *peu de jours après je fabriquais pour la première fois de ma vie, l'acétal benzaldéhydique d'un hexol*[103].

Le paradis entrevu

Quelques mois plus tard, Maurice Javillier peut croire son rêve réalisé. C'est à l'Institut Pasteur, dans un laboratoire du bâtiment tout neuf dont le fronton porte fièrement les mots de « chimie biologique » qu'il commence les toute premières expériences de sa thèse en pharmacie.

C'est, en effet en 1900 qu'Émile Duclaux choisit officiellement Gabriel Bertrand pour diriger ce service. Le lien qui unit les deux hommes qui ont le plus influencé Javillier, date d'environ six ans. Travaillant alors avec César-Auguste Physalix, G. Bertrand venait de prouver que le sang des animaux venimeux contenait toujours du venin, mais qu'une sécrétion interne leur conférait une immunité contre leur propre poison. De même, les couleuvres, inoffensives en raison de l'absence des crochets qui permettent aux serpents d'injecter à autrui leur toxine, étaient également réfractaires au venin de vipères. La voie de la vaccination antivenimeuse était ouverte [104]. Ce beau résultat, qui allait valoir aux deux chercheurs de se voir attribué le prix Monthyon par l'Académie des Sciences, ne pouvait échapper à Émile Duclaux, membre du jury de ce prix. Trois ans plus tard, en 1897, alors qu'il vient de lancer la construction de son Institut de chimie biologique, c'est tout naturellement à Bertrand qu'il pense.

103. M. Javillier, Allocution, *op. cit.* Cette réaction correspondant à une oxydation enzymatique.
104. Le sérum sera mis au point par Calmette, à l'Institut Pasteur.

Au milieu de l'ivresse qui règne à Paris, en cette année 1900, Gabriel Bertrand apprend sa nomination comme préparateur à l'École des Hautes Études auprès d'Émile Duclaux et son entrée à l'Institut Pasteur que l'on inaugure à l'occasion de l'exposition Universelle.

Secrétaire général du Congrès international de chimie pure qui se tient à Paris du 17 au 22 juillet, il note, avec conviction la proclamation par Marcelin Berthelot de l'entente cordiale de la chimie : *La chimie, Messieurs, n'est pas en effet, une doctrine individuelle ou une propriété nationale. Tous les peuples civilisés du* XVIII*e siècle ont concouru à la fonder et tous les peuples du* XIX*e siècle, animés d'une ardeur commune, s'efforcent de la développer et d'en agrandir à la fois la doctrine générale et les applications particulières dont ils profitent tous pareillement, Anglais, Français, Allemands, Russes, bref toutes les nations grandes et petites, jeunes et vieilles représentées dans cette enceinte, se donnent la main dans l'accomplissement de cette œuvre de paix universelle, pour le bien de l'humanité*[105].

Mais si ce beau discours réveille sans doute, en Maurice Javillier, les échos de son enfance, c'est le cœur triste qu'il dût l'écouter. Il savait déjà qu'avant de participer, lui-même, à cette grande œuvre, il lui faudrait encore attendre et que le paradis entrevu comportait un séjour en purgatoire : un exil en province de sept années.

---

105. G. Bertrand (1901) *Procès verbal sommaire du Congrès international de chimie pure*, Imprimerie Nationale. Archives de l'Académie des Sciences. Dossier biographique G. Bertrand.

LE TEMPS DE L'EXIL TOURANGEAU.

4
Une parenthèse tourangelle (1900-1907)

Mais les choses ne se sont pas arrangées simplement et ce fut pour moi un exode de quelques années en province.

M. Javillier.

Comme toutes les décisions qui jalonnent la vie de Maurice Javillier, cet exode est mûrement délibéré. Certes Gabriel Bertrand est prêt à l'accueillir à l'Institut Pasteur pour qu'il y poursuive les travaux de sa thèse, mais cette offre ne s'accompagne d'aucun financement. Et, les émoluments que Javillier touche en tant qu'interne des hôpitaux de Paris, largement suffisants pour un étudiant, ne le sont plus pour un homme qui pense, à 25 ans, avoir atteint l'âge de s'établir. La seule situation stable, qu'il peut envisager, est l'achat d'une officine, mais la rareté et le prix qu'atteignent ces commerces, dans, et autour de la capitale, éludent toute possibilité d'acquisition dans la région parisienne. Restent les cités voisines, situées à une distance raisonnable de Paris.

Nouveau signe du destin, c'est à Tours, ville du premier poste du normalien Émile Duclaux, que Javillier va trouver l'officine cherchée. À dire vrai, plus qu'un pieux pèlerinage, c'est la proximité qui met Tours à trois heures de Paris, par train rapide, qui le détermine à ce choix. Outre la douceur du climat et la beauté de « cette Touraine que la Nature a doté de tant de grâces [106] », cette capitale provinciale est de plus le berceau de la famille de sa grand-mère maternelle, Louise-Augustine Polti, dont les deux frères sont dits négociants et propriétaires à Tours, dans le contrat et l'acte de mariage des parents de Maurice Javillier. Ajoutons

106. M. Javillier (1951) Allocution de président de l'Académie des Sciences.

qu'en plus de cette proximité familiale, cette ville, pourvue alors d'une École Préparatoire de Médecine et de Pharmacie, offre à Javillier le triple avantage de pouvoir poursuivre les études de médecine qu'il vient de commencer, d'espérer un poste d'enseignant à l'École de Pharmacie et d'installer confortablement la famille qu'il désire fonder.

Pour raison d'amour

La raison majeure de sa retraite provinciale est une jeune fille de dix-neuf ans, nommée Anna Champenois. Ce n'est pas à Paris qu'il l'a rencontrée, mais dans son Nivernais natal. La jeune fiancée est née à Château-Chinon, à quelques kilomètres à l'est de Nevers où elle habite chez ses parents, au 3 rue Vauban. Comme ceux de Maurice Javillier, ses ancêtres appartiennent à cette terre bourguignonne qui a donné à la France tant de grands républicains. Du côté maternel à Arnay-le-Duc, comme du côté paternel à Lormes dans le Morvan, les deux grands-pères ont tenu un café, métier bien naturel dans un pays où, quand on ne cultive pas la vigne, on en vend les produits.

Contrairement aux alliances usuelles que pratiquent les membres du corps médical, le père de la demoiselle n'est ni médecin, ni pharmacien, mais exerce cependant une profession humanitaire en tant que fonctionnaire de l'Assistance publique. Après avoir été agent de surveillance, puis sous-inspecteur, il a gravi tous les échelons jusqu'au grade d'*Inspecteur du service des Enfants assistés de la Seine.* Ce qui lui vaut d'avoir sous sa responsabilité le placement de 3000 enfants dans des familles nourricières.

Comme chez les Javillier, l'ascension sociale chez les Champenois, est le fruit du travail, mais surtout, aussi, de l'instruction et des diplômes qu'elle permet d'obtenir. Du grand-oncle d'Anna, *régent dans un collège après avoir obtenu un baccalauréat littéraire et suspendu de ses fonctions pendant 6 mois pour ses opinions politiques en 1849* et qui, s'étant remis aux études, termine sa carrière « professeur de mathématiques au lycée de Beaune [107] », la famille

107. F. Retel, 1981, *op. cit.* Nous devons au Mémoire de Maîtrise de Françoise Retel, petite-fille d'Anna Champenois et de Maurice Javillier, tous les renseignements qui nous ont permis de rédiger ces pages.

Champenois a fait son héros légendaire et son exemple. Le père d'Anna est lui-même un fin lettré qui se plaît à correspondre en latin avec ses amis.

Issue d'un telle famille, il est naturel que la fiancée de Maurice Javillier ne soit pas une oie blanche tout juste capable de tenir sa maison propre et de jouer agréablement du piano. Anna a fait des études secondaires jusqu'au niveau du baccalauréat dans un cours laïc où venaient enseigner les professeurs du lycée de Nevers, dans lequel est inscrit son frère Julien de trois ans son cadet, et qui fera, plus tard, une brillante carrière de professeur de littérature comparée, en Grande Bretagne, puis à Harvard aux U.S.A. Si l'on ajoute à cela que la « demoiselle Champenois » est reconnue pour être « la plus belle fille de Nevers », on comprend que les deux fils du Pharmacien Javillier en soient tombés amoureux et la courtisent ardemment. Moins capricieuse que la *Marianne* de Musset, ce n'est pas le fantaisiste Octave-Henri mais bien le sage Célio-Maurice qu'Anna a choisi. Un Célio toutefois qui n'a nul besoin de recourir à un intermédiaire pour faire connaître à la « Chère mignonne » l'élan qui le porte vers elle, malgré l'éloignement et l'occupation que lui donnent ses chères études. *Mettez un peu, à vos joues, de ce rose dont vous voulez bien revêtir nos rêves et songez que si mes lettres ne vont pas chaque jour vous rejoindre, ma pensée et mon cœur sont à vous*, lui écrit-il de Paris, *cinq minutes avant le train pour Tours*, en juillet 1901 [108].

Avec la clairvoyance qu'il apporte à chacune de ses actions, Maurice Javillier, s'est donc, comme Pasteur jadis, choisi « la compagne idéale » pour le seconder dans sa vie quotidienne comme dans sa carrière. Ajoutons que, bien que je n'aie, pour écrire ces lignes, qu'une photographie beaucoup plus tardive, la fiancée est une grande jeune fille aux yeux clairs, dotée d'un ravissant et lumineux sourire, qui creuse deux fossettes moqueuses au-dessus d'un menton pointu et volontaire. Cette gaîté, qui transparaît sur tout son visage, s'affirme comme un contrepoint au sérieux de son mari et mettra tant de joie de vivre dans une maison que l'on pourrait croire austère, que son souvenir illumine encore ses petits-enfants.

---

108. F. Retel, 1981, *op. cit.*.

Gageons qu'Anna Champenois, que sa petite-fille décrit comme « douée d'une très grande curiosité intellectuelle [109] », n'a nullement été effarouchée par « la tumultueuse fermentation de pensées » du bouillant jeune homme qui devient son mari, à Nevers, le 11 novembre 1901. N'était-elle pas, après tout, la petite-fille de Nicolas Wattier, parti, vers 1848, comme chercheur d'or aux U.S.A. et revenu avec un pécule suffisant pour s'établir à Lormes et offrir à ses héritiers, en souvenir de ses aventures, *un bracelet de pépites d'or pur et de pièces américaines* [110]?

Certes l'aventure intellectuelle à laquelle son époux la conviait était sans doute moins lucrative que l'escapade américaine du grand-père de Lormes, mais le jeune ménage, grâce à la générosité des deux familles, était largement à l'abri du besoin. *En 1901, ma grand-mère Anna apporte une dot de 53.000 francs à laquelle se joint un capital équivalent, apport de mon grand-père.* [...] *Mes grands-parents disposent au départ de leur vie conjugale d'un capital qui peut s'estimer à environ 100 années de salaires ouvriers* [111]. Dans ce capital constitué essentiellement d'actions et d'obligations, entre un seul bien immobilier : la pharmacie de Tours estimée à 40.000 francs, c'est une donation d'Henri Javillier père qui, pour permettre à son fils de s'installer, n'a pas hésité à vendre son officine de Nevers et à se retirer avec sa femme à Nuits-Saint-Georges [112] près de son père qui, âgé de 82 ans, vient de perdre sa femme, Pierrette [113] et ne lui survivra que quelques mois pour s'éteindre, deux jours après le mariage de son petit-fils, le 13 novembre 1901.

La pharmacie de Maurice Javillier est, il est vrai, fort bien située, au 51 de la rue Nationale, artère principale de Tours qui prolonge le célèbre Pont de Pierres, point unique pour traverser la Loire. Si une rue voisine du nom de Clocheville, semble là pour faire un clin d'œil à Balzac, l'officine, bien placée à un

109. F. Retel, 1981, *op. cit.* p. 15.
110. *Idem*, p. 13.
111. *Idem*, pp. 18-19.
112. Comme en témoignent l'adresse à laquelle lui écrit son fils et le cachet postal de sa correspondance à partir de 1903, Henri Javillier a repris à Nuits-Saint-Georges une activité viticole ainsi que l'atteste une carte de sa main, où il évoque une vente de vin. Archives J. Retel.
113. Décédée au 2 de la rue de Chaux, le 9 février 1901. Archives municipales de Nuits-Saint-Georges.

carrefour est de celle dont rêverait tout pharmacien ayant quelque peu la fibre du commerce.

Mais c'est, sans doute, moins cet aspect lucratif que la personnalité du vendeur qui a déterminé le choix de Maurice Javillier. Ce vendeur en effet n'est autre que le professeur Le Normand, titulaire de la chaire de Matière médicale et chef de travaux pratiques de physique et de chimie à l'École préparatoire de pharmacie de Tours. Or, en plus de la vente de son officine, il s'est également retiré l'année précédente de son poste de chef de travaux, laissant à Maurice Javillier la possibilité de le remplacer doublement à son comptoir et devant les paillasses de son laboratoire.

Une triple carrière

Comme le dira Maurice Javillier, en revenant à Tours, vers la fin de sa vie, c'est à cette parenthèse obligée dans sa vie mouvementée d'étudiant parisien qu'il doit d'avoir opéré une sélection définitive parmi les aspirations multiples qui étaient encore les siennes : [*À mon arrivée à Tours*], *jeune chef de travaux, j'étais en même temps étudiant en médecine. Mais, accaparé par mes fonctions universitaires, mes obligations de pharmacien et mes travaux personnels, je n'ai pu poursuivre mes études médicales. L'orientation définitive de ma vie future fut en germe dans ce que je réalisai en 1900 et 1901. A Paris, où une tumultueuse fermentation de pensée m'entraînait vers des études diverses, la Pharmacie et certaines disciplines scientifiques avaient certes polarisé mon activité, mais ce sont ces deux premières années tourangelles qui m'ont astreint à leur garder une exclusive fidélité*[114].

C'est également à Tours qu'il va faire ses premiers pas d'universitaire, comme successeur du professeur Le Normand. Fier de ses connaissances et persuadé d'apporter en province la bonne nouvelle recueillie dans la capitale, il réunit les élèves et, au lieu de leur présenter les subtilités des manipulations qu'ils vont avoir à faire, ainsi que le veut son rôle de chef de travaux, il les gratifie d'un discours sur « les traditions qu'il leur apporte, celle de ses maîtres parisiens à qui il rend hommage et dont il veut leur trans-

114. M. Javillier. Allocution à l'École de pharmacie de Tours, 1952. Archives J.-S. Retel.

PROFESSEUR À LA FACULTÉ DE PHARMACIE DE TOURS.

mettre les plus sûres méthodes [115] ». Heureusement, à cette époque, les étudiants étaient encore élevés dans le respect de leurs maîtres quelles que soient leurs fantaisies. Habitués à un travail discipliné par le professeur Le Normand, nul ne riposta, mais il semble bien que la rengaine connue voulant que « rien ne soit bon qu'à Paris » en irrita plus d'un, et, comme le dit encore M. Javillier : « des épreuves ultérieures me laissent à penser que la malice estudiantine s'exerça comme il convient [116] ».

La compétence et peut-être plus encore le pédagogue né qu'était Maurice Javillier devaient très vite faire oublier cet incident principalement dû à la naïve émotion du professeur

115. M. Javillier. Allocution à l'École de pharmacie de Tours, 1952. Archives J.-S. Retel.
116. *Idem.*

néophyte. Et c'est avec plaisir qu'il constata que les méthodes inculquées par son prédécesseur étaient excellentes et que le laboratoire des travaux pratiques de physique et de chimie était bien installé. Pas suffisamment cependant pour se transformer aisément en laboratoire de recherche et l'autoriser à y entreprendre les expériences indispensables à sa thèse. Pendant un an, il n'eut d'autre solution que de se rendre de temps à autre à Paris, auprès de Gabriel Bertrand qui l'accueillait dans son laboratoire à l'Institut Pasteur. Mais ces allers et retours ne pouvaient éternellement durer. Pourtant, comme il le dit lui même : *Quand on s'est pris d'amitié pour le démon de la recherche scientifique, c'est une mauvaise fréquentation qu'on ne se sent point le courage de rompre*[117].

Sans doute, la providence a-t-elle de l'indulgence pour les amants de la science, car, tout juste un an, après son arrivée à Tours, un poste de suppléant à la chaire d'histoire naturelle fut mis en concours. Avec son habituelle modestie nuancée d'ironie Javillier prétend y avoir triomphé sans peine puisque *le deuxième candidat, avec qui je fis le voyage Tours-Paris n'ayant pas dépassé la gare d'Austerlitz, [ne se présenta pas] à l'École de Pharmacie où siégeait le jury, présidé par Léon Guignard*[118].

Courtoisie envers un jeune collègue apprécié pour ses compétences et sachant que ce poste était essentiel à la poursuite de sa carrière ? Manque de courage ou évaluation réaliste de ses chances vis-à-vis d'un personnage déjà connu des professeurs parisiens ? Il est d'autant plus difficile de le savoir qu'on ignore le nom du candidat défaillant. À dire vrai, même en présence d'autres concurrents, on peut se dire que les certificats de zoologie que Javillier avait suivis et présentés avec succès à la Sorbonne lui auraient valu un égal succès. L'amitié qu'il cultivait avec ses anciens professeurs en histoire naturelle devait d'ailleurs lui être d'un grand secours pour enseigner la zoologie en P.C.B [119]. Ainsi que le prévoyait sa nouvelle nomination. La relation qu'il entretenait avec Delage et le laboratoire de Roscoff lui permit notamment

117. M. Javillier. Allocution à l'École de pharmacie de Tours, 1952. Archives J.-S. Retel.
118. *Idem.*
119. Certificat de Physique, chimie, biologie qui débutait alors les études de médecine et de pharmacie.

d'illustrer son propos théorique par *des envois réguliers d'espèces animales qui rendaient nos exercices pratiques très démonstratifs.*

La passion qu'il garda toute sa vie pour l'enseignement et la formation des jeunes ne suffisait cependant pas au jeune professeur et la brusque mutation qui l'avait fait quitter la chimie pour la zoologie avait un objectif bien précis : avoir enfin un laboratoire à sa disposition pour y poursuivre ses travaux sur la présure, sujet de sa thèse.

Encore ce laboratoire, pour non occupé qu'il fût, était-il réservé au chef de travaux en histoire naturelle et non au professeur suppléant. Aussi, s'empresse-t-il de réclamer ce titre, sitôt sa nomination, par une lettre au directeur : *Ma récente nomination de Professeur suppléant d'histoire naturelle à l'École de Tours m'oblige à remettre entre vos mains ma démission de chef des travaux physiques et chimiques.* [...] *Je pense, Monsieur le Directeur, que vous voudrez bien m'autoriser à cumuler les fonctions de chef de travaux en histoire naturelle avec celle de professeur suppléant*[120].

Le professeur Barnsby, directeur de l'École, était alors un botaniste. Il ne put que se montrer sensible à la requête d'un jeune collègue dont les travaux portaient essentiellement sur la comparaison entre les présures du règne végétal et celles du règne animal.

Employés dès l'Antiquité pour la fabrication des fromages, ces ferments coagulants du lait étaient connus pour exister aussi bien dans les glandes gastriques des jeunes ruminants que chez certaines plantes. Dans la grande vogue de la recherche systématique sur les enzymes qui culmine au tournant des XIXe et XXe siècles, les présures ne pouvaient qu'attirer l'attention des biologistes. Par leur action, elles s'inscrivent auprès des pectases et pectinases sur lesquelles Javillier avait déjà travaillé chez Bourquelot. Néanmoins c'est à Gabriel Bertrand qu'il doit son sujet, les premières lignes de sa thèse le confirment en insistant sur la filiation de son propre travail avec ceux de son maître : *Lorsqu'on prépare le suc cellulaire d'un grand nombre de végétaux,* explique-t-il, *on observe au bout de peu de temps qu'il se fait dans leur masse un véritable phénomène de coagulation si bien que le liquide qui ne filtrait pas à travers le papier devient filtrable. M. Gabriel Bertrand, en préparant*

120. Lettre de Maurice Javillier au Directeur de l'École préparatoire de Tours, 29 novembre 1901. Archives de la faculté de médecine et pharmacie de Tours.

un grand nombre de sucs végétaux à l'occasion de ses recherches sur la laccase et sur la pectase a maintes fois observé ce fait. Il m'engagea à l'examiner de près et à compléter l'étude encore incomplète des présures végétales. C'est donc à lui que je dois le sujet de cette thèse[121].

Dans les années 1895, en effet, G. Bertrand s'était intéressé aux ferments coagulants et, après avoir étudié la diffusion de la pectase dans les différents végétaux, il était même parvenu à l'isoler sous la forme d'une substance blanche, prête à l'emploi [122]. Mais, comme il l'écrit dans sa propre thèse : *[le chercheur] est un peu dans la situation d'un voyageur qui, gravissant une montagne, découvre tout à coup de nouvelles régions à explorer*[123].

Les présures faisaient, pour lui, partie de ces régions nouvelles, même si en 1900, année où il propose à Javillier ce sujet de thèse, Morgenroth venait de conclure que ces ferments étaient de nature différente dans les règnes animal et végétal. En bon pastorien, accoutumé à l'étude du rôle des bactéries dans les actions enzymatiques, Gabriel Bertrand ne pouvait admettre comme exacts des résultats qui ne tenaient aucun compte de la présence possible de micro-organismes présurigènes. Fort de sa propre expérience, lorsqu'il n'avait pas hésité à reprendre les travaux de son confrère japonais sur la laccase pour aller beaucoup plus loin dans ses conclusions, il offre à Javillier le soin de confirmer ou d'infirmer les résultats de Morgenroth, cette fois par des expériences qui ne laisseraient pas de place au doute.

Le travail est énorme car il requiert, non seulement d'opérer dans des conditions rigoureuses, mais également d'inventer des méthodes pour déjouer les difficultés imprévues qui surgissent au fil des jours.

Ainsi la stérilisation qui s'impose naturellement à tout pastorien comme la méthode la plus efficace pour éliminer les micro-organismes perturbateurs s'avère délicate, car il ne faut pas détruire les présures également sensibles à la chaleur. L'usage d'un thermostat précis et surveillé avec constance reste par conséquent déterminant.

---

121. Thése de M. Javillier (1903) Archives de l'Institut Pasteur.
122. G. Bertrand et A. Mallevre (1895) « Nouvelle recherche sur la pectase et sur la fermentation pectique ». *Comptes-rendus de l'Académie des Sciences,* tome 120, p. 110.
123. G. Bertrand. « Étude biochimique sur la bactérie du sorbose », *Annales de physiques et de chimie,* 8e série, tome 3, p. 183.

Comme il l'a fait lui-même pour la pectase, Gabriel Bertrand a demandé à son élève de déterminer la diffusion de la présure dans les plantes, afin de pouvoir connaître celles qui en sont les plus riches et celles qui en contiennent le moins. Pour tenter de répondre à cette question, Javillier va extraire et comparer le suc de plus de cent trente plantes en mesurant le temps mis par chacun de ses sucs pour coaguler une quantité donnée de lait. Très vite cette recherche se révèle titanesque, quand il s'aperçoit que la vitesse de coagulation varie non seulement d'une plante à l'autre, mais qu'elle dépend de l'âge, des conditions de végétation et des parties du végétal. Avec la franchise qui est aussi la qualité première d'un chercheur, il avouera, lors de sa soutenance, ne pas avoir pu terminer cette tâche.

La partie principale de la thèse – qui doit vérifier les résultats de Morgenroth pour conclure soit que les présures animales sont identiques aux végétales et appartiennent en ce cas « à une seule race de diastase », soit au contraire qu'elles sont différentes et constituent en ce cas plusieurs « races de ferments » – se heurte à de nouveaux obstacles. Alors que G. Bertrand, dans ses travaux sur la pectase et sur la laccase avait pu faire usage des agents chimiques classiques telles que des solutions acides ou alcalines ou à des propriétés physiques comme la coloration des diphénols par oxydation, force est à Javillier de constater que l'influence des agents tant physiques que chimiques ne donnent pas de résultats concluants dans le cas des présures.

Alors que faire, sinon inventer une autre méthode ?

C'est là que la formation pastorienne acquise auprès d'Émile Duclaux et cultivée lors de ses voyages à Paris auprès de Gabriel Bertrand va jouer un rôle déterminant.

Dans le chantier immense de vérités nouvelles qu'il avait ouvert, Pasteur avait laissé beaucoup de questions en suspens et notamment celle du phénomène de l'immunité. Le principe de la vaccination et de la sérothérapie avait alors, il faut bien l'admettre, un caractère purement empirique. Le seul acquis scientifique était qu'à une maladie donnée correspondait un agent pathogène précis et qu'un animal inoculé par cet agent, sans même que l'on en connût la nature, devenait réfractaire à cette maladie et pouvait même transmettre, par son sérum, cette « immunité » à d'autres « animaux ». C'est au nom de cette observation que Pasteur avait sauvé les « enragés » bien avant que l'on connût le virus responsable de la rage. Pourquoi cela se passait-il ainsi ? À quelle réaction biologique devait-on l'acquisition de cette immunité? C'étaient là les grandes questions sur lesquelles on se penchait à l'Institut Pasteur, dans le laboratoire de Metchnikoff. Ce dernier ayant découvert le phénomène de la phagocytose pensait que l'immunité était due à la particularité qu'avaient certaines cellules vivantes d'ingérer, puis de digérer les bactéries. Par conséquent, il acceptait difficilement la théorie de l'Allemand Pfeiffer qui prétendait, lui, que l'immunité était le résultat de la sécrétion hormonale de substances chimiques provoquant la lyse des microbes. Cette divergence d'opinion rappelait étrangement le débat qui avait opposé Pasteur à Frémy, quelques années plus tôt. Celui qui allait mettre tout le monde d'accord était un jeune Belge du nom de Jules Bordet. Entré dans le laboratoire de Metchnikoff, il allait montrer que parallèlement à la phagocytose, existait un processus d'ordre chimique qui, soit naturellement, soit à la suite de l'injection d'une substance donnée (pathogènes ou non) était responsable de la résistance à l'action de cette substance. Mieux, il découvrait que ce processus dépendait de la réaction de deux sortes d'anticorps, l'un ayant pour but de détruire le corps étranger et l'autre de le reconnaître spécifiquement. Cette dernière substance, qu'il nomma « sensibilisatrice », expliquait la spécificité de la résistance d'un animal inoculé à l'agent pathogène reçu par injection.

C'est de ce principe extrêmement nouveau que Javillier va s'inspirer pour confirmer, de façon irréfutable cette fois, les résultats de Morgenroth. Restait encore à prouver la justesse de son extrapolation. Ayant injecté de la présure végétale à une chèvre, il constate qu'effectivement le sérum de cet animal s'oppose à la coagulation du lait par la présure végétale alors qu'elle ne l'empêche pas avec la présure d'origine animale.

Bien que par cette seule expérience, la différence entre les deux races de ferments soit confirmée, Javillier veut des résultats incontestables. Or, les animaux sur lesquels il opère étant des végétariens, Javillier soupçonne à juste titre la présence naturelle de petites quantités d'anticorps antiprésure dans leur sérum. C'est après de nombreux dosages et essais qu'il déterminera que le sérum de lapin est celui qui en contient le moins. Dès lors, c'est sur cet animal qu'il fera toutes ses expériences.

Après ce long développement sur le cheminement de sa thèse destiné à en souligner tout autant l'inventivité et la modernité que les astreintes multiples qui ont été celles de Maurice Javillier, il paraît presque impossible qu'il ait pu, en trois ans seulement, mener à bien une réflexion aussi délicate et réaliser toutes les manipulations nécessaires, parallèlement à ses cours et à la tenue de l'officine, sans avoir à ses côtés, comme c'était le cas dans le laboratoire de Bouquelot, un essaim d'élèves pour contribuer à l'œuvre du maître. Cet essaim d'élèves, c'est Anna, sa femme, qui, à elle seule, l'a incarné. *Un autre concours s'est offert à moi : celui d'une préparatrice bénévole, à qui je pouvais faire toute confiance, qui surveillait les thermostats, mesurait les temps de coagulation, contenait même les lapins auxquels nous faisions injections d'antigènes ou prélèvements de sang, mais elle n'aimait pas beaucoup ces opérations, pourtant anodines sur l'animal* [124]. Courageuse Anna qui, par amour, s'imposait de réfréner les répulsions de son cœur sensible et qui, sans se plaindre, acceptait de partager l'emploi du temps infernal commandé par la triple carrière de son mari alors qu'elle était enceinte de son premier enfant : *Il nous arrivait d'être au laboratoire, l'été, entre 5 et 6 heures du matin, afin d'être de retour à l'Officine à une heure acceptable* [125].

C'est au prix de ces efforts conjugués que l'année 1903 fut couronnée pour eux par une thèse brillante de pharmacien supérieur soutenue à l'École de pharmacie de Paris et par la naissance d'une petite Jacqueline le 31 août de la même année.

Turbo-prof avant la lettre

Tout autre que Maurice Javillier, après ces beaux succès, se serait accordé, sinon quelque temps de repos, au moins un ralentissement dans le rythme effréné mené jusqu'alors pour se consacrer à sa famille, à son officine et à son métier d'enseignant, d'autant que son doctorat en pharmacie lui avait permis d'accéder à la chaire de Matière médicale et Pharmacie chimique à l'École de Tours.

124. M. Javillier (1952) Allocution à l'École de Tours.
125. *Idem.*

Peut-être l'aurait-il fait sans un événement qui dut l'affecter profondément : le décès d'Émile Duclaux, son professeur vénéré. Après une première attaque en janvier 1902 dont on croyait qu'il se remettrait, Duclaux entrait dans le coma au soir du 2 mai 1904 et succombait dans la nuit. Cette mort du compagnon de Pasteur marquait également un profond changement chez les pastoriens. Depuis sa fondation, l'Institut avait eu à sa tête un homme d'une extraordinaire bienveillance : *On allait vers lui quand on se sentait perdu dans les obscurités d'une recherche scientifique, on y allait aussi quand on se sentait atteint par les misères de la vie,* écrit l'un de ses élèves [126].

À cet indépendant forcené, à l'écoute des autres mais respectueux de leur liberté, succède « Monsieur Roux » qui pour être l'élève chéri de Pasteur en est pourtant tout son contraire. Alors que le fondateur de l'Institut et le premier directeur sont des pionniers enthousiastes et passionnés *qui ne cessent d'aller de l'avant, Roux est un explorateur qui assure avec prudence chacun de ses pas,* un rationaliste, un cartésien, mais qui avec eux *cultive un commun amour de la Science c'est-à-dire de la Vérité*[127].

Remplacé à la direction de l'Institut Pasteur, Duclaux devait l'être aussi dans ses cours de chimie biologique et c'est tout naturellement que cette charge échut à Gabriel Bertrand. Cependant, quoique la renommée du futur professeur fût incontestable, l'administration est une machine aveugle et sourde qui ne connaît que ses règlements. Or, pour être nommé dans une chaire à la Sorbonne, il fallait être titulaire du doctorat ès sciences et, malgré tous ses travaux, toutes ses publications et ses prix, Gabriel Bertrand n'avait qu'une thèse de pharmacien.

En catastrophe, il reprit ses travaux de jeunesse sur la formation du sorbose. La recherche de ce sucre observé, par hasard dans les baies du sorbier, seulement deux fois sur tout un siècle, était une sorte d'épreuve initiatique pour tous les jeunes chimistes qui faisaient leurs débuts dans le laboratoire de chimie appliquée aux corps organisés du Muséum de Paris.

De cette tradition humoristique, Bertrand s'était fait une gloire en démontrant que la transformation des sucres des sorbes en sorbose, était l'œuvre d'une bactérie visible au microscope.

126. Archives de l'Académie des Sciences, dossier É. Duclaux.
127. Souvenirs de Valéry-Radot cités par A. Delaunay, *op. cit.* p. 214.

De cette découverte qui, dès 1896, lui avait valu l'honneur d'être publié dans les *Comptes-rendus de l'Académie des Sciences,* G. Bertrand montra la triple utilité. Pour les chimistes, elle ouvrait la voie des synthèses bactériologiques ; pour les biologistes, elle découvrait les étapes intermédiaires des combustions intra-organiques : pour les pathologistes enfin, elle permettait à Bertrand d'oser une hypothèse novatrice : *Les physiologistes eux-mêmes, ceux qui ont entrepris la tâche difficile de débrouiller le problème de l'immunité et de la réceptivité à l'égard des agents infectieux trouveront dans l'étude de la bactérie du sorbose, des arguments expérimentaux en faveur du rôle, trop oublié, sans doute parce que mal défini, de ce que l'on appelle si justement le terrain*[128].

Est-ce l'exemple de ce travail mené par son maître en toute hâte sans pour autant cesser ses autres recherches qui incita Maurice Javillier à entreprendre sans tarder une thèse de doctorat ès sciences ? C'est fort probable. Toujours est-il qu'une nouvelle fois, il prit pour directeur celui que sa femme avait surnommé « l'Ange Gabriel ».

Cette fois, ce n'est plus vers les diastases que son maître l'orienta mais sur ce qu'il considérait alors comme un facteur essentiel de l'activité enzymatique. Bien qu'à l'état de traces, la présence constante de manganèse qu'il avait remarqué dans les cendres de la laccase, alors qu'il travaillait sur ce ferment, ne pouvait être fortuite et Gabriel Bertrand en était venu à considérer que ce minéral était peut-être l'agent qui en s'oxydant au contact de l'air, transportait l'oxygène en quelque sorte sur la substance organique à oxyder et se présentait par conséquent comme la partie active des oxydases.

La découverte d'autres traces de minéraux inhabituels dans les végétaux lui suggéra bientôt l'idée que ces éléments, à des doses infinitésimales, étaient aussi nécessaires au métabolisme des êtres vivants que les douze minéraux reconnus comme les composants de la matière vivante.

L'idée que ces métallo-enzymes pouvaient intervenir dans la nutrition et la croissance des végétaux coulait de source. En 1870, un élève de Pasteur, J. Raulin avait démontré par des travaux rigoureux que de très petites quantités de zinc et de fer favori-

128. G. Bertrand, *op. cit.* p. 185.

saient le développement de *l'Aspergillus niger*, un champignon microscopique de la famille des Mucédinées. Mais cette conclusion, qui allait dans le sens de celle de Bertrand, venait d'être réfutée en 1903 par Henri Coupin qui, ayant opéré sur l'*Aspergillus niger* après stérilisation à l'autoclave afin d'éliminer tout micro-organisme perturbateur, prétendait qu'alors la croissance du champignon était la même avec ou sans zinc, ce dernier n'ayant qu'une action antiseptique.

C'est dans cette polémique que se situe la seconde thèse de Maurice Javillier. Une fois encore, il s'agit pour lui d'apporter des preuves irréfutables pour trancher de façon définitive entre les deux hypothèses. Le projet est également vaste. Il doit non seulement contrôler les observations de J. Raulin et de H. Coupin et, si elles sont véridiques, les interpréter, les concilier par une explication rationnelle [129] en travaillant sur des cultures *d'Aspergillus niger*, mais également, comme le veut le titre de la thèse, faire une « recherche sur la présence et sur le rôle du zinc chez les plantes ».

La précision des micro-dosages nécessaires pour vérifier une activité qui, comme pour tous les oligo-éléments ne se manifeste qu'à des concentrations extrêmement faibles, n'est, cette fois, pas envisageable dans les laboratoires de l'École de Tours, conçus pour des travaux pratiques élémentaires. C'est donc à l'Institut Pasteur que Javilllier va devoir travailler sur l'*Aspergillus*. En revanche, au prix d'un va-et-vient continuel entre Paris et Tours, il fait parallèlement des expériences sur les graminées dans le jardin botanique de l'École. À sa grande surprise – et nous pourrions même dire avec un certain déplaisir – il constate un beau jour que tous les plants de maïs, y compris ceux qui sont totalement privés de zinc pour servir de témoins, se développent à merveille.

Je cherche à comprendre pourquoi ce résultat que j'attendais contraire. En examinant attentivement le dispositif expérimental, je m'aperçois qu'au-dessus des flacons de culture avait été tendu un fil de fer pour soutenir les jeunes tiges ; de la vapeur d'eau se condensait sur le fil de fer – un fil de fer qui naturellement contenait du zinc – et tous nos essais, y compris les témoins, pouvaient, me semble-t-il, recevoir, malgré certaines précautions prises, des traces fort petites, mais

129. M. Javillier (1952) *Les éléments chimiques et le monde vivant.* Flammarion, p. 138.

suffisantes de zinc[130]. L'ironie souriante du récit fait presque un demi-siècle plus tard, cache mal la déception, et même, pourrait-on dire, parfois le découragement qui atteint l'expérimentateur épuisé par l'ambivalence constante que lui imposent ses recherches sur deux lieux. *Pendant deux années, j'ai connu les allées et venues entre Paris et Tours, années précieuses de travail assidu, fébrile, où j'ai ressenti les préoccupations les plus vives, les troubles de l'esprit les plus profonds, devant une expérimentation difficile, où la vérité reste voilée, tant que la plus parfaite rigueur expérimentale n'est pas atteinte*[131]. Une lassitude bien compréhensible, si l'on songe qu'à la rigueur du chercheur s'ajoute la conscience scrupuleuse du professeur. Loin d'être pour lui une ennuyeuse contrainte qui lui vole un temps précieux de recherche, l'enseignement est pour lui un enrichissement. *Il n'y a pas de meilleure manière d'apprendre que d'enseigner,* disait-il. Bien plus même, il considère ce devoir comme une mission à laquelle il consacrera toute sa vie. Comme tout bon missionnaire, il lui faut annoncer la bonne nouvelle et il ne peut s'empêcher, lors de sa nomination à la chaire de matière médicale et de pharmacie chimique, de la prêcher au cours d'une leçon inaugurale. *Dans une telle leçon, le professeur sème des idées, donne des directives, abandonne les faits particuliers en faveur des notions d'ordre général et de consignes un peu plus lointaines.* Bien que nous soyons alors au tout début du XXe siècle, cette belle intention n'est pas comprise. *Je fus surpris de voir que les porte-plumes de mes auditeurs ne s'affairaient pas sur le papier. Les jeunes gens attendaient des faits concrets, des descriptions techniques, des chiffres ; or, ils étaient en présence d'idées, de suggestions. Ils n'en avaient que faire : ce n'est pas cela qu'on leur demanderait aux examens. Peut-être. Mais c'est quand vos Maîtres, Mesdames et Messieurs, quittent les chemins battus, s'éloignent des faits classiques qui hantent les manuels, qu'ils vous livrent le meilleur d'eux-mêmes ; ils travaillent, non pour l'examen du lendemain, mais pour votre orientation de vie ; ils forgent peut-être votre avenir ; ils mûrissent les progrès de la Science et de la Technique. Ce n'est pas le moment de laisser le stylo sans emploi ; c'est celui de le faire courir sur le papier ; c'est la minute précieuse où il vous faut concentrer*

130. M. Javillier, 1952, Tours.
131. *Idem.*

votre attention pour assurer aux conceptions de votre aîné le cheminement qu'il souhaite ardemment[132].

Malgré la déception de cette première expérience, le professeur, on le voit, ne se découragea pas. Chaque fois que l'occasion lui en sera donnée, il exposera son acte de foi en une pédagogie enthousiaste, conçue pour éveiller chez l'élève un écho personnel plutôt que de lui bourrer le crâne en vue d'un diplôme.

Cependant, la nature humaine a ses limites, et le troisième volet de sa triple carrière, l'officine, fait évidemment les frais des absences répétées de son propriétaire. Consciente de cette situation, Anna Javillier va adroitement persuader son mari de vendre la pharmacie pour retourner à Paris auprès de Gabriel Bertrand. Gageons que de son côté, cette jeune femme de 25 ans, après six ans de vie provinciale, aspire également à goûter les mondanités et la culture de la capitale et rêve de seconder Maurice Javillier, non plus en lui servant de préparateur mais dans son rôle de maîtresse de maison et d'épouse auprès d'amis influents et de se consacrer à sa tâche de mère de famille. Enceinte pour la seconde fois, Anna ne souhaite probablement pas avoir à confier ses enfants à ses beaux-parents, comme elle a dû le faire pour la petite Jacqueline, au cours de l'été 1904, se privant ainsi du bonheur d'assister aux premiers pas de sa première fille [133]. Certes, le retour à Paris n'est pas sans risque, car Maurice Javillier n'a toujours pas de poste dans la capitale. Il devra donc continuer ses voyages pour assurer ses cours à l'École de Pharmacie de Tours. Quant à la vente de l'officine qui aurait pu constituer de bons revenus, elle ne leur a même pas permis de récupérer le capital mis dans son achat. Les pharmacies en effet se vendent au prorata de leur chiffre d'affaires et il aisé de comprendre que celui de l'officine de Javillier ne devait pas être très important, dans une profession où la présence du propriétaire est primordiale aux yeux de la clientèle.

Gageons, cependant, que, totalement ignorant de « la politique du tiroir-caisse » considérée généralement comme la motivation principale des pharmaciens, Maurice Javillier n'éprouva guère de

132. M. Javillier, 1952, Tours.

133. « Jacqueline pousse sa voiture, dans quelques jours elle marchera. » Carte de Henri Javillier à sa belle-fille, postée le 22 août 1904 de Nuits-Saint-Georges. Archives J. Retel.

regrets pour cette vente négative, dans la mesure où elle lui rendait la liberté de poursuivre ses recherches.

M. JAVILLIER ET SA FILLE AÎNÉE JACQUELINE, FUTURE MME RETEL, 1903.

5

Le sceau pastorien (1907-1914)

Dès janvier 1907, ce fut la fixation à Paris et la collaboration avec vous, avec, de ma part, une indépendance d'action et de pensée que vous n'avez jamais entravée.

Allocution de M. Javillier à G. Bertrand.

Envisageant son retour à Paris comme définitif, Maurice Javillier installe sa famille dans un petit appartement au numéro 26 de la rue de Staël. Malgré son exiguïté, cette première location semble idéalement faite pour établir un lien entre les racines terriennes que revendique sans cesse Maurice Javillier et son avenir de pastorien. L'appartement est en effet agréablement situé dans un quartier qui garde encore des allures champêtres et de la lucarne de la salle de bain on aperçoit la ferme où l'on va le soir chercher le lait, alors que la porte de l'immeuble donne dans une rue perpendiculaire à celle de Vaugirard dominée par la façade de l'hôpital Pasteur. C'est dans ce quartier, à l'ombre de l'Institut Pasteur, que Maurice Javillier vivra le reste de son existence. Et, quand il déménagera à la fin de la première guerre mondiale [134] pour un appartement beaucoup plus vaste, ce sera pour habiter 19, rue Ernest Renan, la parallèle immédiate de la rue de Staël.

C'est donc en très proche voisin que Maurice Javillier gagne, chaque matin, le laboratoire de Gabriel Bertrand, en prenant à rebours les nouvelles constructions conçues selon É. Duclaux, pour être une illustration de l'œuvre de Pasteur.

134. Sa correspondance porte en effet l'adresse du 26 rue de Staël jusqu'en octobre 1916. Archives J.-O. Retel.

Dans son ensemble, expliquait Duclaux lors de l'Exposition Universelle de 1900, *elle se trouve orientée aujourd'hui du côté de la pathologie et de l'hygiène et cette orientation se traduit dans la disposition des bâtiments. Le plus anciennement construit est consacré à celle des microbes pathogènes*[135]*, à côté, un bâtiment nouveau est aménagé pour celle des sérums et vaccins et produits microbiens, enfin un petit hôpital de cent lits est destiné à faire bénéficier la thérapeutique des découvertes faites tant dans l'Institut pathologique que dans l'Institut de chimie. Un laboratoire de fermentation, une petite brasserie complète la présentation de l'œuvre de Pasteur*[136].

Pénétrer dans ces lieux, c'est entrer chez Pasteur. Après la cour ombragée de grands arbres qui sépare les deux ailes du « petit hôpital », Maurice Javillier arrive à la « petite brasserie », annexe du laboratoire des fermentations dirigé alors par Auguste Fernbach et situé à l'arrière du grand bâtiment de l'Institut de chimie biologique dont la majestueuse façade de pierres et de briques fait pendant, de l'autre côté de la rue Dutot, à celle de l'institut originel.

C'est là que pendant près d'un demi-siècle, Javillier va passer le plus clair de son temps à de minutieuses recherches.

Ces lieux, il les connaît déjà pour les avoir fréquentés pendant son exil à Tours au cours de brefs séjours, mais cette fois, c'est avec le titre officiel de boursier qu'il gravit les marches du perron de pierres.

Certes ces bourses ne sont pas des nouveautés. Dès mars 1893, au cours d'un conseil d'administration, Pasteur lui-même, a *donné quelques renseignements au sujet de la fondation par une personne qui désire conserver l'anonymat de quatre bourses d'études à l'Institut Pasteur*[137]. Annoncée comme « fructueuse » par le Maître, cette création l'est déjà et les candidats français tout autant qu'étrangers sont nombreux.

Pour Maurice Javillier, plus encore que le salaire annuel légèrement supérieur à celui d'un préparateur de troisième

135. Le bâtiment situé rue Dutot (aujourd'hui rue du Docteur Roux) où se trouve la crypte contenant le tombeau de Pasteur et qui fait face à l'Institut de chimie biologique, construit dans le même style, de l'autre côté de la rue.
136. Archives de l'Institut Pasteur, Direction, Dossier 3.
137. Archives de l'Institut Pasteur, Registre des C.A. n°1.

classe[138], qui ajoute 2.400 francs à ses émoluments de professeur à l'École de pharmacie de Tours, cette bourse est surtout une reconnaissance officielle et un premier pas dans cet Institut Pasteur dont il rêve depuis sa jeunesse. Et même si, « Monsieur Roux », en bon administrateur, a cru bon en 1910, de préciser que « l'obtention d'une bourse n'impliquera aucun droit pour l'avenir[139] », la nouvelle position de Javillier est nettement plus confortable que la précédente. Désormais, pour trois ans au moins, il est membre à part entière du laboratoire de chimie biologique. Trois années amplement suffisantes pour mener à bien, et dans d'excellentes conditions, une thèse qui, en raison même de son sujet, est non seulement susceptible de lui ouvrir le professorat dans une faculté des sciences, mais constitue également un passeport pour une intégration définitive dans la grande famille des pastoriens.

Une renommée et un esprit

Pour mieux nous faire une idée de l'univers dans lequel M. Javillier vient d'entrer et va désormais vivre, essayons de peindre ce qu'est, à cette époque, l'Institut fondé par Pasteur à travers une visite de ses conseils d'administration.

Dans la décennie qui précède la première guerre mondiale, le sceau pastorien jouit d'un prestige tel que ses administrateurs sont sans cesse obligés de lutter contre des appropriations abusives. Ainsi, le 27 mai 1908, le Conseil se voit contraint de poursuivre en justice un pharmacien sans vergogne qui, sur ses étiquettes, fait suivre son nom de la mention « De l'Institut Pasteur ». Plus délicate, mais non moins décisive est, sept ans plus tard, le refus de laisser « garder le titre de chimiste de l'Institut Pasteur » à un chercheur qui, bien qu'y ayant travaillé, *n'a jamais fait partie du personnel de l'Institut.* Ceci sous prétexte *qu'en accordant l'autorisation demandée on aurait un précédent regrettable*[140].

138. En 1910, un préparateur de troisième classe gagne 2.000 francs annuels, de deuxième classe, 3.600 et de première classe 4.200. Un assistant reçoit 4 à 5.000 francs, un chef de laboratoire 6.000 s'il est adjoint et 6.600 à 8.000 autrement. Un professeur gagne 10 à 15.000 francs par an et le directeur 20 à 25.000 francs. Archives de l'Institut Pasteur, Reg. du C.A.
139. *Idem.*
140. Archives de l'Institut Pasteur, Registre n°2 des C.A. Conseils de 1908 et 1915.

Cette défense du label pastorien, à l'instar aujourd'hui de celui des plus grandes marques de vins ou de parfums, suffit à donner une idée de la renommée atteinte par la Maison de Pasteur, vingt ans à peine après sa fondation. Que deux prix Nobel de Physiologie et de Médecine aient couronné en 1907 les travaux de Laveran sur le paludisme et en 1909 ceux de Metchnikoff, témoigne tout autant de la qualité des recherches entreprises à l'Institut Pasteur que de leur rayonnement mondial.

Les registres des conseils d'administration fourmillent d'exemples. En 1908, c'est l'Université de Harvard qui, envisageant de « rendre un grand hommage à la mémoire de Pasteur », se voit offrir par les membres du Conseil « un buste de Pasteur qui n'est pas connu ». Tandis que les nations riches imitent le modèle français en fondant des Instituts portant les noms de leurs propres savants ou de grands hommes, Koch en Allemagne, Lister en Grande Bretagne, Rockefeller aux U.S.A., les pays d'Afrique, d'Asie ou d'Amérique latine sollicitent l'aide de l'Institut Pasteur en demandant à des Pastoriens de venir chez eux, créer des laboratoires spécialisés, et ceci en plus de l'essaimage de la Maison-mère en France métropolitaine et Outre-mer : *Si Pasteur avait vu avant de mourir la fondation à l'étranger de nombreux instituts antirabiques, l'Institut Pasteur est de même devenu la maison-mère d'un grand nombre d'autres instituts dont il a fourni le personnel ou au moins le directeur. Parmi les plus importants je signalerai l'Institut de Lille dont le directeur est M. le docteur Calmette, celui de Wha Trang dans l'Amman dirigé par Yersin, de Tunis dont le directeur est M. Loir. Les bureaux d'hygiène de Rouen, du Havre, de Marseille, d'Alger ; les laboratoires de M. Lignereux dans la république Argentine et de Mr. Chmassian au Paraguay*[141].

Au cours du temps, l'influence pastorienne n'a cessé de s'étendre, l'ouverture vers les pathologies exotiques grâce à des hommes comme Laveran ou les frères Sergent élargit la réputation acquise par les travaux sur la rage ou la diphtérie et entraîne la création d'instituts en Indochine, au Maroc, au Sénégal et dans presque toutes les « colonies » françaises.

---

141. Archives de l'Institut Pasteur, Carton DIR. Dossier 3, f°4. Minute d'un discours d'É. Duclaux pour l'Exposition Universelle.

L'institut de la rue Dutot qui ne cesse lui-même de s'agrandir en achetant des propriétés – deux maisons rue de Vaugirard enclavées dans l'hôpital, une autre à Versailles pour les malades convalescents – est devenu le cœur d'un réseau scientifique qui irrigue toute la terre de son savoir et de son œuvre humanitaire.

Ce rayonnement mondial a naturellement plusieurs conséquences : celle de conférer à l'Institut Pasteur un poids politique, de drainer vers lui des legs nombreux et de plus en plus conséquents, enfin de lui créer une image dominante au détriment sans doute de l'ampleur du champ réel couvert par ses chercheurs.

C'est pour cette raison qu'il nous a semblé nécessaire d'esquisser le cadre historique qui fut le berceau de la seconde thèse de Javillier, et de faire voir au lecteur combien la masse émergée d'une réputation occulte une face cachée grandement aussi importante que celle d'un iceberg.

Alors que les comptes-rendus des conseils résonnent des bienfaits que la fortune immense, léguée par M. Osiris, va permettre d'accomplir *pour la recherche de prévention et la guérison des maladies infectieuses en général et notamment de la tuberculose, du cancer et de la Syphilis*[142], et que le président Loubet, après avoir quitté définitivement le pouvoir, est admis parmi les membres du conseil et salue à cette occasion, « le souvenir du grand Pasteur, qui avait un tel dévouement à la Science et à l'Humanité [et] les travaux et découvertes de ses successeurs [qui] sont également un honneur pour notre pays », en ne manquant pas d'ajouter que *le grand bien de la succession Osiris sera de permettre à l'Institut Pasteur d'étendre son champ d'action bienfaisante et de faire que ses services rendus rejaillissent sur la gloire de la France,* ce coup de projecteur ne doit pas faire oublier les travaux moins spectaculaires qui se poursuivent dans les laboratoires, sans pourtant être cités en détail dans les conseils et les assemblées.

Ce manquement n'est pas sans attirer l'attention des membres du Conseil eux-mêmes. À deux reprises, les registres témoignent des protestations de ceux qui trouvent trop vite expédié l'exposé des travaux des différents laboratoires.

Le 26 mai 1907, le président lui-même, *après avoir vivement félicité les chefs de service et les travailleurs de l'Institut Pasteur, se*

142. Archives de l'Institut Pasteur, C.A. du 20 mars 1907.

demande si devant tant de résultats et de recherches poursuivies, il n'y aurait pas lieu de donner à la grande Presse qui, dit-il, fait l'opinion publique, un résumé de tous ces travaux[143].

Deux ans plus tard, rien semble-t-il, n'a changé puisque *Monsieur Georges Pecot exprime le regret que l'assemblée ne puisse être tenue au courant de tant de recherches et souhaite qu'une séance spéciale de l'assemblée soit consacrée à l'exposé des acquisitions scientifiques obtenues sur tant de points*[144].

Bien que la demande ait fait à chaque fois l'unanimité des présents, l'importance de la gestion financière imposée par l'afflux continuel des dons et des legs, ne laisse pas assez de temps pour que les chefs de laboratoire puissent s'exprimer, et après avoir brièvement entendu les rapports sur les services fondamentaux que sont ceux de microbie technique, de la rage et des vaccins, c'est finalement le directeur qui, selon la formule immuable et laconique, « fait le rapport sur les autres laboratoires ».

Malgré l'existence des *Annales de l'Institut Pasteur* depuis 1897, où sont publiés les travaux des pastoriens, une vision plus quotidienne et presque sur le vif aurait très probablement mieux permis à des regards extérieurs comme les nôtres de se faire une représentation à la fois plus complète et plus juste de ce qu'était véritablement la Maison de Pasteur en 1908.

Derrière le mythe grandiose qui fait de l'Institut Pasteur le thaumaturge capable d'éradiquer de la planète souffrante, tous les maux d'origine microbienne ou virale, se cache une infinité de recherches qui, elles aussi, se réclament de l'esprit pastorien. Un esprit qui, outre la particularité de rester constamment ouvert sur les champs disciplinaires les plus divers, englobe nécessairement dans sa structure deux axes inséparables : l'exploration du monde des infiniment petits et la mise en application immédiate des découvertes.

De cette double orientation, Pasteur a également montré l'exemple. Par un regard finement exercé, passant de l'observation du clivage des cristaux de tartrate racémique aux « animalcules », il a infléchi la recherche vers un monde jusqu'alors ignoré et a concentré les questionnements au niveau cellulaire. Mais son

143. Archives de l'Institut Pasteur, C.A. reg 2, f°24.
144. *Idem*, f°78.

immersion dans le monde des infiniment petits ne l'a pas pour autant coupé des réalités pratiques et c'est en praticien conscient qu'il a guidé vers des voies nouvelles les médecins et les brasseurs.

Douze ans après sa mort, c'est le même esprit que Maurice Javillier retrouve sous son double aspect dans le laboratoire de Gabriel Bertrand et dont il se souviendra, lors du Jubilé de son maître : *Le savant ne doit point s'isoler dans la société, fermer son esprit et son cœur aux préoccupations de son temps. Chaque fois qu'il peut se pencher sur un problème d'intérêt pratique, il doit le faire avec application et conscience. C'est, vous le disiez, dans votre leçon inaugurale, son devoir d'honnête homme. Vous êtes admirablement dans la tradition pastorienne, dans la tradition de celui qui avec une égale maîtrise passait d'études sur la cristallographie et la dissymétrie moléculaire, à celle des fermentations, de recherches sur les générations spontanées à des études sur le vin, la maladie des vers à soie, la vaccination charbonneuse et la rage*[145].

C'est pour honorer cette tradition que Maurice Javillier va s'intéresser, dans le cadre de sa thèse, « aux infiniment petits chimiques » découverts par son maître et qui soulèvent alors « un problème d'intérêt pratique » des plus constants : celui des engrais.

L'engagement dans la bataille des infiniment petits chimiques

Quand aujourd'hui les oligo-éléments sortent des pharmacies pour se vendre en grandes surfaces sous forme « d'*alicaments*[146] », quand il n'est guère de produit diététique, ou simplement alimentaire, qui ne fasse valoir comme un atout sa richesse en fer, en calcium ou en magnésium, il est bien difficile d'imaginer ce qu'a pu être, au début du XXe siècle, la mise en évidence de ces traces de minéraux et de leur nécessité dans l'alimentation tant végétale qu'humaine.

Dans la longue liste des éléments inorganiques qui figurent, désormais dans le composition des aliments dits « énergétiques » offerts aux consommateurs, une dizaine seulement étaient connus lorsque Maurice Javillier commença sa thèse. Trente-six ans plus

145. Archives de l'Académie des Sciences. Allocution de Maurice Javillier. Dossier biographique de G. Bertrand.
146. Ce néologisme désigne des produits alimentaires auxquels on attribue des vertus thérapeutiques grâce aux éléments naturels ou ajoutés qu'ils contiennent.

tard, il peut écrire : *Plus de trente éléments (sur les 90 que connaissent les chimistes) se rencontrent chez les êtres vivants. Onze dominent par leur masse ; dix-huit sont présents de façon presque générale mais à l'état de traces souvent si petites que l'on parle d'eux en disant de façon imagée « les infiniment petits chimiques*[147] ».

À l'origine de cette révélation est la découverte par Bertrand de la présence constante du manganèse dans la laccase, dont nous avons déjà parlé. Une découverte que de multiples et fines expériences ont confirmée avec tant de certitude que Gabriel Bertrand en est venu à interpréter l'action diastasique à partir d'un schéma dans lequel *un métal, le manganèse, apparaît comme la complémentaire active du système dont un support colloïdal multiplie la puissance*[148].

Pour être valable, cette hypothèse, à qui l'on donnera le nom de « phénomène laccase », ne devait être ni accidentelle ni exceptionnelle et supposait par conséquent d'élargir la recherche à d'autres métaux.

Dès 1903, Gabriel Bertrand n'a pas manqué de s'y attacher lui-même en s'intéressant aux traces d'arsenic contenues dans les viscères animaux. Cette recherche va le conduire dans une voie qu'il ne supposait guère. Le fait d'avoir prouvé la constance de très petites quantités d'arsenic dans les organes humains imposait de penser cette présence comme normale et remettait en cause les analyses considérées jusqu'alors comme probantes dans un empoisonnement à l'arsenic. Le premier bénéficiaire des travaux de G. Bertrand sera un pharmacien du nom de Duval, accusé d'avoir assassiné sa femme. Bien que personne ne l'ait vu administrer le poison et qu'on n'ait pu en trouver la moindre trace ni dans les aliments pris par la supposée victime ni dans ses déjections, la présence d'une quantité infime d'arsenic dans les viscères de la morte avait finalement fait condamner, en 1868, l'infortuné mari, heureusement aux travaux forcés, et non à la guillotine.

La rencontre, dans les années 1902, du bagnard et d'un journaliste scientifique, en mission en Californie, qui avait eu connaissance des travaux de Bertrand, allait entraîner une

---

147. M. Javillier, « Les besoins alimentaires des végétaux cultivés et les engrais chimiques », *Bulletin de l'Association des chimistes*, mars - avril 1944, p. 3. Archives J. Retel.
148. *Idem*, p. 2.

révision du procès et finalement conduire à la réhabilitation de l'innocent pharmacien âgé alors de 81 ans. Ce fut, hélas pour lui, une joie brève puisqu'il mourut peu après d'un cancer... du cou ! Non sans avoir remercié par lettre son bienfaiteur indirect [149].

Si cette anecdote à elle seule mérite d'être versée au dossier de Gabriel Bertrand contre ceux qui pensent que son intérêt pour « le phénomène laccase » a bloqué la chimie biologique française dans une voie réductionniste limitée aux éléments inorganiques au détriment de la recherche sur le support protidique des oxydases, elle n'efface pas pour autant une polémique qui doit être abordée, non pas avec le recul du temps, mais en la remplaçant dans son contexte historique précis.

Remarquons tout d'abord que la constitution du support colloïdal des enzymes présentait, dans les années 1910, une véritable difficulté. Loeb lui-même – qu'on ne peut guère soupçonner d'être un inconditionnel de Bertrand dont il ne cite même pas les travaux dans son livre « *La dynamique des phénomènes de la vie* » – avoue clairement en 1908 : *Il y a qu'on n'a pas pu obtenir de synthèse complète des albuminoïdes et que nous sommes encore très mal renseignés sur leur constitution et sur leur configuration chimiques*[150].

Quelques pages plus loin, il confirme et précise l'étendue du problème : *Comme nous connaissons très mal la nature chimique des ferments (nous admettons que ce sont des albuminoïdes) il n'est pas bien possible, quant au présent, de rechercher si leur action catalytique comporte réellement des réactions intermédiaires. Mais il y a des catalyseurs inorganiques dont l'action est tout à fait semblable à celle de certains ferments*[151].

Seule différence avec Bertrand, majeure certes, les éléments inorganiques sont pour Loeb des modèles de comparaison et pour le pastorien l'élément réellement actif de la biocatalyse [152].

---

149. G. Bertrand, « Arsenic et erreur judiciaire ». *Conférences du Palais de la découverte*, séance du 20 juin 1945. Archives de l'Institut Pasteur, BER D1.
150. J. Loeb (1908) *La dynamique des phénomènes de la vie.* Felix Alcan éditeur, Paris, traduit de l'allemand par H. Daudin et G. Schæffer, p. 32.
151. *Idem*, p. 62.
152. Ce terme étant une extrapolation aux phénomènes du vivant, de la catalyse minérale que Berzélius dès 1836, avait définie comme une « force » consistant en ce que certains corps peuvent par leur seule présence, réveiller des affinités chimiques qui autrement resteraient inactives à la température considérée, Berzelius, *Jahresbericht*, 1836, Volume XV, p. 237.

A LA RECHERCHE DES INFINIMENT PETITS.

Ajoutons enfin que le cadre même où travaille Bertrand a certainement une part de responsabilité dans cette orientation. L'institut Pasteur n'est-il pas l'univers des infiniment petits qu'il s'agisse de bactéries, de virus ou de levures ? Parmi eux, les « infiniment petits chimiques » de G. Bertrand et de ses élèves avaient naturellement leur place. Ils faisaient appel aux mêmes méthodes minutieuses de recherches dans le but constant d'affiner les micro-dosages par des techniques de plus en plus précises. Enfin, et G. Bertrand venait de le montrer pour le manganèse, ils constituaient un potentiel d'application à l'agriculture non négligeable par le biais des engrais.

Ainsi lorsque Maurice Javillier accepte de reprendre les travaux de Raulin sur le zinc dans le cadre de sa thèse, il s'engage délibérément dans ce que l'on pourrait nommer « la bataille des infiniment petits ». L'enjeu, en effet, dépasse largement la question soulevée par Henri Coupin, en 1903. La même année, au Congrès de Berlin, Gabriel Bertrand a présenté ses travaux sur l'efficacité du manganèse et du bore employés comme engrais dans une incompréhension si totale que le comité de rédaction des actes a refusé de publier la communication. Chez Maurice Javillier la conscience de cet engagement aux côtés de son maître, en vue d'une difficile conquête ne fait pas de doute. Dans l'introduction de sa thèse, il le proclame clairement : *Admis depuis plusieurs années au laboratoire de M. Gabriel Bertrand, à l'Institut Pasteur, où j'ai, avant celle-ci, poursuivi d'autres recherches biologiques, j'ai puisé dans les publications mêmes de mon maître, l'inspiration de ce travail. Cette thèse sera en quelque sorte le premier développement d'un programme d'études dont il a lui-même, dans une de ses notes esquissés le plan : Ces résultats, écrit-il à la fin de celle qui a trait à l'emploi agricole du manganèse, indiquent une nouvelle voie à suivre dans l'étude des causes auxquelles est attribuable la fertilité du sol, et autorisent à essayer au même titre que le manganèse, tous les éléments rares, bore, zinc, iode... dont on est en droit de supposer le rôle physiologique*[153].

Le plan de la thèse aura donc la rigueur d'une défense judiciaire. La première partie, reprenant les travaux de Raulin entend prouver de façon incontestable la présence du zinc dans les plantes. La seconde, beaucoup plus importante par sa taille comme par ses conclusions, doit non seulement lui permettre de trancher entre Raulin et Coupin en caractérisant l'influence du zinc comme un aliment nécessaire de *l'Aspergillus niger* et non comme un antiseptique, mais en élargissant cette conclusion des cryptogames (mucidinées et levures) aux plantes phanérogames, telles que le maïs et le blé pour ouvrir la voie à la notion d'engrais catalytiques.

---

153. M. Javillier, *Recherches sur la présence et le rôle du zinc chez les végétaux,* Thèse de doctorat en sciences naturelles, soutenue en 1908. Introduction. Archives de l'Institut Pasteur, Carton BER 15 Zinc Javillier.

Comme son maître, travaillant dans un laboratoire de l'Institut Pasteur, Maurice Javillier est tout entier inspiré par l'environnement pastorien. Opérant sur des quantités de zinc infiniment plus petites que celles du manganèse présent dans la laccase, il doit à nouveau innover et mettre au point une méthode de micro dosage capable de mesurer des quantités infinitésimales de zinc. Selon une coutume beaucoup plus courante en chimie qu'on ne le croit, c'est ce que Jean Jacques reconnaît nomme *l'imprévu ou la science des objets trouvés*[154] qui en fournit l'inspiration au maître et à l'élève.

C'est en effet une observation fortuite de G. Bertrand qui est à l'origine de la méthode employée par M. Javillier dans sa thèse. Alors qu'en 1892, Bertrand cherchait à obtenir de l'ammoniaque sans acide carbonique en traitant ce réactif par la lessive des savonniers, il remarqua qu'au cours de la distillation, il se formait des microcristaux de zincate de calcium. Loin de les jeter comme une impureté indésirable, il vit aussitôt *dans cette production de zincate de calcium la base d'une méthode très sensible de recherche du zinc*[155]. Confirmée par de nouvelles expériences, cette fois avec son élève, tous deux constatent qu'effectivement : *La nouvelle méthode permet de précipiter d'une manière pour ainsi dire quantitative le zinc de solutions très étendues, ne renfermant même qu'un cinq millionième de métal*[156].

Si le contact constant des pastoriens avec le monde des infiniment petits les conduit à perfectionner leur méthode d'exploration et à reculer sans cesse les limites des microdosages, il règne également à l'Institut Pasteur une qualité assez rare dans les laboratoires de recherche : la notion d'appartenance à une même famille qui entraîne des échanges permanents entre les différents services. Ainsi, *l'Aspergillus niger* sur la croissance duquel Maurice Javillier mesure l'influence du zinc est en quelque sorte « le cobaye mascotte » de l'Institut Pasteur. Dans le laboratoire des fermentations, voisin de celui de Gabriel Bertrand, A. Fernbach a comparé l'enzyme – qu'il a nommée sucrase – de cette mucidinée, avec celle des levures. C'est en s'appuyant mentale-

154. J. Jacques (1990) *L'imprévu ou la science des objets trouvés*, éditions Odile Jacob.
155. G. Bertrand et M. Javillier (1906) « Sur une méthode très sensible de précipitation du zinc ». *Comptes-rendus de l'Académie des Sciences*, p. 900.
156. *Idem*, p. 902.

ment sur ces travaux que Javillier va trouver l'argument nécessaire pour réfuter les expériences où Henri Coupin avait montré que le zinc n'avait pas d'influence directe sur la croissance des levures mais n'agissait que grâce à une action antiseptique. Fort adroitement, Maurice Javillier, faisant remarquer que *l'Aspergillus niger* est un cryptogame aérobie – c'est-à-dire prenant, comme les végétaux supérieurs, l'oxygène nécessaire à sa respiration dans l'atmosphère – il distingue deux sortes de levures : celle qui vit en surface au contact de l'oxygène de l'air et se conduit comme un végétal et celle, qui, étant au contraire anaérobie, utilise l'oxygène au détriment des glucides de leur milieu et se comporte alors en ferment. Il constate alors que la levure végétale se multiplie et brûle ses sucres quand on lui procure du zinc, mais qu'à l'opposé, dans le cas de la levure ferment, le zinc a peu d'influence sur sa croissance mais agit en tant qu'inhibiteur de l'enzyme et arrête la décomposition des sucres à l'état d'alcool, connu pour son action antiseptique.

Outre la réponse magistrale que ce passage de sa thèse apporte dans la controverse Raulin/Coupin, Javillier souligne immédiatement l'application pratique qui en découle : *Ces faits ne sont pas sans portée pratique. Le fabricant de levure et le fabricant d'alcool ont des intérêts dissemblables, puisque le premier cherche à produire le plus possible de levure avec une dépense aussi petite que possible en sucre, et le second le plus possible d'alcool avec le moins possible de levure, c'est-à-dire avec le moins de sucre inutilement consommé*[157].

Ayant ainsi respecté la volonté d'utilité qu'exige le sceau pastorien, Javillier peut sans trop de regret limiter à des essais sur le blé l'extension prévue vers les végétaux supérieurs, laissant à un autre voisin de l'Institut de chimie biologique, Pierre Mazé, le soin de reprendre avec succès les expériences manquées de Tours et de prouver l'importance du zinc sur la production des maïs.

C'est donc en véritable pastorien que Maurice Javillier, candidat au grade de docteur ès sciences naturelles, se présente *le mardi 30 juin 1908, à 9 heures 3/4, dans la salle de travail des étudiants*[158], en vue d'y soutenir sa thèse devant ses pairs certes,

157. M. Javillier, 1908. *op. cit.* p. 118.
158. Convocation à la soutenance de thèse. Archives de l'Institut Pasteur, carton BER15.

mais aussi devant des journalistes enthousiasmés par les résultats obtenus et l'espoir qu'ils soulèvent chez un public avide de tout savoir sur « les sortilèges » des oligo-éléments.

On ne saurait s'imaginer à quel point le grand public se passionne pour les questions agricoles, voire même pour celles qui touchent à ce qu'il y a de plus transcendant et de plus subtil dans les mystérieux problèmes de la chimie biologique.

C'est que le grand public, avec l'intuitive sûreté de son instinct, sent parfaitement que ce sont des questions vitales par excellence et que la moindre amélioration réalisée dans cette voie ténébreuse où presque tout est à faire, l'emporte en intérêt sur les miracles les plus sensationnels accomplis ou à accomplir dans d'autres domaines […]. Je viens d'en avoir une preuve de plus bien instructive – à la suite de la chronique que je consacrais le 17 Août dernier au « sortilège du manganèse ». […] *C'est tout un champ nouveau de recherches complètement inconnu qui s'ouvre inopinément devant les théoriciens et aussi les patriciens, car l'exemple du manganèse est là pour montrer que des conceptions nouvelles peuvent engendrer de nouvelles méthodes. Or, c'est à peine si jusqu'ici un tout petit coin de ce champ vierge a encore pu être timidement explorer par M. Javillier, un docteur ès sciences tout frais émoulu de la faculté de Paris*[159].

Et on aurait tort de croire à un engouement passager, cinq mois plus tard, le même journaliste récidive dans un article intitulé « *Les ferments métalliques et la végétation* » :

Le 14 septembre 1908, je signalais à cette place, sur la foi d'une thèse récente d'un jeune docteur ès sciences de la faculté de Paris, M. Javillier, la singulière influence que semble exercer le zinc, fut-ce à dose minuscule, sur l'évolution des végétaux. Contrairement à ce qu'on avait cru jusqu'ici le zinc n'existe pas seulement dans les plantes baptisées à cause de cela « calaminaires » qui poussent sur les terres riches en zinc ; on le trouve également dans les cendres d'une foule de plantes et loin de tout gisement. M. Javillier en avait logiquement conclu que ce métal devait jouer un rôle dans la physiologie végétale et il avait institué toutes une séries d'expériences en vue de vérifier l'exactitude de cette vue de l'esprit. Bref, il était ainsi parvenu à démontrer que la présence de quantités infinitésimales de

159. É. Gautier, « Chronique documentaire sur le zinc », *Le Journal,* 14 septembre 1908. Archives de l'Institut Pasteur, carton BER 15.

zinc favorise sensiblement la prolifération et le développement non seulement des moisissures telles que l'Aspergillus niger, les levures et autres organismes inférieurs, mais encore des végétaux phanérogames eux-mêmes et des plantes à chlorophylle[160].

Peut-on alors, vraiment parler d'un enfermement de la biochimie et voir comme un étroit tunnel la voie dans laquelle Gabriel Bertrand a engagé son élève ?

Alliance et liberté

Rien n'est plus délicat que de se faire une idée exacte des liens qui ont unis pour leur vie durant « l'Ange Gabriel » et « son élève préféré ». Certes la dédicace de la thèse de Maurice Javillier à son maître « en témoignage de [son] affectueuse gratitude », révèle, entre les lignes, une amicale et confiante complicité, probablement fondée sur une complémentarité de caractère que Javillier nous livre comme une clef, lors du Jubilé de Bertrand : *Au reste quand nous discutions science, nous aboutissions toujours à un accord de vue et c'est ainsi qu'avec des caractères différents, vous d'un calme que rien ne trouble – personne ne vous a jamais vu en colère –moi avec des bouillonnements intérieurs qui, parfois, s'extériorisaient, nous nous sommes parfaitement entendus*[161].

Pour avoir su admette chez l'autre cette différence flagrante de comportement, les deux hommes ont pu construire entre eux une alliance solide sans jamais attenter à cette liberté dont Émile Duclaux soulignait la nécessité vitale et créatrice.

Est admirable la délicatesse du « Patron » qui, loin de publier sous son seul nom comme le veut encore l'usage, la méthode de dosage qu'il a perfectionnée avec et pour son élève, l'associe à ses travaux et commence même leur présentation en ces termes : *Cette méthode a son origine dans une observation qui a déjà conduit l'un de nous à préparer en 1892, les combinaisons cristallisées de l'oxyde de zinc avec les métaux alcalino-terreux*[162].

Certes la date suffit à révéler lequel des deux a fait cette découverte, mais l'anonymat que respecte la phrase n'en est pas

160. *Idem*, 8 février 1909.
161. M. Javillier, *op. cit.* p. 35.
162. G. Bertrand et M. Javillier, 1906, *op. cit.* p. 9000.

moins surprenant. De la même façon, il n'impose pas à son élève de continuer ses recherches dans le domaine auquel il va se consacrer, mais sait trouver d'autres collaborateurs pour apporter des preuves à sa théorie du « phénomène laccase ». Et c'est sans le censurer qu'il laisse Maurice Javillier prendre dans sa thèse une prudente distance avec l'hypothèse de son directeur : *Est-ce forcer les rapprochements que d'observer que dans cette plante, ce sont les organes verts, les organes de la respiration qui bénéficient de cette action, comme en bénéficiait notre levure aérobie, tandis que les racines sont presque dès le début lésées.* [...] *Ceci doit rendre très circonspect dans les applications agricoles du zinc*[163].

Cela n'empêche nullement l'élève de rester fidèle aux préceptes de son maître. Quand, dans les années 1910, sa position d'ancien professeur de matière médicale à l'École de Pharmacie de Tours le conduit à entreprendre des recherches galéniques en collaboration avec B. Guérithault, c'est par la méthode au silicotungstate dont Gabriel Bertrand a prouvé l'efficacité, qu'il complète la longue liste des publications de ce dernier sur les alcaloïdes. Dans la même période, les travaux que les deux pastoriens entreprennent ensemble sur le zinc et sur le manganèse pour démontrer la synergie de ces deux éléments est le symbole même de l'alliance qui les unit.

En 1913, alors que le zinc se trouve cette fois accusé d'agir par sa toxicité et que, prenant pour modèle les anticorps de Pfeffer, Charles Le Pierre prétend que les oligo-éléments agissent en provoquant une sorte de défense immunitaire, Maurice Javillier n'hésite pas à entrer dans la bataille, mais en tant qu'homme libre et non en vassal du « phénomène laccase » comme le prouve sa déclaration d'intention : *Dans ces questions, je n'attache pas aux théories une importance exagérée. Elles ne valent que dans la mesure où elles inspirent l'expérience, et aucune ne saurait prétendre renfermer toute la vérité*[164].

Jamais cependant il n'oubliera ce qu'il doit à la formation qu'il a reçue et tout particulièrement à cet « amour de la rigueur expérimentale » qui deviendra pour lui un si précieux héritage qu'il cherchera à le transmettre à son tour à ses successeurs car

163. M. Javillier, 1908, *op. cit.* p. 118.
164. M. Javillier, « Théorie et expérience », p. 16. Archives de l'Institut Pasteur carton BER 15.

un travail ne vaut que par la valeur des méthodes mises en œuvre et la sécurité que, par là même, il apporte[165].

De cette rigueur, il parle en homme d'expérience, car c'est à elle qu'il doit d'avoir réussi dans les différentes voies où l'a conduit sa carrière. Des voies qui au cours du temps vont se préciser, mais qui déjà, prennent leur origine dans les travaux accomplis par Javillier à l'Institut Pasteur. N'est-ce pas en cherchant à démontrer le rôle nutritif du zinc, contre l'hypothèse de réaction à sa toxicité défendue par Le Pierre, qu'il en vient à faire émerger de façon nouvelle la notion de carence expérimentale, en laissant la plante épuiser totalement en zinc son milieu de culture et s'étioler alors par l'absence de l'aliment nécessaire ? Ajoutons enfin qu'avoir choisi les végétaux comme terrain d'expérimentation n'est certainement pas fortuit chez ce petit-fils d'agriculteur et que l'écho favorable dont la presse a rendu compte au moment de sa thèse, fera, plus tard, partie des atouts non dits qui l'autoriseront à briguer une chaire d'agriculture au Conservatoire des Arts et métiers et un fauteuil dans la section d'économie rurale de l'Institut.

Cet avenir l'eût-il ainsi construit sans ce sceau pastorien ? Sans d'autres événements infiniment plus tragiques, peut-être serait-il resté dans cette Maison sous l'aile de l'Ange Gabriel pour lequel son amitié ne cessa jamais.

---

165. M. Javillier, Allocution, *op. cit.*

6

La révélation du pire (1914-1915)

Les heures tragiques de la guerre nous ont un temps éloignés, puis les obligations que j'ai assumées en dehors de l'Institut Pasteur. Mais partout, dans un laboratoire d'armée, dans les services de recherche que j'ai dirigés, les habitudes d'esprit et de méthodes acquises auprès de vous n'ont pas été sans influencer mon action.

M. Javillier.
Allocution pour le Jubilé de G. Bertrand.

C'est par une représentation en couleur de la duchesse Sophie – épouse morganatique de l'héritier du trône d'Autriche-Hongrie – retenant dans ses bras l'archiduc Ferdinand ensanglanté, sans se soucier du pistolet que braque sur elle le terroriste serbe Gavrilo Prinzip que les Français apprirent, dans le supplément illustré du *Petit Journal*, l'assassinat de Sarajevo, par un dimanche ensoleillé de la fin juin 1914.

Depuis près d'un demi-siècle, la fréquence des meurtres de chefs d'État est telle que ce genre de nouvelle n'émeut plus grand monde. Si bien que, hormis les Viennois directement concernés, presque personne en Europe ne s'inquiéta d'un coup de feu tiré dans la lointaine Bosnie Herzégovine au nom d'opérette.

Pourtant ce coup de pistolet allait suffire à ébranler la solidité du système patiemment mis en place par les diplomates européens pour être le garant d'une paix durable malgré l'animosité grandissante entre le bloc des empires germaniques et leurs voisins immédiats. Comment aurait-on pu imaginer, après avoir réussi à allier la France et son ennemie héréditaire, la perfide Albion, en 1904 que, dix ans plus tard, ce coup de feu en mettant en marche cette énorme machine politique, allait transformer le jeu savant des alliances en autant de courroies de transmission pour entraîner les nations européennes et bientôt celles du monde dans l'enfer du conflit le plus meurtrier de tous les temps.

Le destin devait encore attendre trois longues semaines pendant lesquelles le vieil empereur François-Joseph, effondré devant la malédiction qui, après son fils Rodolphe suicidé à Mayerling, son frère Maximilien fusillé au Mexique et sa femme, la belle Sissi, assassinée à Genève, vient de frapper son héritier, s'en remet à son ministre des affaires étrangères, le comte Léopold Berschtold. Or, Berschtold est un homme qui, comme son allié allemand l'empereur Guillaume pour d'autres raisons, est loin d'être hostile à une guerre qui réglerait au profit de l'Autriche le problème des Balkans. Pour arriver à ses fins il n'est pas à une machination près. Le 23 juillet, il n'hésite pas à accuser faussement la Serbie d'avoir guidé la main des assassins et profite de la situation pour adresser à Belgrade un ultimatum inacceptable. Malgré les conditions qui feraient de la Serbie un nouvel État vassal de l'Autriche, le gouvernement de Belgrade, par crainte de la guerre, est prêt à se soumettre. Mais Berschtold devance la réponse et, le 28 juillet, déclare la guerre à la Serbie.

Le feu vient d'être mis à la machine infernale. Tandis que le Tsar Nicolas II, allié des Serbes, mobilise le 30 juillet, l'Allemagne se range aux côtés de l'Autriche et, en déclarant la guerre à la Russie le 1er août, contraint la France à riposter en proclamant dès le lendemain la mobilisation générale. Pour ne pas être pris en tenaille, l'Empereur Guillaume a prévu de régler d'abord son compte à la France en passant par le Nord, dont le paysage peu accidenté offre une voie d'accès facile vers la capitale, mais nécessite de passer par la Belgique dont la neutralité est garantie par l'Angleterre depuis 1839. Le refus des Belges de laisser passer les troupes allemandes et la violation immédiate de sa neutralité entraînent enfin, le 3 août, l'intervention de la Grande Bretagne et de son empire colonial aux côtés des alliés. En une semaine, le feu des armes a embrasé l'Europe.

De l'hémorragie à l'enlisement

En France, l'ouragan des événements semble avoir balayé d'un seul coup les mouvements de solidarité de l'International Socialisme et de pacifisme qui ont coûté la vie à Jean Jaurès. C'est avec enthousiasme que les Français en âge d'être mobilisés répondent à l'appel de la nation.

Le levain qui anime, et soude en même temps, plusieurs générations n'est autre qu'une haine unanime contre l'agresseur. Jamais n'a été si vraie et si forte l'amère constatation du Maréchal Moltke au lendemain de la proclamation du Reich à Versailles : « Personne n'aime plus l'Allemagne en Europe ».

Nourrie de crainte et de rancune depuis 1870, la résurgence de l'esprit de revanche a forgé progressivement le vocable sous lequel, désormais, les soldats ennemis seront désignés et d'Allemoches en Alleboches par altération, les Allemands ont perdu leur visage d'humain pour n'être plus que des Boches.

Parmi les soldats français, hâtivement vêtus de bleu horizon sur pantalon garancé [166], qui s'entassent dans des wagons à la gare du Nord, il y a ceux qui le soir, à la veillée, tiraient des larmes à leurs enfants, en évoquant le sort :

Des deux pauvres sœurs
Aux races germaines
Qui brisent les cœurs…

Il y a aussi ceux qui, âgés tout juste de vingt ans en 1914, ont encore aux lèvres les chansons qu'ils entonnaient en se mettant en rang dans la cour de l'école primaire où l'on évoquait ces petits écoliers d'Alsace qu'un vieux maître appelait à baisser la voix pour « parler la langue d'autrefois » pendant la leçon de lecture, alors qu'au-dehors passait « la patrouille allemande [167] ». C'est tout cela qui remonte comme un relent aigre au moment du départ

166. Ce rouge donné par la garance, fort séduisant dans les défilés, ne manquera pas de faire des soldats français, au début de la guerre, une cible idéale, car visible de loin, pour les ennemis. Il fut remplacé tardivement par un uniforme entièrement bleu horizon, plus discret.

167. Vieille chanson patriotique, entonnée dans les écoles publiques de toute la France dans les années 1900-1914 et dont les paroles exactes étaient : « C'est l'heure où l'on apprend à lire/ Tous les enfants baissent la voix/ car le vieux Maître vient de dire : Parlons la langue d'autrefois. La patrouille allemande passe: baissez la voix mes chers petits/ parlez français, n'est plus permis : Aux petits-enfants de l'Alsace. »

pour le front et c'est pour cela que tous retrouvent d'une même poitrine le cri qui, dans le roman de Zola, ponctuait la mort de *Nana* en 1870 : « A Berlin ! À Berlin ! »

À Berlin ! Les plus optimistes pensent y être avant Noël pour passer les fêtes dans leur foyer et y célébrer la paix. Les plus prudents, comme Maurice Javillier, préfèrent prolonger les vacances de leur famille à Lormes dans le Morvan plutôt que de les faire rentrer à Paris, cible favorite des Prussiens. Laissant ses deux fillettes à la garde de leurs grands-parents Champenois, il gagne son poste à l'Hôpital de Nevers. Cette affectation dans la ville de leur jeunesse commune a incité Anna Javillier à y suivre son mari et c'est apaisé de la savoir près de lui, que Maurice Javillier, le 9 août 1914 « entre en service comme appelé à l'activité de la 8e section d'Infirmiers militaires » avec le grade de « pharmacien aide-major de 2e classe » alors que beaucoup de ses collègues pastoriens, éminents chercheurs, ne sont plus que de simples soldats.

Car l'hémorragie qui vide la France de ses forces vives dans les usines et la vie quotidienne touche aussi l'Institut Pasteur, comme le montre le bilan fait par son directeur, un an plus tard : *Dès les premiers jours d'août, la plupart de nos camarades et de nos garçons de laboratoire étaient appelés aux armées. Les laboratoires d'enseignement et de recherche ont été fermés, aussi avons-nous dû remettre à la terminaison de la guerre l'exposé de certains travaux qui avaient été accomplis dans les sept premiers mois de 1914. Seuls ont continué à fonctionner les services pratiques utiles à l'armée, à savoir le service de sérothérapie dont l'activité nécessite de se développer depuis le commencement des hostilités et le service nouveau que nous avons dû organiser pour fournir aux armées tout le matériel nécessaire pour la prophylaxie des maladies transmissibles*[168].

Du jour au lendemain les laboratoires de l'Institut Pasteur ont perdu 41 médecins, 3 pharmaciens, 6 vétérinaires et 76 membres du personnel, soit 126 personnes qui ont été mobilisées dès les premiers jours d'août, alors qu'au même moment, comme le panorama dressé par le Dr Roux le dépeint fort bien, ces mêmes laboratoires sont intensément sollicités pour répondre aux besoins accrus par la guerre en sérums et en matériel prophylactique.

168. Archives de l'Institut Pasteur Reg. C.A. 2, P.V. du 30 juin 1915, f°222.

Cet état de fait paradoxal en se répétant diversement dans toute la France ne manque pas de créer des situations désastreuses. Si l'Institut Pasteur, riche de ses nombreux laboratoires et accoutumé à faire face aux épidémies, parvient assez vite à s'organiser, tel n'est pas le cas dans d'autres endroits. On peut sans peine imaginer, en lisant la description que Charles Moureu fera plus tard du service de santé, dans son livre les *Leçons de la guerre*, le désarroi qui a pu être celui de Maurice Javillier en arrivant à Nevers. Organisé de façon centralisatrice à outrance, ce service a regroupé tous les médicaments et pansements disponibles dans des unités d'approvisionnement de guerre, centres de stockage dont les provisions constituées, d'après les estimations, pour au moins trois mois, seront, en raison de la rapidité et de la violence de l'offensive, totalement épuisées au bout de quinze jours. Pour comble de malchance, la déclaration de guerre ayant eu lieu dans les premiers jours d'août, les établissements centraux de Paris et de Marseille tout comme les hôpitaux se trouvent en rupture de médicaments. Ce mois d'été étant celui que, par habitude, ils ont choisi pour la reconstitution de leurs stocks [169].

Face au désordre suscité par l'ampleur de l'invasion qui anéantit toutes les dispositions prises, les Empires centraux [170] et principalement l'Allemagne n'auront aucun mal à profiter de leur initiative d'agresseurs en poussant, dans le nord de la France, l'offensive brutale et victorieuse qu'elle avait planifiée de longue date. En quelques semaines, deux colonnes allemandes déferlent sur la Belgique. Le 20 août, Bruxelles tombe. Tandis que Liège résiste héroïquement, les officiers français inconscients de la modernisation des armes de l'adversaire envoient les troupes à l'assaut et elles se font massacrer. Entre le 20 et le 23 août, 40.000 soldats français sont tués et les troupes allemandes avancent de 30 à 40 kilomètres par jour en direction de Paris. La 24 août, l'ordre de retraite donné par le général en chef provoque une panique dans la capitale. Pour tous ceux qui ont encore en mémoire le siège de Paris en 1870, c'est le sauve-qui-peut. Commencé par la déclaration de guerre, le mois s'achève dans un exode général. L'Institut

169. C. Moureu, *La chimie et la guerre. Science et avenir.* Archives de l'Institut Pasteur, p. 159.
170. On nomme ainsi le bloc des empires d'Autriche-Hongrie et d'Allemagne et de leurs alliés.

Pasteur lui-même évacue la plupart de ses services et met à l'abri les chevaux indispensables à la fabrication des sérums. *La situation se trouva encore compliquée lorsque, dans les premiers jours de septembre, au moment de la menace de l'investissement de Paris, il fallut évacuer une partie des services à Toulouse en ne conservant à Paris et à Garches que ce qui était nécessaire pour approvisionner de sérums thérapeutiques le camp retranché de Paris*[171].

Heureusement, la mésentente n'était pas uniquement l'apanage des chefs français ; elle divisait également l'État-Major allemand : c'est ainsi que faisant fi du plan Schlieffen qui avait prévu un contournement de la capitale par l'ouest, le général Molke décida de gagner le sud par l'est ce qui permit à Gallieni, chargé de la défense de Paris, d'organiser le sursaut salvateur, célèbre dans les mémoires sous le nom « des *Taxis de la Marne* » et, par la réquisition des taxis de Paris, de transporter les soldats qui, ayant attaqué par surprise les troupes ennemies, remporteront une victoire décisive, le 9 septembre 1914. Décontenancés par ce choc imprévu, les Allemands reculent, mais se figent en s'enterrant. La guerre offensive traditionnelle vient de se terminer. Commence celle des tranchées dont nul ne peut savoir le temps qu'elle durera.

Un laboratoire de campagne

En changeant de visage la guerre entraîne aussi pour Maurice Javillier un changement d'affectation et de lieu géographique. Quittant Nevers à la fin du mois de novembre, que sa position « à l'intérieur » avait tenu éloigné des combats, il rejoint son poste « aux armées, sous la direction du général en chef[172] », dans la région de Dunkerque.

Après la bataille de la Marne qui, en arrêtant l'avancée allemande sur Paris, a figé les deux armées dans un face à face tragique, la guerre s'est transformée en une course vers la mer dans les mois suivants. Les ports de la Mer du Nord, points névralgiques pour les troupes britanniques qui reçoivent par eux leur approvisionnement, sont devenus vitaux après la chute

171. Archives de l'Institut Pasteur Reg. C.A. 2, P.V. du 1915, f° 224.
172. Archives du C.N.A.M. Dossier militaire de Javillier.

MAURICE JAVILLIER MOBILISÉ DANS LE LABORATOIRE DE DUNKERQUE (nov. 1914).

d'Anvers le 10 octobre, ce qui a provoqué le déplacement de la ligne des engagements vers le nord de la France où, malgré la sanglante bataille d'Ypres menée par les Anglais, le résultat n'a été que d'allonger la double ligne des tranchées ennemies de Belfort à Dunkerque.

C'est donc à l'extrémité la plus septentrionale de cette nouvelle frontière creusée comme une tombe entre les deux blocs ennemis que Maurice Javillier arrive le 27 novembre 1914. Seul, cette fois. Anna est allée l'attendre auprès de leurs petites-filles dans le Morvan. Elle veillera désormais sur elles, sur ses parents et ceux de son mari, se partageant entre Lormes et Nuits-Saint-

Georges [173] pour donner des nouvelles de chacun dans les échanges épistolaires journaliers qui s'instaurent entre les époux séparés pour la première fois. Une fort bonne nouvelle accueille néanmoins Javillier : l'Académie des Sciences vient de lui décerner le prix Longchampt « pour ses recherches des substances minérales, du zinc en particulier, dans les plantes et l'étude de l'influence que leur présence exerce sur la croissance et la reproduction de celles-ci [174] ». Immédiatement Javillier réagit avec sa générosité coutumière. Loin de garder pour lui et sa famille les quatre mille francs qu'Irénée Longchampt a chargé l'Institut d'offrir c*haque année à l'auteur du meilleur mémoire qui lui sera présenté sur les causes d'un grand nombre de maladies des tissus du corps humain, des animaux, des plantes comestibles, de la vigne et des arbres fruitiers, produites par la trop grande abondance des sels terreux, puisés dans le règne minéral, par la main de l'homme ou aspirés dans le sol des pâturages par les racines fourragères destinées à la nourriture des herbivores.*

Il n'a rien de plus pressé que d'adresser au Doyen Darbout cette lettre édifiante :

Monsieur le secrétaire perpétuel,

L'Académie a bien voulu honorer mes travaux en leur accordant cette année le prix Longchampt. Sur le montant du prix, je désire mettre une somme de quatre cents francs à la disposition de la société de secours des Amis des sciences et une somme de mille francs à celle du secours national.

En raison des événements qui m'éloignent de Paris et m'empêchent de remplir les formalités utiles, je vous serais très reconnaissant de bien vouloir faire le nécessaire pour que la Société que vous présidez et le comité que préside Monsieur le doyen Appel reçoivent les sommes sus indiquées.

Je m'excuse, Monsieur le secrétaire perpétuel de la forme dans laquelle j'adresse ces dons. Il m'a paru que dans les circonstances graves que nous traversons, c'était le meilleur moyen de les mettre rapidement à la disposition des deux sociétés[175].

En 1907, lorsqu'il avait reçu le prix Nobel, Laveran avait adressé un don à l'Institut Pasteur. Javillier préfère, lui, la société

---

173. Comme le prouve l'origine de sa correspondance. Archives J. Retel.
174. Archives de l'Académie des Sciences. Dossier Javillier.
175. Archives de l'Académie des Sciences. Dossier Javillier, lettre du 5 décembre 1914.

fondée par Louis-Jacques Thenard, peu de temps avant sa mort en 1857, pour venir en aide aux veuves et aux orphelins des chimistes décédés. Est-ce en raison de la modicité de son prix en comparaison de la somptuosité des dons et des legs reçus habituellement par l'Institut Pasteur ou parce que, dans cet hiver 1914 qui commence, la mort omniprésente incite plus à penser à la veuve et à l'orphelin qu'à la recherche scientifique fut-elle humanitaire ? Nous ne saurions le dire.

C'est en tout cas par cet acte généreux que Maurice Javillier commence une « campagne » qui devait durer vingt-sept mois.

Le terme de « campagne aux armées », toutefois, ne revêt pas pour lui le même sens que pour les fantassins enterrés vivants dans la boue du premier hiver de guerre. Son statut de pharmacien, et cette fois de pastorien, l'ont fait affecter « au laboratoire de bactériologie et de chimie de la 8e armée ». Ces laboratoires installés à proximité du front dès les premiers jours de la guerre, sont en effet le fruit d'une collaboration précoce entre l'Institut Pasteur et les services militaires de l'Intendance et de Santé. *Ainsi sur proposition de M. le médecin inspecteur général Vaillard fut-il décidé que chaque armée serait dotée d'un laboratoire mobile, chargé des recherches concernant la prophylaxie. La direction du service de santé s'est adressée à l'Institut Pasteur pour constituer ces laboratoires et les ravitailler en milieu de culture et en réactifs*[176].

À cette décision commune concernant principalement la bactériologie s'est adjointe immédiatement la demande du service de l'Intendance, conscient que l'*entrain et le moral des troupes dépendent pour une part très large de la façon dont elles sont nourries et soignées et l'armement le plus formidable serait inutile entre les mains d'un soldat épuisé par les privations*[177].

C'est pour veiller à la conservation du moral des troupes qu'aux laboratoires d'hygiène et de prophylaxie, prévus par le règlement de 1912 pour chaque corps d'armée, on a ajouté des laboratoires de bactériologie et de chimie, que Charles Moureu présente en ces termes : *Au commencement de la guerre, chaque armée ne possédait qu'un seul laboratoire susceptible de faire quelques analyses chimiques. Il était placé sous la direction d'un médecin. Un*

---

176. P.V. des comptes-rendus des assemblées, 30 juin 1915. Archives de l'Institut Pasteur.

177. C. Moureu, *op. cit.* p. 132.

pharmacien, presque toujours choisi parmi les officiers du cadre actif, assisté d'un ou deux aides seulement, avait pour rôle d'effectuer sur place toutes les analyses médicales, expertises médico-légales, analyses alimentaires etc. Le service de l'Intendance lui adressait des échantillons et le chargeait d'examiner les approvisionnements ennemis tombés dans nos mains[178].

Si cette description nous permet de nous faire une idée des tâches demandées à Maurice Javillier, il ne s'agit que d'une situation qui, pour être générale, ne peut refléter avec exactitude le cas de chaque laboratoire. Plus véridique et plus précis est le rapport que Maurice Javillier a fait de sa campagne et dont le précieux manuscrit nous a été communiqué par l'un de ses petits-fils [179].

Si le laboratoire attaché à la 8e armée est effectivement placé sous les ordres du médecin major de 2e classe Roussel, avec Maurice Javillier comme pharmacien, les deux aides sont bel et bien absents. Le personnel étant, comme il le dit, « réduit à lui-même ». D'ailleurs étant donnée l'exiguïté des locaux aucun aide ne saurait y travailler efficacement. Le peu de place dont dispose la section chimique dans le laboratoire des douanes où elle a élu domicile, l'oblige de plus à être séparée du laboratoire de bactériologie, sans pour autant nuire à la collaboration des deux sections. L'étroitesse des locaux est heureusement compensée par *l'excellence de l'organisation matérielle.* Outre *les six caisses judicieusement prévues par la Pharmacie centrale des hôpitaux militaires,* qu'il reçoit dès la première quinzaine du mois de décembre, *il a trouvé sur place de précieuses ressources en appareils : balances de précision, microscopes, four à moufle, étuve de Wiesnegg, centrifugeuse électrique,* bref tous les instruments dont un analyste comme lui a besoin pour accomplir sa tâche. Ce précieux matériel ne lui fera jamais défaut au cours des deux longues années qu'il passera à Dunkerque, même quand, *obligé de s'agrandir,* le laboratoire trouvera asile *dans la salle de manipulations chimiques de l'Institut dunkerquois entièrement disponible et bien aménagé par le Dr Chaveron*[180].

Ces conditions de travail satisfaisantes auront une grande importance dans les orientations que prendront les recherches,

178. C. Moureu, *op. cit.* p. 233.
179. Archives J. Retel.
180. Rapport manuscrit de Maurice Javillier.

dont Maurice Javillier nous a laissé le compte-rendu, en en ayant mesuré d'emblée l'utilité future : *Il m'a paru qu'il y avait un certain intérêt documentaire à montrer quelle orientation et quelle impulsion purent être données, dès l'origine, aux travaux chimiques d'un laboratoire d'Armée.* [...] *Ils se classent sous deux chefs : les uns sont des travaux analytiques ; ils ont pour objet l'expertise des eaux, des matières alimentaires, des produits physiologiques. Les autres sont des travaux intéressant de façon plus directe la Défense Nationale, résultant de notre initiative personnelle et se rapportant à la toxicologie*[181].

Dans ces deux orientations, y compris, quoi qu'il en dise, la première et la plus routinière, Maurice Javillier ne cessera jamais de faire preuve d'initiatives personnelles.

Analyse-t-il les eaux nécessaires à l'alimentation des troupes françaises, belges et britanniques qui défendent l'extrême aile gauche du front, que, loin de se contenter d'une simple recherche de potabilité complétée d'une analyse bactériologique, il fait appel à la formation multiple des études pharmaceutiques pour raisonner sur les différents terrains irrigués par ces eaux et distinguer : les eaux des dunes qui alimentent la région de Nieuport et qui sont excellentes bien que d'un faible débit ; les eaux superficielles des polders de la plaine maritime qui e*xposées à de multiples causes de pollution sont presque toujours mauvaises* et enfin l'eau des puits qui, en raison de leur faible profondeur dans cette région, sont *riches en matières organiques, en azote nitrique, nitreux et ammoniacal* si bien que le Génie a dû creuser cinq grands puits dans le secteur. Dans la région calcaire d'Ostricourt, les eaux des puits artésiens fortement salines ne sont guère d'un meilleur usage que celles des citernes proches des agglomérations également trop riches en matières organiques. Seule la région immédiate de Dunkerque bénéficie d'une « eau de houille » d'excellente qualité.

Les réflexions géographiques et géologiques qui accompagnent chacun de ces résultats montrent à quel point, Maurice Javillier ne peut « se consacrer à la science [sans] lui apporter quelque chose » et surtout sans se servir de toutes les connaissances qu'il a acquises au cours de sa jeune carrière, principalement à l'Institut Pasteur auprès de Gabriel Bertrand.

181. Rapport manuscrit de Maurice Javillier.

À un moment où, obligés de vivre des jours infiniment pénibles, loin de leur famille, dans la peur et le froid, beaucoup d'hommes rêvent d'être malades pour profiter de quelques jours de repos loin du front, la sévérité est de mise et la détection entre les vrais et les faux malades plus que jamais impérative. Or nombreux sont les soldats qui se plaignent de symptômes méningés sans que l'examen bactériologique ni une augmentation massive – de l'ordre de plusieurs grammes – de l'albumine dans le liquide céphalo-rachidien (LCR), caractéristiques d'une méningite, puissent confirmer leurs dires. De là à considérer ces hommes comme des imposteurs, il n'y avait qu'un pas. C'est alors que Maurice Javillier, chargé de rechercher et de doser l'albumine dans le LCR eut l'idée d'utiliser la méthode à l'acide silico-tungstique de Bertrand, qui lui avait servi à isoler des alcaloïdes.

L'avantage que présente cet acide, dans le cas de l'analyse du liquide rachidien, c'est que, donnant avec l'albumine un précipité volumineux, il permet avec des prises très petites d'un liquide dont la teneur en albumine est faible, de faire des appréciations quantitatives satisfaisantes. Cette technique personnelle en lui permettant de déceler des quantités de l'ordre du milligramme allait éliminer toute accusation de supercherie chez *des hommes apparemment peu atteints, chez des soldats frappés d'une commotion vive, s'étant par exemple trouvé longtemps exposés à un violent bombardement, [et] de vérifier la véracité de leurs dires et de reconnaître de véritables malades.*

La science ainsi employée avec lucidité et sagesse, s'avérait plus que jamais bienfaitrice de l'humanité souffrante. De son rôle d'expert, Maurice Javillier se sert aussi pour empêcher que la suspicion nuise au moral des hommes et ne les fasse céder aux mouvements de panique toujours prêts à s'enflammer dans un climat où la trahison et la menace de mort rodent à l'état endémique. À deux reprises, il saura écarter la crainte d'un empoisonnement criminel dont les bières flamandes, fort usitées dans la région, se trouvent soupçonnées. *Dès la fin de 1914, les bières flamandes, ayant été accusées de provoquer certains désordres intestinaux, mes recherches ont conduit à écarter l'hypothèse d'intoxication par agents chimiques.* Le laboratoire de bactériologie confirme d'ailleurs ce diagnostic en prouvant que ces désordres sont purement microbiens. Deux ans plus tard la suspicion renaît de façon plus dangereuse puisque, cette fois le laboratoire de Boulogne signale qu'effectivement les bières du nord contiennent de l'arsenic. Mais un tel résultat ne saurait impressionner l'élève préféré de Gabriel Bertrand accoutumé à la recherche des traces métalliques et à les considérer comme naturelles en tant qu'oligo-éléments. *Lorsqu'on travaille dans de bonnes conditions expérimentales, on décèle généralement une trace d'arsenic dans les bières. Ceci n'a rien de surprenant, l'arsenic se rencontrant à titre d'élément physiologique chez les végétaux et dans l'orge par exemple.*

Toutefois ces traces ne doivent pas dépasser la dose de 0,05 milligrammes. Or certaines bières en contiennent bien davantage. Loin de s'affoler, Javillier décide de comprendre l'origine de cet arsenic anormal et, découvrant *que ces bières arsenicales étaient celles pour la fabrication desquelles les brasseurs utilisaient du glucose* dont l'analyse révèle également de petites quantités d'arsenic, il finit par remonter la piste jusqu'à l'acide sulfurique impur du fait des rationnements de guerre et qu'on utilisait pour produire ce glucose. Aussitôt, *les brasseurs incriminés n'étant que cinq ou six dans un secteur qui en comptait un grand nombre,* il ne juge pas la chose inquiétante, néanmoins *en raison de l'intérêt de la question dans un pays où la population militaire et civile consommait beaucoup de bière, [il s'appliqua à faire] écarter l'emploi des glucoses arsenicaux.*

Protecteur de la santé publique, il n'a fait dans les travaux que nous venons de suivre qu'abonder dans le sens de l'idéal reçu et cultivé depuis son plus jeune âge. Mais comme il le dira plus tard, il est des devoirs auxquels un homme de science ne saurait se soustraire envers son pays en refusant de lui venir en aide.

Avec ces hommes enfouis dans un labyrinthe de boyaux, la science militaire se heurte à une situation imprévue, voisine de celle des assaillants de l'époque médiévale confrontés à des assiégés à l'abri de fortes murailles. Deux manœuvres sont possibles, comme en ces temps lointains : soit lancer des assauts aussi meurtriers que peu efficaces, mais néanmoins préconisés par des chefs de l'État major français, soit trouver des moyens pour faire sortir l'ennemi de son camp retranché. La tactique qui vient alors à l'esprit s'inspire autant des guerres les plus anciennes que des pratiques agricoles pour faire sortir les taupes de leur terrier et s'appuie largement sur la chimie. Le feu, qui a présidé à la naissance de cette science est le premier sollicité. Dès son arrivée à Dunkerque, Maurice Javillier est conduit à *collaborer à l'étude des projectiles incendiaires, études commencées par M. David, chimiste en chef du laboratoire des douanes.* Comme lors des guerres de siège, ces projectiles, descendants des feux grégeois, visent à affoler les ennemis et à les faire sortir de leurs tranchées en flammes.

La grande différence cependant entre la Grande Guerre et les plus anciennes est que chacun occupe à la fois la position de l'assaillant et de l'assiégé et que, par conséquent, chacun se pose la même question et cherche à la résoudre par des moyens pratiquement identiques.

À peine a-t-il commencé à travailler avec M. David que les Allemands envoient sur les tranchées françaises des projectiles contenant des substances nauséabondes qui déchaînent la colère de Javillier et le poussent à s'en ouvrir à G. Bertrand dans la première lettre qu'il écrit à son maître, demeuré à l'Institut Pasteur.

Je suis installé au laboratoire du ministère des finances où j'ai trouvé une excellente organisation. J'attends encore mon matériel, mais dès maintenant je peux commencer à faire de la bonne besogne. La question des produits ayant le but de ceux que vous préparez en ce moment est vivement agitée. Les boches se servent de produits malodorants sur lesquels je ne tarderai pas à être renseigné. Il faut à tout prix qu'on les domine par ces armes chimiques d'un nouveau genre. Travaillez ferme et dès que possible, faites des expériences sur la ligne d'opération elle-même, quand vous serez en mesure de fabriquer. C'est ce que vous me disiez vous-même l'autre jour. Mais aujourd'hui, en causant avec des officiers que ce problème préoccupe (et qui proposent certains corps plus ou moins bien choisis à mon sens) j'en ai senti l'urgence absolue et l'intérêt national. C'est ce qui me fait vous écrire ces lignes.

Nous ne manquons pas de chimistes qui s'attachent à cela. Si nous avons dix produits utilisables, eh ! bien tant mieux. Et dire que pendant ce temps-là des chimistes connus comme Delépine et d'autres perdent leur temps à diviser la quinine dans de petits flacons !

Quel gaspillage des forces intellectuelles de la nation.

Si je peux vous être utile ici à quelque chose, vous savez qu'il n'y a pas à hésiter. Demandez-le moi.

En hâte. Mille amitiés.

Un jeu dangereux

Si la vivacité du ton et même la violence des termes n'a rien de surprenant pour qui, désormais, connaît « les bouillonnements intérieurs » de Maurice Javillier, plus étonnante est la perspective qu'offrent les allusions directes aux travaux insoupçonnés auxquels se livre Gabriel Bertrand. Méritent certainement réflexion la relation étroitement continuée entre les deux pastoriens malgré l'éloignement apparent de leurs missions respectives, et surtout la précocité des recherches sur les « armes chimiques » au sein de l'Institut Pasteur dont témoigne cette lettre.

Cet échange épistolaire, quoique fragmentaire, retrouvé dans les archives des deux amis, remet fortement en cause la version officielle répandue dans les manuels d'histoire, d'une France prise au dépourvue par l'agression chimique allemande en avril 1917 et sollicitant à la hâte la collaboration des institutions scientifiques pour lui riposter [182].

Croire qu'avant cette date, seuls les savants d'Outre-Rhin avaient eu l'idée d'une utilisation possible de la chimie à des fins belliqueuses, est faire preuve d'une grande naïveté si l'on songe qu'à une époque où il n'était absolument pas question d'une « guerre de tranchées », *par les actes de la Haye du 29 juillet 1899, toutes les nations européennes s'étaient interdit l'emploi de projectiles qui ont pour but uniquement de répandre des gaz asphyxiants ou délétères.*

Il est certain, par contre, que les nations européennes ne s'intéressaient à ce genre de recherches que proportionnellement au développement et à la puissance de leurs industries chimiques et que les pays allemands, avec notamment les usines Bayer et les ateliers Hösch ne purent qu'être tentés, dès le début de la guerre, par cet énorme potentiel en chercheurs et en matières premières.

La puissance chimique tout autant que l'organisation des laboratoires germaniques n'avaient d'ailleurs pas échappé à Émile Duclaux quand, au moment de créer l'Institut de chimie biologique, il avait jugé bon d'envoyer son futur directeur observer leur fonctionnement.

182. Cf. C. Moureu, *op. cit.* et O. Lepick, *op. cit.*

Fort de ce voyage Outre-Rhin, Gabriel Bertrand était à même d'estimer la capacité et le danger que représentait pour nous la force chimique allemande. Et, sans exactement soupçonner les pressions que, dès octobre 1914, les directeurs de Bayer et de Hösch eurent à subir de la part des autorités militaires allemandes pour les engager à délaisser la fabrication de leurs colorants au profit de substances capables de déloger les habitants des villages belges enfermés dans leur maison [183], c'est très probablement en totale connaissance de cause qu'il s'est lancé dans la recherche de substances capables *d'obliger l'ennemi à évacuer des endroits tels que tranchées ou excavations, les carrières, les blockhaus, les maisons fortifiées etc., dans lesquels il se tient pour se rendre ou accepter le combat* [184].

Ainsi, après quatre mois de guerre, la participation de l'Institut Pasteur à la défense nationale ne se limite pas à la fabrication massive de doses de vaccins et de sérums pour pallier les épidémies métropolitaines tout autant que coloniales sur les multiples fronts ouverts par cette guerre mondiale, il ne se borne pas à des recherches sur des maladies nouvelles comme la gangrène. Une fois de plus, cette activité intense qui nécessite le recrutement des femmes et des filles des pastoriens aux armées, est ce qui cache la face secrète de travaux dont il ne sera fait état que tardivement dans les registres des assemblées. *Les autres laboratoires se sont consacrés aux armes de guerre. MM. Bertrand, Fourneau, Borrel, Trillat, Etang, Fernbach se sont occupés des substances agressives employées dans cette guerre et ont étudié les moyens des les produire et les procédés pour se préserver de leurs effets* [185].

Avoués seulement en juin 1916, ces travaux perdent tout leur caractère pionnier et même leur originalité, puisque depuis l'été 1915, toutes les institutions françaises pratiquant la chimie sont entrées, sous la direction de Moureu, dans la phase de riposte organisée par l'État.

---

183. J.-A. Jonhson (2003) « La Mobilisation de la recherche industrielle allemande au service de la guerre chimique 1914-1916 » in P. Bret (dir.), *Le sabre et l'éprouvette – l'invention d'une science de guerre, 1914-1939*, édition Agnès Vienot, pp. 89-103.
184. « Notice sur une méthode propre à rendre intenable le séjour dans les tranchées, par G. Bertrand ». Archives de l'Institut Pasteur. Dossier G. Bertrand.
185. Institut Pasteur, Registre C.A. 30 juin, 1916.

Il est donc bien difficile de connaître avec exactitude à partir de quand Gabriel Bertrand a commencé ses recherches sur des substances, non pas « agressives », mais plutôt extrêmement désagréables et dissuasives. Sans doute est-ce depuis le retour de l'Institut Pasteur dans ses laboratoires parisiens, après le repli à Toulouse ; ce qui voudrait dire, dès les premiers jours de la « guerre des tranchées ». Sans doute l'amitié confiante qui le lie à son ancien élève l'a-t-elle incité à le mettre dans la confidence, puisque Javillier, bien qu'exilé à Dunkerque, semble parfaitement au courant de tout ce qui se passe à Paris et même se montre prêt à jouer un rôle d'espionnage technique non négligeable dans un pareil moment. Là encore, l'intimité des deux pastoriens a créé dès les premières heures de la guerre une organisation spontanée que l'État français ne mettra en place à grande échelle qu'après l'attaque d'avril 1915.

Fin novembre, après divers tâtonnements qui l'ont conduit à examiner une trentaine de substances possibles, Bertrand vient de fixer son choix sur la monochloracétone. Ce gaz, nommé « *gaz lacrymant* » par Bertrand appartient à la classe des substances « irritantes » et que Javillier définira plus tard comme des *Substances dont le seuil d'action est bas, qui produisent des effets immédiats provoquant les larmes, l'éternuement, la toux, parfois des vomissements, mais qui ne produisent jamais de lésions définitives*[186].

Une telle définition et les descriptions des essais sur lui-même d'abord, puis sur ses visiteurs et même sur l'État-major français [187], prouvent bien qu'en aucun cas Gabriel Bertrand et Maurice Javillier n'envisagent l'emploi de gaz asphyxiants ou délétères. Comme Javillier le dira avec humour, *qui eut pu jamais pensé qu'on ferait un jour la guerre, en faisant éternuer les combattants*[188].

Conçu dans le parfait respect de la convention de la Haye, le gaz lacrymant de Bertrand ne manque pas d'intéresser les chefs militaires des armées alliées. Et, au moment où la lettre de Javillier lui parvient, il a en quelque sorte devancé ses conseils grâce

186. M. Javillier, Manuscrit de la conférence « *Débats et perspectives sur la guerre des gaz* », donnée en janvier 1947 devant les élèves de Coëtquidan. Archives J.-O. Retel.
187. Voir à ce sujet A.-C. Déré (2003) « Deux pastoriens en guerre » in P. Bret (dir.) *Le sabre et l'éprouvette – l'invention d'une science de guerre, 1914-1939*, édition Agnès Vienot, pp. 75-81.
188. M. Javillier, 1947.

à l'intercession d'un certain Hagensmidt qui, après avoir amené le député Boutin dans son laboratoire à l'Institut Pasteur, lui a permis de se livrer à des expériences au fort de la Bèche, le 8 décembre suivant. Premier succès dont il ne manque pas d'informer son ami en répondant à sa lettre le 12 décembre.

Mon cher Javillier

Tâchez donc de m'avoir le plus tôt possible quelques renseignements au sujet du produit dont vous m'indiquez l'emploi inattendu par les Boches : quels que soient ces renseignements ; aussi le mode d'emploi.

J'ai fait des expériences l'autre jour aux tranchées devant les personnes compétentes désignées à cet effet. Le rapport a été, paraît-il, très favorable et je suis en train de (mot illisible) *l'organisation de l'affaire. Vous comprenez comment votre lettre, dans ces conditions, m'a intéressé, mais aussi me rend avide de renseignements.* [...]

Bonne chance et bonne santé pour vous et pour les vôtres et une cordiale poignée de main.

La recherche en temps de guerre est en effet bien différente de celle menée en temps de paix. Il se s'agit plus de prendre date pour une découverte originale en la publiant, mais bien de se battre sur un front où tous les coups sont bons, espionnage et surveillance de l'adversaire, mais aussi veille constante pour l'empêcher de se procurer les substances nécessaires à ses industries chimiques. Ainsi, ayant appris, le 15 décembre 1914 que l*es Allemands étaient à court d'huile de ricin (pour le graissage des avions et des sous-marins) et offraient en ce moment, n'importe quelle substance dont l'exportation était défendue par le gouvernement allemand, et avec son autorisation, mais à une condition c'est qu'on le payât avec de l'huile de ricin*[189], Hagenschmidt et Bertrand s'empressent de prévenir les alliés pour qu'ils empêchent le passage de cette huile par les pays scandinaves restés hors du conflit. Cette intervention s'avère une excellente entrée en matière, et, au cours du mois de décembre, les officiers anglais d'abord puis les Russes défilent dans le laboratoire de Bertrand pour assister aux essais du fameux gaz.

Le produit est d'autant plus séduisant qu'*il est dépourvu d'effets nocifs graves à des doses pourtant bien supérieures à celles qui suffisent à atteindre le but recherché.*

189. Archives de l'Institut Pasteur. Dossier G. Bertrand.

La monochloracétone résiste en outre à la décomposition lorsqu'on fait détoner une charge convenable d'explosif (cheddite ou dynamite) placée à son voisinage, de sorte qu'on peut l'envoyer non seulement à de faibles distances avec des grenades à mains que j'ai imaginées, mais encore pour les distances plus grandes, avec des projectiles explosifs[190].

On comprend l'intérêt et même l'impatience que Javillier éprouve à voir le gaz de Bertrand rapidement employé par les troupes françaises. Il sait de plus, en bon chimiste et en bon pastorien, que sa fabrication est aisément réalisable puisque *ce liquide s'obtient en traitant l'acétone par un courant de gaz chloré*[191]. Or, l'acétone pour l'Institut Pasteur qui sait en réaliser la synthèse bactériologique n'est pas une substance impossible à se procurer. C'est en effet dans le laboratoire de G. Bertrand lui-même qu'en 1906, M. Breaudat en travaillant sur un microbe isolé dans l'eau de Saïgon a montré que ce bacille produisait, aux dépens des sucres, de l'alcool éthylique et de l'acétone. Étendue à d'autres microbes, par A. Fernbach dans le laboratoire voisin des fermentations, cette étude a permis d'obtenir une production importante de ces deux produits à partir cette fois de n'importe quels amidons. *Dans ces conditions d'exploitation industrielle, il se fait en moyenne 24 kilos d'acétone et d'alcool brut pour 100 kilos de maïs à 60 % d'amidon, soit environ 40 kilos des deux corps considérés en bloc pour 100 kilos d'amidon* [...] *En ce qui concerne la chimie de guerre, c'est l'acétone seule qui offrit de l'intérêt*[192].

Mais il faut compter avec le temps mis à convaincre d'abord puis à mettre en marche l'énorme machine qu'est l'État français. La poursuite de sa recherche sur la monochloracétone, et notamment la mise au point d'une grenade à main pour son lancement qui portera son nom[193] n'empêchent pas G. Bertrand de continuer à s'intéresser aux bruits qui courent au front à propos des « armes chimiques » employées par les ennemis et de s'en informer auprès de son indicateur préféré à l'occasion de la nouvelle année.

190. Correspondance avec le *War Office*, 6 février 1915. Dossier G. Bertrand. Archives de l'Institut Pasteur.
191. *Idem.*
192. M. Javillier (1922) « La chimie biologique et le guerre », *Bulletin des sciences pharmaceutiques*, tome XXIX, pp. 45-51, extrait d'une conférence à la Faculté des Sciences de Paris.
193. La Bertrand n°1.

Mon cher Javillier,

Je vous remercie de votre petit mot que m'apporte M. de Breteuil. Malheureusement, il ne contient aucune précision sur la question qui m'intéresse : s'agit-il de réalités ou seulement, comme tant d'autres questions analogues, de simples racontars ? N'y faut-il voir que des échos lointains et déformés des expériences entreprises de notre côté ou de l'emploi fait par les Allemands, en deux circonstances, de gaz asphyxiants pour déloger les nôtres ? C'est ce qu'il n'est même pas possible de résoudre avec le peu que vous avez appris.

J'envoie en même temps qu'à vous un mot à M. le capitaine Réquin et réponds par oui à la question que vous me posez au sujet de la fabrication.

J'espère que vous êtes maintenant organisé et tout à fait satisfait de votre situation. Si vous avez quelques renseignements encore, même un peu vagues, je compte toujours sur vous pour me les faire connaître, car tout est bon à savoir.

Bonne année, si l'on peut dire, et une cordiale poignée de main.

Hélas l'année 1915 ne sera pas bonne. Elle va marquer une étape définitive dans le jeu dangereux auquel se livrent les chimistes des deux côtés de la frontière. De part et d'autre, une organisation officielle et structurée cette fois par l'État-major en France et par le chimiste Haber, directeur du Kaiser Wilhelm Institute de Berlin en Allemagne va inexorablement les entraîner vers une escalade fatale.

Tandis que le général Curmer prend en main l'exploitation du gaz et de la grenade de Bertrand et que des essais aux armées sont confiés au capitaine Célérier du C.N.A.M., les Allemands inaugurent l'année en envoyant sur les troupes françaises « un certain obus T dont l'action principale était due aux gaz qu'il émettait en explosant [194] ». La riposte côté français ne saurait tarder. Seul ou presque dans son laboratoire, Bertrand continue sa tâche et malgré un emploi du temps très chargé n'oublie pas son ami Javillier, cachant mal sous une affectueuse rudesse, l'inquiétude qu'il éprouve à son égard :

Mon cher Javillier

Oui, le temps passe vite au moins pour ceux qui sont occupés comme nous. Quand je pense que mon cours doit commencer dans

194. M. Javillier, 1947.

une dizaine de jours ! Comment arriverai-je à le faire ? je n'en sais rien, car je n'ai personne comme préparateur et le garçon des travaux pratiques est aussi absent, en convalescence pour 3 mois.

Et avec cela, mon affaire – vous comprenez par là ce que je veux dire – va de plus en plus et m'occupe en ce moment du matin au soir ; les résultats ont été très favorables et l'organisation en subit le contrecoup.

Et vous, pendant ce temps, vous faites de la chimie analytique sous les bombes, vous dosez le milligramme au bruit des explosions. Ce doit être un sport attrayant. J'espère que vous n'allez pas recevoir quelque chou, hein ! Car il faut travailler et pendant la guerre et après la paix, être présent à l'appel quand, les boches étant réduits, je passerai en revue le laboratoire et ceux qui lui donnent sa vie.

Je vous comprends dans vos doléances. Je sais ce que c'est, plus que vous sans doute, en raison de tout ce que j'éprouve moi-même et vois autour de moi. Mais que voulez-vous ? Nous sommes en temps de guerre, encore heureux de pouvoir faire chacun quelque chose qui soit un peu dans nos cordes. [...] [195]

Encore faut-il agir vite. Et Bertrand sait pertinemment que le succès de son gaz lacrymant tient principalement à la différence de nature avec les produits allemands et surtout à l'effet de surprise, comme le montre une longue lettre adressée au capitaine Célérier dont la teneur a cependant de quoi réjouir Javillier.

Je profite du courrier chargé de prendre livraison des ampoules pour vous envoyer ces lignes, lesquelles vous arriveront plus rapidement ainsi que celles confiées la dernière fois à la poste [...].

Si tout va bien et que l'intérêt auquel nous pouvons nous attendre soit justifié, il sera déjà possible, avec l'organisation à l'étude et même presque sur pied, une consommations journalière de 100 Kg ou du moins quelque chose d'approchant en plus ou en moins.

Pour l'instant, vous allez déjà pouvoir préparer avec les 4.000 ampoules un petit approvisionnement d'essai et mettre au point le mode d'emploi du produit. Bien entendu s'il y a quelques expériences à faire de ce côté, je suis entièrement à votre disposition.

Mr le docteur Roux, directeur de l'I.P. qui s'intéresse comme vous le savez à cette question en a informé le général en chef des armées qui est dès maintenant favorable.

195. Archives J.-S. Retel, lettre du 19 février 1915.

Je ne saurais donc trop vous engager à entrer en relation avec lui, par la voie habituelle, pour qu'il vous donne son assentiment aux expériences que vous faites et, ceci, à cause de la crainte que l'on ait un devoir d'envisager que, si l'ennemi est mis au courant de la méthode par un essai limité avant que nous soyons organisés pour une application générale, il n'arrive à s'organiser lui-même avant que nous puissions retirer de la méthode tout le bénéfice sur lequel nous comptons. Ce serait évidemment désastreux.

Je compte bien qu'il se passera quelque temps avant que les boches se rendent compte si les effets lacrymogènes proviennent d'une substance spéciale ou du produit de décomposition d'un explosif nouveau avec lequel se chargeraient les bombes de tranchées dont vous leur faites cadeau. Mais si la méthode est bonne, ils l'utiliseront aussi, de sorte que nous ne pourrons en profiter que le temps qu'il leur faudra pour s'en emparer et la mettre sur pied, quelques mois tout au plus.

Ce point de vue a été envisagé au G.Q.G. et le maréchal French – très favorable de son côté – le considère comme très important.

C'est pourquoi je dois vous en faire part au moment où vos essais prennent toute leur valeur.

Les grandes vont bien. Je m'occupe à en organiser la fabrication industrielle. Bonne chance, mon cher, et cordialement à vous[196].

Sans perdre de temps, sachant l'effet de son gaz limité, Bertrand se met aussitôt à la recherche d'un autre produit ayant des effets analogues et quand le 14 mars, une chronique allemande annonce que *les Français emploient maintenant aussi en urgence de nouvelles grenades à mains dont l'explosion a pour but d'infecter l'air,* dès le lendemain Bertrand et Hagenschmidt proposent *à M. Le contrôleur général Mauclaire l'emploi de la chloropicrine, beaucoup plus agressive que les autres corps et qui a l'avantage d'être retirée des eaux résiduelles de la fabrication de l'acide picrique*[197].

C'était déjà s'approcher dangereusement des frontières mises par la Convention de la Haye. La chloropicrine provoquant des séquelles que Maurice Javillier aura plus tard l'occasion d'étudier.

Les essais du côté allemand sont d'ailleurs tout aussi alarmants. Le 8 avril, « *Les Nouvelles de Maastricht* » font état d'expériences commises sur des chiens en ces termes : *Les*

196. G. Bertrand, Lettre au Capitaine Célérier, 9 janvier 1915.
197. Dossier G. Bertrand (Hagensmidt).

Allemands firent alors un essai de tir et de lancement de grenades renfermant des gaz asphyxiants. Ces grenades furent lancées à de grandes distances au moyen d'armes spéciales. Dans certaines tranchées, des chiens furent foudroyés en masse, dans d'autres, ils furent seulement étourdis[198].

Vérité ou seulement intoxication pour semer la panique parmi les soldats exposés dans les tranchées ? Sans doute Bertrand et Javillier hésitent-ils encore en lisant ces lignes dans les coupures de journaux qui circulent entre leurs mains. Mais les bruits se multiplient et s'intensifient. Le 12 avril, c'est un témoin oculaire qui, interviewé pour le journal *La Liberté* de Londres, révèle que *d'après les dires de prisonniers, les Allemands avaient l'intention d'asphyxier nos soldats s'ils avançaient, au moyen de gaz empoisonnés.* Et, précision terrible dont la vérité ne fera plus de doute quelques jours plus tard, il affirme que l*e gaz est maintenu sous pression dans des tubes cylindriques en acier et se répand le long de la terre sans se dissiper rapidement.*

Ce gaz était exactement celui qui, douze jours plus tard, allait marquer de sa date tragique et indélébile la grande guerre chimique.

La chimie exterminatrice

Multiples sont les récits de ce qui fut pour les troupes alliées l'apocalypse du 22 avril 1915. Parmi tous, nous avons choisi celui qu'en 1947, Maurice Javillier a fait devant les élèves de l'École militaire interarmes de Coëtquidan.

Le 22 Avril 1915, vers 17 heures, sur le front de Belgique, dans la région de Bixschoote-Langemark au nord d'Ypres, un nuage jaune verdâtre s'élevait des tranchées allemandes sur une étendue de 6 Km, et se dirigeait, entraîné par un vent favorable de 2 à 3 m à la seconde, vers les positions françaises et y causait un profond désarroi. Le nuage, dont l'émission n'avait pas duré plus de cinq minutes et qui occupait de 600 à 900 m de profondeur, rendait l'atmosphère proprement irrespirable. Il agissait sur les voies respiratoires à tel degré que des hommes suffoqués, asphyxiés, étaient mis hors d'état de combattre. 5000 hommes moururent intoxiqués, beaucoup en de bref délai.

198. Extrait d'une coupure de journal trouvé dans les archives de G. Bertrand.

Les Allemands venaient de trahir l'engagement, qu'avec toutes les puissances européennes, ils avaient souscrits à la Haye, le 29 juillet 1899 de ne pas utiliser de gaz asphyxiants ou délétères.

Dans sa sobriété, ce récit qui ne s'attarde pas à souligner des faits d'héroïsme comme beaucoup, n'en est pas moins un texte accusateur d'une importance d'autant plus grande que Maurice Javillier a lui-même eu connaissance des recherches faites sur les armes chimiques, qu'il les a lui-même encouragées et qu'il a soudain réalisé que la frontière fragile entre la science innovante au service de la Défense Nationale et la chimie exterminatrice venait d'être franchie. Fait encore plus grave, le franchissement de frontière est le résultat direct de l'escalade à laquelle les chimistes des deux camps ont été poussés par leurs essais. Car c'est bien un essai de plus, conduit par la toute puissante industrie chimique bavaroise, qui est la cause du dérapage fatal des Allemands : *Le commandant allemand avait considéré l'épreuve d'avril comme une simple expérience, et n'avait pas pensé qu'elle pût lui être aussi favorable, sans quoi il eût exploité son avantage et sans difficulté atteint Dunkerque*[199].

Mais s'en est fait du respect de la Convention de la Haye. Des deux côtés, on ne songe plus qu'à interroger la chimie pour produire des armes de plus en plus meurtrières. L'atrocité de l'acte commis a fini d'exaspérer les esprits. Dès le lendemain, le capitaine Célérier rejoignant son camp aux Éparges, supplie Bertrand : *D'une part, on nous signale l'apparition de bombes asphyxiantes puissantes utilisées par les Boches. Je crois que le moment est venu d'avoir à leur répondre sur ce point… Si l'on entre dans la voie des bombes réelles asphyxiantes ou toxiques, il serait nécessaire de trouver autre chose. Je viens donc vous demander si vous auriez quelque produit présentant des propriétés de stabilité (pour la saison d'été) de facilité de transport etc.… comme la cepite, mais susceptible d'empoisonner (c'est le mal) pendant une durée suffisante et sous un volume relativement réduit pour l'emploi dans les grenades à mains ou les bombes.*

D'autre part, connaîtriez-vous un produit qui serait répandu sur les réseaux de fil de fer et les rongerait assez rapidement pour amener la destruction.

---

199. Extrait d'une coupure de journal trouvé dans les archives de G. Bertrand.

Je cherche un moyen pour réaliser cette destruction. Si on n'aboutit pas – je vous parle sérieusement – nous serons encore en guerre pour de longs mois[200].

Agir et vite est ce que tout le monde espère. Cinq jours plus tard une commission militaire prend les choses en main. C'est la mobilisation des scientifiques et des grands laboratoires, non pas industriels comme en Allemagne, car la France ne peut sur ce point se mesurer à elle, mais des grands établissements intellectuels que sont la Sorbonne, l'École de Pharmacie et l'Institut Pasteur. Élèves puis membres de ces institutions, Javillier comme Bertrand se retrouvent au cœur même de l'organisation.

Il est bien difficile d'imaginer quel pût être alors leur état d'esprit face à l'entraînement qui les conduisait, eux qui avaient été nourris aux « Merveilles de la Science » chères à Figuier et à Jules Verne, vers son détournement et sa transformation en cet instrument de peur, de mort et d'horreur qui marquera à jamais les générations présentes et futures.

Désormais il ne s'agit plus de faire « éternuer les soldats », mais de répandre la mort collectivement grâce à des produits chimiques inventés par l'homme et dont la puissance admet pour unité « la constante d'Haber » définie en ces termes : *On appelle constante de Haber C le produit C x t où C représente le nombre de milligrammes qui peut entraîner la mort, instantanément ou non, pour un séjour d'une minute, et T le temps en minutes*[201].

Les chimistes, désormais, sont réduits au même rang que M. Krupp, le marchand de canon et, sans en avoir la fortune peinent dans leur laboratoire à qui découvrira le meilleur poison respiratoire, dans les deux camps, avec le même acharnement et cela pour arriver aux mêmes résultats, à tour de rôle. *Les chimistes ont étudié durant la guerre de 14-18, beaucoup de substances définies susceptibles d'être utilisées comme agent d'agression. On en a bien étudié un millier. De ceux-ci peu ont été retenus et moins encore effectivement appliqués. Chose curieuse, les substances adoptées par les Allemands d'une part, les Français et Alliés d'autre part, n'ont pas été très différentes. J'entends bien qu'il ne pouvait y avoir entre eux de véritables secrets. Dès que, dans l'un des camps, un produit nouveau*

200. Archives Institut Pasteur Fonds G. Bertrand. Lettre du capitaine Célérier du 23 avril 1915.
201. M. Javillier, 1947.

apparaissait, il était rapidement déterminé dans l'autre camp et, si utile ou possible, mis en fabrication. Il y eut de 1915 à 1918, une lutte savante et silencieuse, continue entre savants allemands et français. L'on pourrait penser qu'ils s'empruntèrent mutuellement leurs idées et copièrent leurs réalisations ; mais ce ne serait pas tout à fait vrai, car ils dépensèrent de part et d'autre, pour s'assurer une nouveauté et une suprématie temporaire, des trésors d'ingéniosité. Si la convergence des résultats est remarquable, cela tient à ce que les conditions, qui font d'une substance chimique une bonne arme de guerre, sont assez étroites, et que personne ne s'en peut applaudir. [...] *Dans le nombre considérable de corps nocifs pour l'homme, il n'y en a, en fait, qu'un petit nombre qui puisse devenir de véritables armes de guerre. Aussi une étude également minutieuse des faits a-t-elle conduit les chimistes des deux camps adverses vers des solutions sensiblement communes*[202].

Cette analyse au lendemain de la seconde guerre mondiale devant de futurs militaires, par Javillier lui-même, montre assez l'immensité autant que l'inutilité de cet effort criminel mais nécessaire et rendu obligatoire pour tous les chimistes engagés malgré eux dans une guerre dont ils se retrouvaient les acteurs principaux alors que leur statut même de savants ou de pharmaciens aurait dû les préserver d'avoir à donner la mort. Comme le dira plus tard Javillier, à partir de 1915 et jusqu'en 1918, il dût, par devoir, apprendre *à connaître les armes chimiques dont l'ennemi peut user, savoir qu'on peut être astreint à en faire soi-même usage et comment disposer son âme à subir – dans ce domaine comme en d'autres – l'imprévu même et à le dominer*[203].

L'identification des armes chimiques employées par les Allemands fut son premier devoir. Comme le pharmacien major Didier, il n'eut aucun mal, le 22 avril, à reconnaître le gaz asphyxiant employé par les Allemands *car, dès que l'on fait un peu de chimie, on reconnaît le gaz chlore à ses caractères organoleptiques et physiques*[204]. Il en eût d'ailleurs la confirmation par la brusque augmentation de la teneur en chlore dans les eaux dont il contrôlait quotidiennement la javellisation, leurs titres ayant doublé en avril 1915. Le mois suivant, les Allemands ayant envoyé de nou-

202. M. Javillier, 1947.
203. *Idem.*
204. *Idem.*

veaux obus lacrymogènes, il pût, à partir d'une petite quantité de terre imprégnée par ce produit, le caractériser comme étant du dibromure de xylyle et fournir ainsi au Commandant l'indication de « l'emploi par l'ennemi d'obus de type nouveau ».

Au Commandant certes, mais aussi, n'en doutons pas, à son ami Bertrand qui ne cesse de le harceler sur cette question :

Mon cher Javillier

J'espère que vous avez reçu le petit appareil à dosage des sucres réducteurs que je vous ai fait envoyer pensant que cela valait mieux pour vous que vous laisser attendre celui réclamé à l'administration militaire.

Je n'ai pu répondre plus tôt à votre lettre car j'ai été très occupé ces temps-ci : aux deux leçons et à la séance de travaux pratiques que je fais actuellement (il y a 25 élèves à ces travaux pratiques) – soit 3 séances par semaine – aux expériences que je poursuis pour le ministère de la guerre, à la fabrication intensive des grenades lacrymogènes etc. etc., s'est ajouté la préoccupation nouvelle due aux « gaz asphyxiants » utilisés par les Boches : d'où expériences, enquêtes, commissions, rapports.

Vous entrevoyez quel surmenage est mon lot à l'heure actuelle… sans que d'ailleurs je m'en plaigne le moins du monde. Je souhaiterais de pouvoir faire plus encore s'il était possible, à la condition, bien entendu, que cela puisse servir à quelque chose. En cela, je pense évidemment comme vous et la plupart des Français impatients d'en avoir fini pour de bon avec l'influence boche.

[…] *Je pense souvent à vous, non sans quelque crainte même, étant donné la saleté que les Boches vous ont envoyée ces temps-ci avec leurs canons à longue portée. Quelqu'un m'a dit qu'il y avait eu, de ce fait, environ 350 personnes de tuées ou blessées. Cela ne m'étonne pas, mais je préfère croire que l'on exagère beaucoup. Je souhaite vivement, en tout cas, que ce bombardement ne s'accentue pas et que vous ayez la bonne chance d'échapper complètement à ces effets.*

On a dû, je suppose, vous poser quelque colle au sujet des « gaz asphyxiants » et sans doute avez-vous vu quelques malades atteints par ces gaz. Même quelque échantillon de produit est peut-être parvenu entre vos mains sous une forme quelconque : obus non éclaté ? Vêtement ou terre imprégnée de liquides lacrymogènes… Car ces Boches n'ont pas seulement employé du chlore liquide allié à des fumées. Ils ont tiré des obus garnis d'un liquide lacrymogène analogue à ceux que je préconise, mais moins bon, à ma connaissance actuelle. Si oui, qu'est-ce que vous savez[205] *?*

À dire vrai, une organisation bicéphale semble se poursuivre entre les deux hommes et, si l'un et l'autre sont membres de la Commission des Études chimiques de Guerre fondée le 28 avril 1915, la tâche reste partagée entre Bertrand qui, dans son laboratoire de l'Institut Pasteur, assure la mise au point de ses grenades lacrymogènes et le contrôle des gaz toxiques à la demande de cette Commission, et Javillier sur le front chargé d'identifier les substances ennemies. Tous deux, cependant, travaillent avec une certaine liberté que beaucoup n'auront pas. *Arrivé par sa valeur et non par favoritisme, il [Bertrand] n'aimait pas les ambitieux et s'est toujours refusé à faire un acte qui put même indirectement porter atteinte à quelqu'un. S'il rendait de grands services à la Défense Nationale, il s'était toujours violemment opposé à l'emploi de certaines techniques qu'il considérait comme honteuses pour l'humanité*[206].

Disciple d'un tel maître, Javillier ne pouvait qu'agir comme lui et tenter de se consacrer le plus possible à lutter contre le « pire » qui venait de lui être révélé.

205. Lettre de Bertrand à Javillier, 6 mai 1915. Archives J.-S. Retel.
206. Bulletin de liaison de l'association des anciens élèves et diplômés de l'Institut Pasteur, n°15, 1962, p. 157. Archives de l'Académie des Sciences. Dossier G. Bertrand.

7

La lutte contre le pire (1915-1918)

Avoir été des premiers à organiser la défense contre les gaz à l'armée de Belgique avant que Paris eût pu mettre quelque chose sur pied, avoir décelé la cause des accidents qui atteignaient nos équipages à bord des sous-marins [...] *C'est un tribut, qu'homme de science, il m'était permis d'apporter.*

M. Javillier.

Le « pire », on croyait pourtant l'avoir atteint avec la guerre des tranchées. Cette vie dans la boue et le froid, en cage sous des barbelés dans l'interminable labyrinthe des boyaux, quand les rats roulent entre les jambes et que la vermine vole au combattant les quelques minutes de sommeil que lui laissent les attaques ; les obus qui explosent, réduisant en bouillie sanglante, celui qui l'instant d'avant était un ami... Mais cette horreur devait encore être dépassée. Désormais le « pire » pour les soldats de « la Grande Guerre » est un monstre aux visages multiples, qui passera à la postérité sous le nom commun de « gaz », comme ses victimes seront des « gazés » qu'il s'agisse d'une intoxication réellement *par un gaz comme le chlore, par des vapeurs comme celles du bromure de benzyle, par des substances liquides comme l'ypérite ou même solides précipitées à l'état de fines particules comme certaines arsines*[207]. Le seul lien de parenté entre ces armes nouvelles n'étant pas leurs propriétés physiques ni chimiques, mais leur haut degré de toxicité bien que leurs effets soient eux-mêmes différents. L'imagination criminelle a produit une palette de suffoquants pour attaquer les voies respiratoires et apporter une

207. M. Javillier, 1947.

mort immédiate par asphyxie ; de vésicants qui, en agissant sur la peau, provoquent des lésions dont certaines peuvent être mortelles ; enfin des toxiques généraux qui *n'atteignent plus téguments et muqueuses mais, répartis par voie sanguine dans tous les organes, rendent les milieux naturels impropres à la vie*, tels ces poisons bien connus que sont l'acide cyanhydrique et l'oxyde de carbone.

« Asphyxier, brûler, défigurer, empoisonner » contre ces mots d'ordre répandus dans les deux camps ennemis, il faut chaque fois trouver un palliatif approprié à chaque substance afin de préserver ceux qui, par vagues de plus en plus apeurées et de plus en plus jeunes, montent au front, conscients que bien peu en reviendront indemnes. Un nouveau terrain de recherche s'ouvre désormais aux chimistes : vérifier les protections utilisées contre les « gaz » et en concevoir sans cesse de nouvelles en fonction de l'utilisation de nouveaux toxiques.

Protéger, éduquer, un nouveau devoir

Si les tampons d'ouate imbibés d'hyposulfite de sodium, trouvés sur des prisonniers allemands lors de l'attaque au chlore du 22 avril ont été tout de suite adoptés par l'État-major français, force fut bientôt d'admettre que ce moyen de protection était d'un usage peu pratique. Comme G. Bertrand l'avait fait pour son gaz lacrymant, Javillier prend part physiquement aux essais. *Pour protéger nos troupes vis-à-vis du chlore, il avait été distribué des tampons que l'on imprégnait d'une solution d'hyposulfite de soude et qui devaient se placer devant la bouche et le nez. Des exercices destinés à apprendre aux hommes à placer les tampons et à séjourner dans des atmosphères chlorées avaient été prescrits et effectués sous la direction de M. Le pharmacien major Didier. En prenant part nous-mêmes à ces exercices, nous avons été rapidement convaincus de l'insuffisance des moyens mis en œuvre*[208].

Trouver une protection plus active et d'un usage plus pratique s'impose d'urgence. Immédiatement Maurice Javillier se met au travail et parvient à concevoir un masque beaucoup plus élaboré. Le principe étant de *faire filtrer l'air à travers une substance à la fois hydrophile et perméable (nous avions fait choix de l'ouate de tourbe),*

208. M. Javillier (1917) Rapport manuscrit. Archives J.-O. Retel.

imprégnée d'une substance d'arrêt du chlore convenablement choisie et astreindre l'air à un circuit en forme d'U de façon à assurer un contact intime du gaz et du réactif[209].

Rapidement mis au point avec la collaboration du médecin chef de bataillon Cadroy, ce masque fut essayé avec succès et distribué à plusieurs unités. Dénommé « respirateur Javillier-Cadroy » du nom de ses deux concepteurs, l'appareil fut perfectionné à trois reprises afin de s'adapter aux conditions imposées par l'ennemi. Ainsi lui fut-il associé, par exemple, un masque protecteur de la face et des yeux contre les « irritants », tandis que Javillier, cette fois en collaboration avec le médecin-major Chabrié, modifiait parallèlement la formule des substances imprégnant l'ouate afin d'étendre leur capacité à la fixation de l'acide cyanhydrique et de l'oxychlorure de carbone.

L'efficacité de ces respirateurs et surtout la rapidité de leur emploi, dès l'été 1915, valurent à Maurice Javillier de se voir confier le contrôle des appareils de préservation envoyés aux armées par d'autres concepteurs français ou étrangers. C'est ainsi que, dans une pièce attenante à son laboratoire, il démontre l'insuffisance de certains accessoires préconisés tels que tampons et cagoules huilées *qui avaient été fabriquées, contrairement aux instructions fournies à ce sujet, avec des tissus ne possédant pas les qualités requises.*

L'expérience rapidement acquise ne manqua par d'attirer l'attention des chefs sur Maurice Javillier, d'autant qu'à l'exemple de son maître il ne se laissait guère intimider. Seule la vérité et l'intelligence trouvaient grâce à ses yeux et c'est avec une certaine malice qu'en 1947, devant les élèves de l'École militaire de Coëtquidan, il se souviendra de la façon dont, devant l'État-major et le chef des services chimiques de l'armée britannique, il osa prendre position contre l'emploi de la cagoule anglaise en exposant les raisons techniques de son opposition. *Le simple aide-major que j'étais ne fut cependant pas désavoué. Il avait toutefois le cœur à la fois lourd et joyeux de la responsabilité assumée mais il était confiant dans les études qu'il savait en cours*[210]. Il n'est donc pas étonnant qu'on ait songé à lui, peu après, pour faire des conférences aux officiers du

---

209. M. Javillier (1917) Rapport manuscrit. Archives J.-O. Retel.
210. M. Javillier, 1947.

corps de santé et à ceux des régiments. *Nous leur disions quels sont les gaz irritants et toxiques : à quels ennemis chimiques ils pourraient éventuellement encore avoir à faire. Nous voulions surtout leur montrer que l'ennemi n'avait pas le monopole de ces connaissances, que nous pouvions nous défendre efficacement et que, si nous le voulions, nous pourrions user des mêmes armes*[211].

Ces armes, Maurice Javillier ne les étudie pas seulement comme des substances chimiques dans son laboratoire d'armée, une fois de plus, il mobilise les multiples facettes de sa formation pour étudier en profondeur leurs effets sur les hommes. C'est ainsi qu'il se penche sur le cas des ictères provoqués par l'acide picrique et démontre, par des expériences, la toxicité de ce produit au niveau du foie. De la même façon, il s'intéresse à soulager les misères quotidiennes des « *Poilus* » dans les tranchées, par une étude sur la désinfection des paillasses en crin végétal au moyen des vapeurs de formol et de benzène.

Tous ces travaux tendent vers un même objectif : tenter de guérir, protéger et rendre le moins pénible possible la vie des combattants. Cette vie importe d'autant plus à Javillier qu'elle concerne quelqu'un qui le touche de très près : Julien Champenois, le frère d'Anna est alors simple fantassin dans le secteur vosgien.

Brillant et précoce agrégé de la Faculté de Paris, diplômé de l'Université d'Édimbourg et professeur à Londres de littérature comparée, il aurait pu prétendre sans peine à un grade d'officier, lors de la déclaration de guerre. Dès le début de 1915, son beau-frère n'a pas manqué de s'étonner qu'il n'ait pas obtenu une affectation plus en rapport avec ses diplômes et s'en est ouvert à Anna :

Je crois t'avoir signalé la lettre de J. du 31 janvier. Très souvent, en ce moment, se font des nominations d'interprètes que l'on attache à la mission militaire française affectée au corps anglais. J'enrage un peu de voir que J. ne s'y est pas pris en temps utile pour être là où ses connaissances anglaises et sa valeur de soldat l'appelaient. Maintenant entre nous, il ne serait pas surprenant que le commandement ait arrêté en chemin sa demande avec l'intention de faire de lui un officier[212].

211. M. Javillier, 1917.
212. Lettre de M. Javillier à sa femme, 7 février 1915. Archives J. Retel.

À moins que les tendances, tant soit peu anarchistes de Julien, n'aient pas été au goût de l'État-major français. Cantonné dans une région menacée d'encerclement lors des attaques sur le front de Champagne en février 1915 et qui reste une cible favorite des offensives allemandes, Julien, fidèle à ses idées politiques tout autant qu'à son idéal patriotique, se fait une gloire de son affectation. C'est avec fierté qu'il a envoyé à sa sœur une carte de Lorraine représentant Saint-Pierremont bombardé avec ses mots *Toutes les églises des Vosges ressemblent à des casques à pointe. Il y avait une mitrailleuse boche dans le clocher de Saint-Pierremont*[213]. Un mois plus tard, le 3 avril 1915, il écrit de même à son beau-frère :

Vieux !

Hourrah nous aurons les honneurs du communiqué. Hier 8 bombes qui sont tombées tout à côté de moi. Chambard de tous les diables. Bref une bonne après-midi qui est venu rompre la monotonie. J'ai vu une de leurs bombes. Elles me semblent peu dangereuses et ne projettent point d'éclats. Force de précision médiocre. En résultat bombes incendiaires… [214]

Loin de partager avec son beau-frère cette témérité désinvolte, Maurice Javillier sait que les petites bombes presque inoffensives, risquent de faire place à des gaz mortels, lors des futures attaques allemandes. Mais s'il partage l'angoisse secrète d'Anna, il la tait avec le même courage. Contre le pire, le désespoir, l'attente de plus en plus insupportable, il trouve encore, par une correspondance assidue avec ses proches, ses collègues et amis, la force de rester humain face à l'inhumanité.

La force de l'écrit

Il est bien évident que le comportement exemplaire du pharmacien aide-major Javillier a un secret. Le secret de cette conduite apparemment sans faille est sa femme, Anna, avec laquelle il entretient une correspondance quotidienne. Arrivé le 27 novembre 1914 à Dunkerque, il rédige déjà sa dix-septième lettre, au lendemain du premier Noël de guerre. À peine deux mois plus

213. Carte de Julien Champenois à sa sœur, 17 mars 1915. Archives J. Retel.
214. Lettre de Julien Champenois à M. Javillier, Samedi Saint, (avril) 1915. Archives de J. Retel.

tard, le 10 février 1915, il écrit sa quarante-septième missive et le 18 mars de la même année la soixante-treizième. Avec la discipline et l'ordre qui le caractérisent, il numérote en effet chacune de ses lettres et les enregistre dans un « précieux » petit carnet.

Je t'envoie, ma chère grande, la petite provision de baisers quotidienne ou presque quotidienne. D'après le précieux petit carnet, cette lettre est la 73e. J'espère bien que j'en suis au moins à la moitié. Correspondre rapproche les pensées, mais fait sentir plus vivement le chagrin et l'éloignement. Attendons. D'autres heures sonneront qui nous dédommageront de celles-ci[215].

Bien que ce devoir épistolaire, par son exigence même, soit le garant du moral constamment gardé, en apparence, par Maurice Javillier, ses lettres laissent parfois filtrer, à son insu sans doute, la douleur de la séparation, l'inquiétude, la lassitude et la fatigue. *Suis fatigué. Envie de dodo. Mille Baisers,* a-t-il avoué le 17 mars[216]. Mais Anna, avide de recevoir s*a petite provision de baisers quotidiens*[217], le harcèle à la moindre défaillance, même lorsque la responsabilité doit en être imputée à l'acheminement du courrier. Chagriné par ce comportement tyrannique, son mari s'en plaint amèrement :

C'est décourageant de t'écrire, ma chère grande. Encore une lettre de toi (celle du 6 février) dans laquelle tu me dis que je ne réponds pas à tes lettres. J'ai écrit le 1er février, le 2 (lettre à Jacqueline et à Jeannine), le 3, le 4, le 5, deux fois le 7, le 8 et me voici aujourd'hui 10 à ma 47e lettre depuis le 3 décembre. Que faut-il de plus ? Moi je n'en sais rien. Il est probable que pour des raisons que j'ignore mes lettres n'arrivent pas. Il t'est pourtant très facile de me faire savoir s'il y a, ou non, des trous dans la réception de ma correspondance puisque je numérote mes lettres. [...] *Je t'envoie un bon baiser, mais le baiser d'un petit mari déçu de voir que sa femme commence ses lettres par ces mots : « Faut-il t'écrire ? »*[218].

Sans doute n'est-il pas toujours facile de trouver un sujet digne d'intérêt dans la monotonie de la vie d'un laboratoire d'armée.

Rien de bien nouveau à te conter, si ce n'est des petites histoires sur la pharmacie militaire qui ne t'intéresseraient guère et qui témoi-

---

215. M. Javillier, Lettre à Anna, 18 mars 1915. Archives J. Retel.
216. M. Javillier, Lettre à Anna, 17 mars 1915. Archives J. Retel.
217. M. Javillier, Lettre à sa femme, 15 mars 1915. Archives J. Retel.
218. *Idem*, Lettre du 10 février 1915. Archives J. Retel.

gnent de la vieille hostilité médico-pharmaceutique, que la guerre elle-même n'éteint pas. Les pharmaciens sont en général mal utilisés et leurs connaissances techniques ne sont pas mises à profit[219].

Entrevue à travers quelques photographies reçues, la vie quotidienne de sa femme, devenue infirmière pour les blessés qui, comme partout ailleurs, affluent à Lormes, est pour lui un moment de tendre émotion qu'il dissimule aussitôt sous un ton de taquinerie :

Reçu de toi aujourd'hui une lettre du 7, une du 13 et le mot du 14 avec les photos où tu apparais entourée de tous les braves gars que tu soignes. Très heureux je suis ma chérie de te savoir soignant tous les braves garçons avec tout l'élan de ton cœur[220].

En vérité, pour les deux époux séparés, le temps semble de plus en plus long et, comme beaucoup de Français, ils s'empressent de lire dans les nouvelles de guerre qui leur parviennent la fin des hostilités qu'ils espèrent. En contact permanent avec les troupes britanniques, sur le front de Dunkerque, Maurice Javillier compte beaucoup sur le courage de ces soldats qu'il a plusieurs fois vu monter à l'attaque et surtout il met sa confiance dans la décision de leur gouvernement de tenter une diversion aux Dardanelles.

Les perspectives de la guerre restent favorables. Elles le deviennent même de plus en plus quelle que soit l'orientation que les neutres se décident à prendre. Sur notre front, reprise d'activité. Les Anglais travaillent bien à la [mot illisible]. On dit que les Boches, j'entends l'État major boche, aurait quitté Lille pour Tournai, 1er pas en arrière en en attendant d'autres. La grande affaire du jour, c'est le forcement des Dardanelles, opération importante qui nécessite plusieurs semaines[221].

De longues semaines certes et même de longs mois : alors que le projet a été conçu dès la mi-janvier 1915, c'est seulement le 6 août que les Anglais réussiront à débarquer aux Dardanelles. Mais à ce moment-là, le bonheur qu'éprouve Maurice Javillier a certainement fait passer cette réussite militaire au second plan : il vient enfin d'obtenir quelques jours de congé pour rejoindre les siens. Et il doit cette autorisation, non à quelque blessure, mais à une nouvelle récompense pour ses travaux : une citation à

---

219. M. Javillier, Lettre à Anna, 7 février 1915. Archives J. Retel.
220. *Idem.* Lettre du 17 mars 1917. Archives J. Retel.
221. *Idem*, lettre du 18 mars 1915. Archives J. Retel.

l'ordre de l'armée, le 11 août 1915. Mise dans la confidence de ce qui se tramait dès le mois de juin, Anna n'a pas pu garder son bonheur pour elle seule et s'en est ouverte à mi-mot à son amie Madame Morin, qui, à son tour, devinant ce qui se prépare, s'est empressée d'envoyer à Javillier une carte de Seine et Oise où elle est venue voir son mari :

Cher ami, je suis vers mon gros !... Et cela en grande cachette !... Nous parlons bien souvent de vous ; j'ai reçu de votre chère femme une longue lettre : elle me dit : « Je suis fière de lui », sans me dire pourquoi, mais je vous connais et je vous devine... Vite exterminez nous cette nation maudite ! La science et le courage nous donneront le dernier mot et fin septembre la paix[222].

La joie dont témoignent ses collègues, ses relations et à plus forte raison sa famille, montre des liens d'affection solides que Javillier a su tisser autour de lui. Julien avec lequel son beau-frère entretient une correspondance presque aussi régulière qu'avec Anna, est le premier à s'en réjouir. Le 13 août, il lui fait parvenir, sur une carte lettre, les horaires de train entre Paris et Avallon et, quelques jours plus tard, d'une tranchée, en pleine attaque, il le félicite sur le ton de plaisanterie qui lui est coutumière :

Oui, on t'attend là-bas et ce n'est pas 4 mois 6 jours d'après les derniers arrêts que tu passeras chez les tiens... J'entends un aéro. Je sors au-dessus pour y aller voir les obus qui tombent tout autour de nous. A toi. Julien[223].

De fait, la permission sera de bien courte durée et dès septembre, Maurice Javillier a regagné son poste à Dunkerque où l'attend une joyeuse lettre de son beau-frère, bien décidé cette fois à quitter le rang de simple soldat :

Tu as tellement voyagé que mes lettres en sont devenues d'une irrégularité choquante. Apprends donc, vieux, que ma proposition est chose faite, je n'ai plus qu'à patienter. Il faudra une bonne petite attaque pour éclaircir les rangs. Il vient en effet d'entrer une quantité de gradés qui avaient fait jusqu'ici la campagne au dépôt.

N'oublie pas de m'envoyer le texte de ta citation.

Sais-tu quelque remède propre à diminuer mon appétit. J'en suis effrayé. N'oublie pas peticulos[224].

222. Lettre de B. Morin à M. Javillier, 24 juin 1915. Archives D. Dubois.
223. Lettre de J. Champenois à M. Javillier, 21 août 1915. Archives D. Dubois.
224. Lettre de J. Champenois à M. Javillier, 31 août 1915. Archives D. Dubois.

Cette mobilisation de la réserve des gradés n'annonce en fait rien de bon. Loin d'apporter la paix, comme le souhaitait l'impétueuse « Tatabé » Morin, la guerre n'a fait que s'étendre. Désormais c'est le Monde entier qui est en feu. Depuis juillet les troupes allemandes, en s'infiltrant par l'Afrique du Sud sont parvenus à conquérir le sud-ouest africain. Les « Neutres » loin de peser dans la balance de la paix, se sont laissés gagner par la fureur belliqueuse qui agite la terre. En août l'Italie a déclaré la guerre à la Turquie et le 6 septembre, la Bulgarie s'est engagée aux côtés de l'Allemagne. Devant ce désastre si contraire à ses espérances, Maurice lui-même, laisse percer son découragement.

Je ne suis pas très disposé à écrire longuement. D'ailleurs rien de neuf. Ici du moins. La Bulgarie se déclenche contre nous. Mauvais bouillon. Ces Bulgares sont les Boches de l'Orient. S'ils pouvaient ceux-là aussi recevoir une frottée, çà ne serait pas volé. Je crois que cela va être le signal d'une nouvelle guerre Balkanique. L'Europe n'est pas près de retrouver sa stabilité. Mais les Boches ont l'air d'avoir le dessus pour l'instant. Je crois que l'heure avance où leur fortune tournera[225].

Du côté du front de Verdun où Julien est retourné après une permission au mois de mai, le moral n'est guère plus brillant.

Cher vieux, Les lettres marchent ; me sentant flemme ce soir je ne t'écris qu'une carte. Et pourtant je suis en veine épistolaire et écris d'effroyables tartines à Nini Anna. J'espère qu'elles lui font plaisir. Je te néglige mon pauvre vieil isolé et pourtant je te sais maudissant le destin comme un diable. Hélas, moi non plus, je ne lis plus et les livres sont si encombrants. On a beau les dévorer, on ne les mange jamais et il faut les porter[226] *!*

Ainsi, les livres eux-mêmes, qui avaient si longtemps été un véritable refuge pour les membres de la famille Champenois-Javillier semblent avoir perdu leur rôle de talismans protecteurs. Cet aveu partagé par les deux beaux-frères est assurément un symptôme très grave. Sans arrêt dans les lettres de Maurice, les livres étaient présents soit qu'il en envoie, par colis, à sa femme et à ses petites-filles, soit qu'il plaisante Anna sur ses choix. *Tu lis Le Démon de Midi ? Est-ce bien une lecture de célibataire ? Moi je lis*

225. Lettre de M. Javillier à sa femme, 22 septembre 1915. Archives J. Retel.
226. Lettre de J. Champenois à M. Javillier, 17 novembre 1915. Archives D. Dubois.

Walsh au temps de la Comète, mais je m'endors vite et la lecture ne progresse guère[227].

Cette fois, l'heure est grave et Maurice, pas plus que Julien n'a le cœur à lire. Le 25 septembre, pour la première fois, les Alliés ont fait usage des gaz toxiques. Comment un chimiste qui a suivi la fabrication de cet outil de mort, peut-il accueillir sans être bouleversé la lettre de félicitations qu'un de ses collègues lui adresse tardivement pour sa citation :

J'aperçois à l'instant dans l'Union pharmaceutique la citation, très élogieuse, à l'ordre du jour de l'armée, pour vos recherches sur les gaz asphyxiants. En t'adressant mes plus sincères félicitations pour cette haute distinction, serait-il indiscret de te demander, pour en faire bénéficier les « poilus » de ma division, une note de ces travaux.

J'essaie moi-même de faire quelques recherches sur le traitement des plaies de guerre. Nous avons, hélas, en ce moment un champ trop vaste d'expériences[228].

Mais il faut continuer à survivre. De son côté Julien s'est ressaisi et discute avec son beau-frère des mérites comparés de Loisy et de Sertillonges : *Je suis pour Loisy. Sans phrase, lui seul a su exprimer la question que j'essayais vainement de formuler. Quant à S. j'aime mieux son style que sa pensée quoiqu'il y ait de nombreuses boursouflures et un peu d'emphase*[229]. Ce regain d'intérêt littéraire correspond en fait à une remontée en flèche de son moral, grâce à une permission qui se profile pour Julien.

Tout va bien. Formule usuelle. Mais un peu plus vraie aujourd'hui qu'hier. D'où encre qui est un luxe dans la tranchée. Je t'ai promis une lettre. Je viens de l'envoyer à ta femme ; ma grande Anna, toute courageuse qu'elle soit, souffre comme nous deux de l'isolement. Niné vient de me promettre du « tortrouilla », je ne puis résister à l'offre et j'espère partir bientôt. Tu seras prévenu, à temps, je ferai l'impossible pour cela. Tibi Julien[230].

---

227. *Post scriptum* de la mère de M. Javillier à Anna, 18 mars 1915. Archives J. Retel.
228. Lettre du pharmacien ambulancier Jargnoux à M. Javillier, 18 novembre 1915. Archives D. Dubois.
229. Lettre de J. Champenois à M. Javillier, 7 janvier 1916. Archives D. Dubois.
230. Lettre de Julien à M. Javillier, 18 janvier 1916. Archives D. Dubois. Cette lettre contrairement aux autres toutes écrites au crayon, est rédigée à l'encre noire.

Mais en fait du « soleil » dont il avait pu profiter l'année précédente [231], c'est l'enfer de Verdun qui l'attend. Un mois plus tard, le 21 février, les Allemands commencent l'offensive par un bombardement sans merci sur 13 kilomètres autour de Verdun. Malgré l'hécatombe qui résulte de cet impitoyable combat, Julien n'obtiendra pas la promotion dont il plaisantait quelques mois plus tôt. Il change seulement d'arme et de fantassin, il est promu artilleur. Profondément inquiet pour lui, Maurice tente de plaisanter de la situation pour rassurer sa femme :

Alors tu sais que ton frère est devenu artilleur. Oh ! Un artilleur de rien du tout : il ne va manipuler que du 37. Drôle de guerre où les cavaliers deviennent fantassins, les fantassins artilleurs[232].

Le ton ironique cache mal une crainte éprouvée à juste titre, car en août 1916, le front de Verdun est devenu un enjeu essentiel pour les combattants des deux camps. Au prix de meurtriers combats les Français tentent d'arrêter l'avancée allemande et de reprendre les places fortes perdues. Quatre jours plutôt, Maurice a fait parvenir à son beau-frère un masque à gaz, dont celui-ci le remercie sur le ton badin d'usage :

Cher vieux. Reçu petit truc = me semble parfait sous tous rapports. Puis-je m'en servir tel que tu me l'as envoyé ? Est-il imprégné ou faut-il que je l'imprègne ? Merci. Écris moi vite. Tout va bien. Repos. A toi de tout cœur[233].

Mais Julien n'aura pas à en faire usage. C'est une arme traditionnelle, un obus explosant près de lui qui l'ensevelira. Heureusement protégé par son casque, il sera retiré blessé et évacué. Il poursuivra la guerre ultérieurement comme instructeur.

Le tribut d'un homme de science

Pour beaucoup de *Poilus*, « l'enfer de Verdun » est la seule image qu'ils garderont de 1916. Commencée en février par le flux des victoires allemandes, la perte de Douaumont le 25, du fort de

231. « Vieux, je pars pour 6 semaines à l'arrière. C'est-à-dire très vraisemblablement du côté de Nice ou de Cannes. J'ai besoin de soleil. Je le sens. » Lettre de Julien à M. Javillier, 8 avril 1915. Archives J. Retel.
232. Lettre de M. Javillier à Anna, 25 août 1916. Archives J. Retel.
233. Lettre de Julien à M. Javillier, 21 août 1916. Archives D. Dubois.

Vaux en juin, puis, au cours de l'automne, le reflux avec l'attaque française à Verdun le 24 octobre et la reprise du fort de Vaux le 7 novembre, la marée sanglante de « la bataille de Verdun » aura recouvert de ses flots morbides presque toute l'année.

Mais pour aussi héroïques que soient ces combats ou ceux de la Somme, ils ne doivent pas faire oublier que la première guerre mondiale se déroule également sur mer et « sous la mer ». Employant contre la Grande Bretagne une tactique qui leur a bien souvent réussi, notamment contre la France, les Allemands ont, dès le début de 1915, décidé le blocus de l'Angleterre par leurs sous-marins. Celle-ci, évidemment n'a pas manqué de répliquer en coulant tous les navires marchands ravitaillant l'Allemagne, au grand déplaisir des Américains, menacés dans leur commerce.

En 1916, les bombardements des zeppelins sur Londres n'étant pas parvenus à faire céder les Britanniques, les Allemands ont encore intensifié une guerre sous-marine dans laquelle, la France est naturellement engagée. Or, dans le courant de cette année-là, se produisent à bord des sous-marins français plusieurs intoxications graves parmi les équipages. La durée des plongées beaucoup plus longues que lors des exercices en est la cause. Encore faut-il savoir pourquoi l'air respiré par les marins devient toxique au bout d'un certain temps. Les qualités du microanalyste qu'est Maurice Javillier le désignent naturellement pour cette recherche. Répondant aussitôt à ce nouveau tribut que la France exige de l'homme de science qu'il est, Javillier fait plusieurs plongées à bord du Frimaire afin de prélever divers échantillons d'air tout au long de l'immersion et parvient ainsi à prouver que cet air renferme des traces d'hydrogènes arsénié et stibié. La difficulté de cette recherche résidait dans la très petite quantité d'arsenic et d'antimoine à déceler. *Pour atteindre à des données quantitatives nous avons fait passer en 3 jours, 710 litres d'air dans un appareil que nous avions disposé à bord dans le compartiment des accumulateurs*[234].

Car il ne suffit pas, bien sûr, à Maurice Javillier d'avoir identifié l'agent toxique, il veut également connaître la cause de son apparition et, fort de sa recherche sur les bières arsenicales, il ne

234. Lettre de Julien à M. Javillier, 21 août 1916. Archives D. Dubois.

manque pas d'associer la production d'hydrogène arsénié « à l'utilisation d'électrolytes fabriqués avec des acides sulfuriques arsenicaux ». Cette réussite, lui vaut à la fin de 1916, de pouvoir regagner Paris. *En décembre 1916, nous avons été envoyé en mission à Paris pour être adjoint à la commission constituée par M. le Ministre de la Marine pour l'étude d'accumulateur de sous-marins et en février 1917 relevé de nos fonctions au laboratoire du 36ᵉ C. A. et maintenu détaché au ministère de la Marine. Depuis lors nous avons fait, sous la direction et en collaboration avec Monsieur le professeur Gabriel Bertrand, certaines des recherches chimiques imposées par les travaux de la commission, nous avons effectué à Cherbourg plusieurs missions et nous avons été chargé (juin 1917) de la rédaction du rapport général de la question de l'arsenic dans les accumulateurs des sous-marins*[235].

Déjà le décès de son beau-père, à la fin de décembre 1916, lui a donné trois jours de permission pour aller à Lormes retrouver sa famille. Et à partir de février 1917, malgré de fréquentes missions à Cherbourg qui l'obligent à participer à des manœuvres dangereuses pour sa santé, Maurice Javillier a ainsi la joie de retrouver la capitale, ses amis et ses collaborateurs pastoriens. Le 17 mai, affecté au Lycée Buffon, boulevard Pasteur, il déménage de la rue de Staël à sa parallèle immédiate pour s'installer au 19 de la rue Ernest Renan.

Certes la fin de la guerre, tant attendue et depuis si longtemps, n'est pas encore là, mais l'espoir renaît. L'intensification de la guerre maritime par l'Allemagne, dès la fin de janvier 1917, a provoqué le brusque revirement du président des États-Unis, Woodrow Wilson, pourtant réélu avec une faible marge grâce à son engagement formel de maintenir son pays en paix. La publication dans la presse américaine de la dépêche de Zimmermann appelant le Mexique à attaquer les U.S.A., atteint, cette fois, l'opinion publique et permet à Wilson de se ranger aux côtés des alliés.

Cette prise de position inespérée va enfin permettre à Julien, remis de ses blessures, de se voir enfin offrir une tâche conforme à ses connaissances en devenant, aux États-Unis, instructeur des troupes américaines.

235. Lettre de Julien à M. Javillier, 21 août 1916. Archives D. Dubois.

Aussi, malgré le comble de l'horreur apportée par la révolution russe qui libère l'Allemagne du front Est et les mutineries réprimées, en France, par des fusillades, l'année 1917 se termine dans une lueur d'espoir grâce à l'arrivée des Américains aux côtés des alliés épuisés.

Quittant le Morvan, Anna Javillier et ses deux filles ont regagné la capitale, à la grande joie de Jacqueline. Malgré le charme indéniable du bourg de Lormes au pied des forêts morvandelles et celui de la curieuse maison familiale avec son jardin et ses nombreuses pièces réparties selon un plan biscornu, toute éclairée des chaudrons, bassinoires, pots et bassines en cuivre sortis des mains de l'arrière grand-père d'Anna Champenois, dinandier de son état, la fille aînée des Javillier a trouvé les trois années passées loin de Paris, fort pénibles.

Trois ans, c'est bien long dans la vie d'une petite-fille qui en comptait tout juste onze en 1914. D'autant que ces trois années, pour Jacqueline se sont écoulées avec pour seul horizon la belle armoire sculptée aux initiales de ses aïeux et les souffrances de son grand-père Champenois paralysé et incapable de parler. Cette triste situation a rendu encore plus douloureuse pour elle l'absence de son père ; un père, avec lequel tout pouvait arriver. Telle cette visite chez le directeur d'un hôpital psychiatrique, ami de M. Javillier, au cours de laquelle un malade ayant demandé ce qu'il tenait dans sa main fermée, Jacqueline entendit le docteur répondre le plus sérieusement du monde; « Une locomotive », et l'autre, ravi, de répliquer : « Comment l'avez-vous deviné ? » À l'âge où le merveilleux fait partie de la vie enfantine, comment Jacqueline n'aurait-elle pas été éblouie par de tels instants ? Mais ce merveilleux s'en était allé avec la guerre, avec son père. Aussi, un soir, a-t-elle envisagé de le rejoindre et de faire son baluchon pour s'enfuir... pas très loin, cependant. Les lettres de l'absent, pleines de tendresse pour « ses petites-filles » et même les colis envoyés du front *au nom de Mesdemoiselles Jacqueline et Jeannine [contenant] des langues de chat du crû, des gaufres fourrées, les petits gâteaux et un livre pour la maman – Le Rouet des brumes – un pour Jacqueline et deux petits livres roses pour Jeannine*[236] n'ont pas suffi à calmer la détresse de la fillette. Ces tristes années, en l'isolant

236. Lettre de M. Javillier à sa femme, 17 mars 1915. Archives J. Retel.

dans un cocon de tendresse et de solitude, resteront dans ses souvenirs comme une épreuve ayant gâté à jamais le temps si précieux de l'adolescence.

Comme pour ces hommes arrachés à leur vie quotidienne, la guerre reste pour elle une rupture dans sa vie d'écolière. Inscrite depuis trois ans dans un cours parisien, elle s'est retrouvée loin de ses amies de classe et privée de la compagnie des autres enfants. Converti aux dimensions d'un gros bourg de province, le rang social de la famille a pris une importance qui n'existait pas dans le brassage de la capitale. À Lormes, des enfants de petite bourgeoisie commerçante ne sauraient se mêler avec ceux des paysans et manœuvriers d'alentour. Les demoiselles Javillier ont donc poursuivi leurs études en leçons particulières. Sans doute ces leçons à domicile ont-elles été également imposées par la santé de la cadette Jeannine. Âgée de sept ans à la déclaration de guerre, Jeannine, surnommée Niné, venait de faire une crise de tuberculose osseuse et ne pourra plus jamais suivre le cursus normal des écoliers. Malgré les cours de latin d'un bon curé du village voisin où Jacqueline se rendait seule, en avance, dans l'espoir de rencontrer des enfants de son âge à la sortie du cours précédent, ces longues années resteront pour l'aînée des petites Javillier une source de regrets amers et même douloureux[237]. Mais déjà son âme de jeune poétesse s'en inspire et à l'occasion d'une composition française où elle devait évoquer de vieux objets retrouvés dans un grenier, au cours d'une journée maussade, elle dépeint ses retrouvailles avec le vieux cheval de bois de son enfance, enfoui au fond d'une malle.

Il n'avait rien conservé de son ancienne splendeur mon petit cheval, et pourtant je l'admirais. Je le regardais longuement dans une sorte d'extase [...] *Je pensais à ceux qui n'y sont plus et que mon petit cheval avait connus avec moi. Je pensais à mon bon grand-père qui était si heureux de me voir heureuse et qui riait de bon cœur avec nous quand j'avais un jour combiné un attelage à l'aide de mon inséparable petit cheval, de vieilles cordes usées et le chariot de bébé de ma sœur encore si petite et si gentille à ce moment là ; je pensais à tonton qui est maintenant à la guerre, et qui avait tant de fois réparé les pédales et la mécanique de mon petit cheval, il n'est pas jusqu'à mon*

237. Cf. F. Retel, *op. cit.*

vieil ami le chien Miro à qui j'envoyais un souvenir de regret. Je me rappelais combien mon bon gros chien était doux et fidèle et la jalousie que ressentait Miro quand je m'occupais trop longtemps de mon cheval ; eh bien, il a fallu l'abattre l'an dernier, car il était malade[238].

Mais la joie d'avoir retrouvé « son petit père chéri » a eu raison de ces chagrins d'enfant et c'est le cœur heureux qu'elle prend la plume pour annoncer à Maurice Javillier, demeuré rue E. Renan, que toute la famille est bien arrivée à Lormes après un agréable voyage [239]. La perspective, après ces vacances, d'entrer au Lycée Victor Duruy pour préparer un double baccalauréat de lettres classiques et de sciences, semble avoir gommé toute sa morosité.

Malheureusement, le retour à Paris sera de courte durée. Les Allemands ripostent rapidement à l'avancée des troupes américaines et, dès le mois de mars 1918, bombardent la capitale avec leur canon à longue porté mis au point par le manufacturier Krupp. À plusieurs reprises, les assauts répétés de la « grosse Bertha », prénom de madame Krupp, obligent la famille Javillier à se réfugier dans la cave de leur immeuble. Ces séjours réitérés seront pour Anna et ses filles l'occasion de faire connaissance avec les habitants du cinquième étage, un ingénieur, ancien élève de l'École de Physique et Chimie de Paris, Jules Séjournet, réfugié à Paris avec sa femme Thérèse, après avoir dû abandonner sa fonderie d'aluminium, située au-delà de la ligne du front et dont il ne subsistera rien. Cependant, les bombardements se multipliant, Anna Javillier juge plus prudent de se réfugier à nouveau à Lormes.

Affecté depuis février 1918 au département des expériences chimiques de guerre, Maurice Javillier se plaint bientôt de troubles rénaux et nerveux que les médecins attribuent aussitôt à une intoxication par les gaz. Dès 1915, l'un d'eux a déjà attesté que *Maurice Javillier a, par des recherches conduites avec un esprit scientifique remarquable, contribué très activement à la détermination des gaz toxiques employés par l'ennemi et à la mise en œuvre des moyens propres à en combattre les effets, s'est dans ce but exposé lui-même à l'action prolongée et dangereuse de ces gaz, soit pendant les expé-*

238. Jacqueline Javillier, Composition française manuscrite [1917]. Archives J.-S. Retel.
239. Lettre de Jacqueline à son père, 10 juillet 1917. Archives D. Dubois.

riences d'études, soit pendant les démonstrations pratiques faites aux troupes pour l'utilisation des appareils protecteurs[240].

Si ces actes de courage lui ont valu d'être fait chevalier de la Légion d'Honneur à titre militaire, le 19 juillet 1918, ils ont également entraîné une sévère intoxication qui ne lui permet plus de travailler aux armes chimiques. Ayant détecté une albuminurie intermittente, mais surtout un grossissement du rein gauche sensible à la palpation, les médecins du service de santé jugent plus prudent de lui accorder une longue convalescence de quarante-cinq jours en juillet et août. Le 2 septembre 1918, les troubles persistent : aux douleurs néphrologiques s'ajoutent bientôt des vomissements qui l'empêchent d'ingérer toute nourriture hormis le lait. Le moral lui-même est atteint provoquant une forte asthénie, des troubles nerveux et un amaigrissement qui nécessitent une prolongation de la convalescence, puis une cure à Néris-Les-Bains. Malgré le mieux constaté, il ne peut être question pour lui de reprendre un travail qui compromettrait l'effet de sa cure[241].

Pourtant, autour de lui, la joie est revenue, et après 1.561 jours de guerre, le mardi 12 novembre 1918, *le Journal,* dans son édition de 8 heures du matin, annonce la capitulation de l'Allemagne et le premier jour de paix.

Une paix que Maurice Javillier, finalement démobilisé officiellement le 6 février 1919, mettra à profit en retrouvant G. Bertrand à L'Institut Pasteur.

---

240. Certificat du 30 août 1915. Dossier militaire de M. Javillier. Archives J.-S. Retel.
241. Lettre du médecin de Néris, s.d. Dossier militaire de M. Javillier. Archives J.-S. Retel.

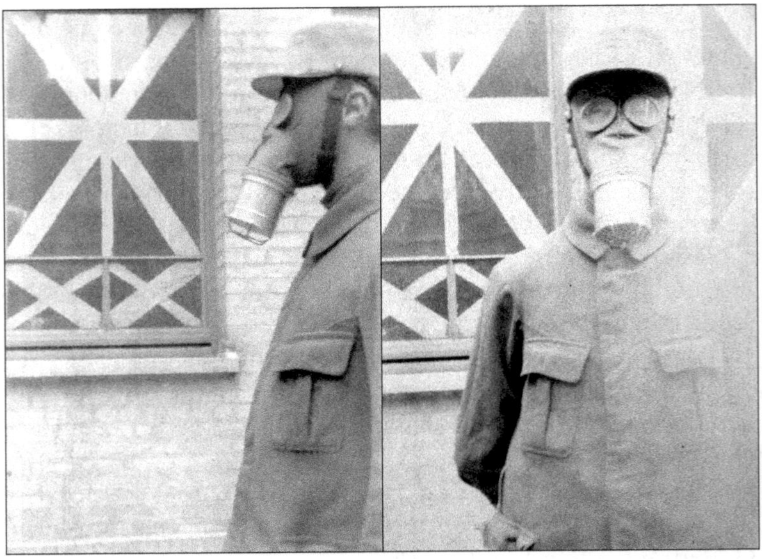

LE RESPIRATEUR JAVILLIER-CADROY.

8
La vie pour objectif (1922-1937)

Qu'il me suffise d'avoir tenté de montrer que la chimie a sa façon de comprendre le vivant, qu'elle peut l'expliquer sans emprunter termes et points de vue, ou à d'autres sciences, ou à la Philosophie, ou à la Foi.

M. Javillier.

De toutes les ruptures qui jalonnent l'histoire de l'humanité, la guerre de 14-18 est assurément la plus violente et la plus totale. Il n'est pas un seul domaine qu'elle ait épargné. Tandis que les empires, derniers vestiges de ceux de Charlemagne et de Pierre Le Grand, disparaissent de la scène politique et qu'à l'Est se lève l'idéologie communiste, le retour au foyer des survivants bouleverse l'ordre social et la vie quotidienne. Dans les emplois et responsabilités que les hommes seuls accomplissaient avant la guerre, à l'usine comme à la campagne, les femmes ont su les remplacer et il faudra désormais compter avec elles. L'éternelle mineure du Code Napoléon, est révolue. Les Anglais ont déjà montré l'exemple : depuis le 5 janvier 1916, les femmes mariées et âgées de plus de 30 ans ont obtenu le droit de vote.

Au quotidien, il faut réapprendre à vivre avec les absents, morts ou disparus dans ces bouillies sanglantes hachées par la mitraille et mêlées à la boue des tranchées. Réapprendre à vivre avec les « gazés », les « estropiés », les « gueules cassées », si méconnaissables que certains, pour ne plus lire dans les yeux de leurs proches, le reflet de la terreur qu'ils inspirent, iront chercher la mort qui les avait épargnés.

Il n'est pas jusqu'au paysage qui ne garde des traces indélébiles du conflit. La grande plaine du Nord sera à jamais un immense cimetière où les croix de bois s'alignent à perte de vue comme les ceps d'une vigne vendangée, et les forêts des Vosges ne sont plus que des troncs déchirés dont les branches calcinées crient vengeance au ciel.

Quoi que l'on fasse, même si l'on se tait, même si pour se donner du courage, on ne parle plus que de la « raclée » infligée aux « Boches », il y aura toujours, désormais, un avant et après. Et dans cet « après », il ne sera plus jamais possible de vivre comme « avant ».

Même l'armistice, tant espéré, est noyé de larmes nouvelles. La grippe espagnole, comme un fléau abattu sur les hommes pour les punir de tant de cruautés, ajoute ses ravages dans les rangs des civils et des survivants. Pour bien des combattants, la paix, tant attendue, est arrivée trop tard, au-delà de tous les découragements, au bout de trop de souffrances.

Lorsqu'on m'annonça la signature de l'armistice, que crois-tu que j'ai dit ? Vive la France ? On les a eus ?

– J'ai dit « ouf », mon vieux, voilà ce que j'ai dit[242].

Combien sont-ils ces artistes célèbres, ou sur le point de l'être, qui, comme l'auteur de cette lettre, n'ont trouvé à leur retour que la « cendre de leurs rêves » et portent au cœur le deuil d'une vie antérieure à jamais disparue ? L'art, touché par la mort de Charles Péguy et d'Alain Fournier tombés au champ d'honneur, de Guillaume Appolinaire et de Jacques Vaché décédés des suites de la guerre, sonne le glas des temps heureux aux délicates nuances impressionnistes et s'invente surréaliste, au-delà de toute réalité, comme cette guerre a été au-delà de toute raison.

Et les scientifiques, enrôlés dans un pacte infernal, comment pourraient-ils encore célébrer avec la même innocence le culte de la science ? *Pourquoi faut-il que cette puissance de l'homme qui le remplissait d'orgueil, ait eu comme une revanche de la Nature domptée mais rebelle, la plus terrible rançon ?* écrira Charles Moureu. *Le tranchant de la science est double, et si elle a dans une mesure considérable, amélioré la condition humaine, il s'est rencontré une nation de proie, une race barbare, qui a tenté de la détourner de sa mission humanitaire pour satisfaire des appétits de domination universelle*[243].

242. Lettre de Bissérié à Jean Sarment, 17 novembre 1918. Association des Amis de la bibliothèque municipale de Nantes, « Correspondances à l'aube du surréalisme », *La Nouvelle Revue nantaise*, n°4, Nantes, édition Memo, 2004.
243. C. Moureu, *op. cit.* p. 355.

La foi blessée

Pour un homme comme Maurice Javillier cette révélation est la négation même de la foi en la science qui l'a illuminé depuis l'enfance. C'est l'anéantissement d'un patrimoine transmis comme un trésor. Est-ce pour cela que, lui, si naturellement enclin aux confidences personnelles, ne se livre sur ce sujet qu'indirectement ? Il faudra attendre le choc du second conflit mondial pour que, çà et là, dans ses allocutions, résonne l'écho dissonant des fêlures du passé.

Pourtant, comparée à bien d'autres familles, celle des Javillier semble privilégiée. Si la mort de Jacques Champenois en 1915 après sept ans d'immobilité totale est une délivrance, plus difficile à vivre est l'absence de Julien qui, la guerre finie, a choisi de rester de l'autre côté de l'Océan, où il entend se consacrer à la diffusion de la culture française auprès des étudiants. Désormais seul son casque cabossé, suspendu dans une chambre de la maison de Lormes gardera le souvenir de cet oncle adoré qui, même au front, prenait le temps d'écrire « à ses petites chéries ».

À cet éloignement qui, même passager, puisque Julien reviendra à Lormes presque tous les étés, est d'autant plus pénible pour sa sœur et surtout sa mère que dans la famille Champenois on s'aime avec la même passion que l'on se querelle aisément, s'ajoute la mauvaise santé de Maurice Javillier, non remis de son intoxication par les gaz. Mais, pour lui, les plaies les plus profondes sont assurément celles qu'il porte à l'âme, comme beaucoup de ses collègues, face à l'anéantissement de ses croyances de jeunesse.

Loin de préparer la venue d'une humanité meilleure, la science s'est laissé dévoyer et a servi de révélateur aux travers les plus cruels des hommes. La science n'est plus un talisman entre les mains du savant pour conduire de découvertes en merveilles jusqu'à l'Éden promis par Berthelot ; la science n'est plus qu'un objet dont on se sert, sur commande, au gré des pulsions politiques. Elle est un moyen d'action – rien d'autre – au service de la domination, prisonnière, à jamais dépendante des besoins militaires. Auprès de la science des armes aussi vieille que l'humanité, la guerre de 14-18 a inventé une « science de guerre » en maquillant ce qu'étaient avant, tout bonnement les sciences utiles et bienfaitrices dans les mains des savants. Et ces mêmes savants ont depuis, intégré le troupeau des militaires et des marchands de canon. Le Sabre, après son divorce d'avec l'Église, vient d'unir son destin avec l'Éprouvette.

L'exemple du chercheur solitaire dans un laboratoire de fortune, dont l'unique combat avait pour arène l'Académie des Sciences, n'est plus. Comme en Allemagne, grâce aux leçons de la guerre, il peut espérer désormais obtenir quelque argent des pouvoirs publics. Mais n'est-ce pas au détriment de son image ?

Si, dans les années qui suivent la fin de la guerre, la puissance industrielle allemande est devenue le modèle que la France voudrait suivre, derrière le visage de Pasteur, sauveur de l'humanité, grimace le masque de Fritz Haber sur un fond d'usines chimiques.

L'homme de science ne vit plus à l'abri de sa tour d'ivoire, il est devenu, lui aussi, un objet – ou un sujet – de convoitise dans les mains des Nations, un éternel mobilisé. De cette dépendance nouvelle, une circulaire émanant du Ministère de la Guerre, dans les années trente, témoigne, dans les archives de l'Institut Pasteur. La question étant de savoir *Quels seraient, en cas de mobilisation scientifique de la Nation, les besoins en personnel, matériel et laboratoires, en temps de guerre ?*, la réponse se base naturellement sur ce qui structure désormais toute réflexion d'avenir, *l'expérience de la dernière guerre,* et fait état de quatre styles de laboratoires réquisitionnables, celui des vaccins, le service vétérinaire pour les sérums, les laboratoires d'armée et enfin, *ceux de chimie qui ont contribué à l'étude des substances à employer pour la construction des masques contre les gaz et aussi pour les productions de nuages artificiels, de fumées etc...*[244]

Un *et cætera* pudique qui garde secrète, même pour le Ministre de la Guerre, une recherche tombée dans le silence mais non dans l'oubli.

La mobilisation permanente des scientifiques est, elle aussi, une conséquence de la guerre de 14-18. Par les différents aspects qu'elle a pris au cours des phases du conflit, elle a effacé, ou tout

244. Carton DR, correspondances des directeurs, correspondance du Dr. Roux avec les ministères. Archives de l'Institut Pasteur.

au moins déformé pour s'en écarter, la mobilisation des savants de 1793. De part et d'autre des frontières ont surgi de nouveaux visages. Dans ses engagements personnels et isolés ou collectifs et organisés, selon le clivage de l'Histoire qui sépare l'avant et l'après 22 avril 1915, cette mobilisation innove par sa pérennité au-delà de la guerre. Est également nouveau l'acte collectif des savants allemands signant leur adhésion à la guerre contre la France et rompant, par le manifeste des 93, le pacte fraternel qui unissait les intellectuels européens.

Désormais la haine entre gens de même essence, entre adeptes du pur savoir, fait partie des déchirures héritées du conflit. Les passions attisées par le vent de la peur ont dressé l'Europe contre le monde germanique.

Et même si Charles Moureu envisage *de regrouper au moins les peuples amis de la France en une vaste union dont les efforts se conjugueraient pour les progrès des sciences, quitte à y incorporer les anciens ennemis en temps opportuns, après l'oubli normal et inéluctable des différents*[245], la science qui, depuis le XVIIe siècle, n'avait pas de patrie vient de se diviser entre amis et ennemis de la France, brisant à jamais la croyance jusque-là respectée par tous les savants. Une cassure d'autant plus profondément creusée que l'on est au temps des accusations réciproques.

Un texte, précieusement conservé par Gabriel Bertrand, suffit à faire comprendre, aujourd'hui, ce qu'a pu être l'animosité, soigneusement entretenue par des circulaires comme celle-ci. À l'appel de la Croix Rouge adressé en 1918 aux puissances belligérantes pour leur demander de renoncer à l'emploi des gaz délétères et asphyxiants, le gouvernement allemand n'a pas hésité à faire porter la faute sur les alliés.

Au cours de la guerre actuelle, le haut commandement allemand n'a cessé de prendre tout particulièrement garde à ce que toutes les mesures fussent évitées qui auraient pu donner lieu à une cruauté inutile, autant du moins que la conduite des ennemis, en nécessitant les contre-mesures, ne le forçait pas à prendre une attitude différente…[246] Une mauvaise foi aussi manifeste – même

245. M. Delépine, *Notice sur la vie et les travaux de Charles Moureu*, Académie des Sciences.
246. « Réponse de l'Allemagne à la Croix Rouge, Berlin le 20 septembre 1918 », circulaire avec sa réponse conservée dans les archives de G. Bertrand, Institut Pasteur.

si un suivi attentif des recherches entreprises de part et d'autre, permet en partie d'incriminer un dérapage dans l'escalade des essais – et surtout le ton de la réponse ne peut qu'exciter et entretenir, même après la paix, la colère des alliés. *Il serait mieux de passer au crible de la critique cette longue note, qui, sous prétexte de répondre au comité international de la Croix Rouge, lance de véhémentes accusations contre les adversaires de l'Allemagne. À qui celle-ci fera-t-elle croire que les gaz asphyxiants ne furent pas utilisés par elle longtemps avant que les autres belligérants songeassent à les employer ? Et n'est-ce pas faire preuve d'un véritable cynisme que d'en justifier l'utilisation par sentiment d'humanité pour épargner des souffrances à nos adversaires*[247] ?

Ainsi est désormais, et pour longtemps, consommée la rupture entre les deux nations de la race européenne dont l'union importait le plus. Et, comme l'écrivait de façon prémonitoire Ernest Renan, en 1870, pendant plus de vingt longues années encore, la France sera de plus en plus « superficielle » et satisfaite d'elle-même, malgré les avertissements de Charles Moureu : *Il faut évoluer. Des découvertes, la France en a fait, et plus que toute autre nation, mais trop souvent elle a semé sans se soucier de récolter, abandonnant à d'autres les profits matériels, à la manière des Grands Seigneurs. Elle a trop vécu en dilettante*[248].

Les leçons de la guerre

Pourtant, à ce climat de peur et d'hostilité, Maurice Javillier refuse de céder. Digne émule d'Émile Duclaux, il veut encore croire, comme lui, que *La patrie commence là où l'on peut avoir des passions sans avoir de haine.* Jusque dans les années 1933-34, date où le nazisme se révèle, il œuvrera pour la paix et le rétablissement de l'amitié entre les deux peuples déchirés. Lecteur assidu de la littérature et de la philosophie germaniques, il continue, chaque jour, dans son bureau, pendant une heure, à travailler son allemand. Mais bien peu sont en France, ceux qui, au lendemain de la guerre, vont accepter de tendre « aux Boches » une main conciliante.

247. « Réponse de l'Allemagne à la Croix Rouge, Berlin le 20 septembre 1918 », circulaire avec sa réponse conservée dans les archives de G. Bertrand, Institut Pasteur.
248. C. Moureu, *op. cit.* p. 379.

Car il faut le temps pour comprendre vraiment et se reprendre. Il faut le temps pour admettre que *quoi qu'il en soit, la science est en marche et rien ne l'arrêtera*[249]. Bien plus long encore est le temps qu'il faut pour dépasser le réflexe humain de la recherche d'un coupable. Naturelle est l'accusation de l'autre : l*a monstrueuse mauvaise foi des ennemis* pour les alliés, *le coup de poignard dans le dos* pour les nationalistes allemands. Spontané est également un *mea culpa* discret pour mettre en évidence les manquements qui ont conduit la France à n'être pas promptement sortie victorieuse du conflit comme elle l'avait prévue en 1914 et qui l'oblige à reconnaître l'efficacité du comportement des Allemands.

Souvent nous avons dû admirer leurs méthodes. Trop souvent aussi, nous avons souffert de nos conceptions étriquées, de notre routine, de nos organisations compliquées. Combattants de l'avant, comme travailleurs de l'arrière, après avoir beaucoup agi, ont beaucoup réfléchi. Il nous faut profiter des enseignements de cette longue épreuve[250]. C'est dans cette noble intention que l'éditeur scientifique Masson ouvre une collection intitulée « *Les Leçons de la guerre* » où les plus grands noms de la science et de l'art militaire s'investiront au cours des années 1920-1925, pour *de l'étude du passé, de nos erreurs comme de nos succès, ne retenir que les leçons fécondes, rechercher en s'inspirant des meilleures méthodes, qu'elles doivent être nos idées directrices et nos techniques générales*[251].

Plus encore qu'au lectorat scientifique des éditions Masson, ces leçons s'adressent surtout aux pouvoirs publics français et des auteurs comme Moureu n'hésitent pas, pour être entendus et exaucés, à frapper fort en concluant leur livre *qu'en dehors d'une organisation scientifique, il n'y a pour notre pays ni sécurité, ni prospérité possible. La France sera une nation scientifique où elle ne sera pas la France*[252].

Il y a cependant d'autres façons d'envisager les leçons de la guerre. Comme toujours, après les « *convulsions titanesques qui viennent de bouleverser l'humanité*[253] », la France se trouve divisée

249. C. Moureu, *op. cit.* p. 356.
250. Introduction à la collection « *Les leçons de la guerre* », Masson et Cie.
251. *Idem.*
252. C. Moureu, *op. cit.* p. 376.
253. *Idem*, p. 1.

entre les partisans de la poursuite d'une vindicte, qui attisent, au vent de la peur, une haine éternelle et ceux qui aspirent à la paix, à la renaissance d'une vie normale et constructive.

Grande est l'émotion des premiers quand, en juillet 1921, ils apprennent la suppression de « l'organisation officielle des études chimiques de guerre ». Immédiatement *Le Journal* sous le titre : « *Les leçons de la guerre sont-elles oubliées*[254] *?* », s'insurge contre l'élargissement à tous les membres de l'Entente[255], par le gouvernement français, de l'article 171 du Traité de Paris qui exige en Allemagne la destruction « de tout le matériel visant à la fabrication des gaz ». Bien qu'ayant pour objectif le retour au respect de la convention de La Haye, ce désarmement général n'est pas du goût du rédacteur de l'article et l'incite à jouer les Cassandre :

Aussi éloignée qu'on puisse la souhaiter ou l'envisager, la prochaine guerre sera la guerre de l'avion et des gaz. C'est une vérité courante, reconnue. [...] *Quel texte – ne parlons pas de considérations humanitaires – empêchera le savant à grosses lunettes de chercher à l'abri de tout regard indiscret, le meilleur produit à tuer ?* [...] *Ce qu'il faut c'est – toute sensiblerie mise à part – une organisation méthodique des études chimiques de guerre. L'Allemagne belliqueuse doit savoir officiellement, publiquement que nous sommes prêts à toute heure, sans délai, non seulement à parer tous les mauvais coups dont elle pourrait rêver, mais encore à les lui rendre au centuple*[256].

Si Gabriel Bertrand a gardé dans ses archives cet article où il est expressément nommé avec Charles Moureu et Georges Darzens comme faisant partie de ceux qui, après avoir aidé à la victoire par leurs travaux, renient, tel Saint Pierre, la Commission des Études chimiques de guerre, c'est probablement qu'il ne désavoue pas totalement les propos qui lui sont prêtés par le journalis*tes : Études chimiques de guerre ? Nous ne connaissons plus cela ! Il n'en est plus et il ne doit plus en être question. La commission n'existe plus. Le traité de Paris nous a dissous*[257].

---

254. L. Chassaigne (1921) « Les Leçons de la guerre sont-elles oubliées ? », *Le Journal,* 22 juillet.
255. Les signataires de l'Entente cordiale, c'est-à-dire les alliés de la France.
256. *Idem.*
257. *Idem.*

Sans avoir réellement énoncé de tels propos, il est probable que Gabriel Bertrand les accepte comme le reflet plus ou moins exact de la volonté, qui l'anime alors, de vivre dans la paix en rendant à la science son visage humain.

Pour lui, comme pour son ami Maurice Javillier, il est temps de croire en l'avenir. Les leçons de la guerre, à travers les progrès accomplis par la chimie grâce à l'ingéniosité dont les savants ont dû faire preuve, apparaissent à leurs yeux comme un exemple fécond de ce que l'homme est capable de faire et dont les profits désormais doivent s'appliquer à nouveau à une science bienfaitrice au service de l'humanité. Et, tandis que Gabriel Bertrand découvre pour la chloropicrine, ancien gaz de combat qu'il avait mis au point, des usages domestiques en préconisant l'utilisation de ses propriétés antibiotiques ou toxiques pour *la conservation des grains, l'étouffage des cocons et la dératisation*[258], Maurice Javillier fait de « *la chimie biologique et la guerre* » le thème de sa leçon inaugurale à la Sorbonne.

En effet, dès le mois de décembre 1916, le doyen Appel de la Sorbonne a demandé à l'Institut Pasteur que *MM. Mouton, Javillier et Jacques Duclaux, chefs de laboratoire à l'Institut Pasteur [soient] chargés de conférences de chimie physique et de chimie biologique à la Sorbonne*[259]. Le conseil d'administration, favorable *à l'ouverture à la faculté des sciences de ces conférences a donné son accord* dès janvier 1917 pour M. Mouton en spécifiant que *MM. Duclaux et Javillier mobilisés n'entreraient en fonction qu'après la guerre.*

C'est donc en tant que chef de laboratoire détaché de l'Institut Pasteur que Maurice Javillier va débuter son enseignement à la Sorbonne. Permettent cette disponibilité les modalités conclues avant la guerre pour A. Fernbach, entre les deux institutions où il était convenu que *l'Institut Pasteur verserait à la Sorbonne la somme de 6.000 francs prélevée sur son salaire pour que la situation de M. Fernbach soit régulière à la faculté des sciences*[260].

Quoi qu'il en soit, ces cours sont pour Maurice Javillier l'occasion de retrouver l'amphithéâtre qu'il a fréquenté, il n'y a pas si longtemps, en tant qu'élève pharmacien. Et c'est peut-être en

258. Allocution de M. Javillier, au jubilé de G. Bertrand, *op. cit.*
259. Archives de l'Institut Pasteur, Reg CA, séance du 20 décembre 1916.
260. *Idem.*

GABRIEL BERTRAND, PROFESSEUR DE MAURICE JAVILLIER DEVENU SON COLLABORATEUR.

contemplant sur ses murs l'œuvre d'Albert Bernard : « La vie renaissant de la mort », qu'il prend la décision de lutter autant que faire se peut contre la mort qu'il vient de côtoyer au quotidien durant cinq ans et qu'il a trouvé les termes dont il usera un jour pour définir le rôle qu'il a désormais choisi : *Un biochimiste s'occupe de la composition des organismes, des liaisons des principes entre eux et leur métabolisme, de l'organisation de la matière vivante à partir de la matière inanimée. Tout parle de vie dans son œuvre et quand celle-ci touche à des problèmes de déprédation et de mort, c'est pour que les termes de cette destruction soient les matières premières de nouvelles vies*[261].

La chimie de la vie

Si sa carrière de biochimiste le conduit en 1922, et pour de nombreuses années, à quitter le laboratoire de Gabriel Bertrand et à passer de la rue Dutot au 16 rue de l'Estrapade, dans le 5e arrondissement de Paris, cet éloignement loin d'être une

261. M. Javillier, 1917, f°1.

rupture avec l'Institut Pasteur, constitue au contraire un prolongement extérieur des objectifs poursuivis dans cette maison. La Société scientifique d'hygiène alimentaire, qui gère l'Institut où vient d'entrer Javillier, avait, en effet, vu le jour, au début du siècle, en partie grâce à Gabriel Bertrand. La réputation du jeune savant qu'il était en 1899 n'avait pas attiré que Javillier vers le Muséum. Une Roumaine, nommée Marie Pompilian, qui venait d'acquérir son diplôme de médecine à Paris, vint également lui rendre visite pour solliciter son appui. Enthousiasmée par les travaux de l'Américain Attwatter sur l'équivalence calorique et énergétique des aliments, elle envisageait de les étendre aux malades en créant une chambre calorimétrique avec l'espoir que Bertrand l'aiderait de ses conseils et de ses relations. Elle ne s'était pas trompée. Le professeur Mallèbre, de l'Institut d'agronomie, et le docteur Émile Roux, alors sous-directeur le l'Institut Pasteur, sollicités par G. Bertrand donnèrent leur accord, rejoints bientôt par d'autres personnalités, tant du monde scientifique que médical ou politique.

Cinq ans plus tard, cette première initiative donnait naissance à la Société scientifique d'hygiène alimentaire qui avait pour but *d'étudier et de vulgariser les meilleures méthodes d'alimentation scientifique et économique de l'homme dans toutes les conditions de la vie et à tous les âges ainsi que de déterminer les règles de l'hygiène alimentaire*[262].

Reconnue d'utilité publique, le 27 juillet 1904, soit quatre mois à peine après sa fondation, elle bénéficiait par décret d'un rôle consultatif auprès du gouvernement *sur l'application des lois, décrets et règlements relatifs aux questions d'alimentation de l'homme et de falsification des denrées et produits alimentaires.* Restait à lui trouver un lieu pour lui permettre d'exercer ses fonctions. Partie prenante, dès les premiers jours, par l'engagement de ses membres G. Bertrand et le Dr. Roux qui font partie l'un et l'autre du conseil d'administration, l'Institut Pasteur se trouve indirectement lié à l'aventure de la jeune société. C'est notamment suite aux demandes réitérées du docteur Roux, devenu directeur de l'Institut Pasteur, que le Conseil municipal met à la disposition de la

262. Histoire de la S.S.H.A. et Allocution de G. Bertrand pour le centenaire de cette association. Documents que nous a adressés Madame Michèle Vignot.

Société le terrain de l'ancien réservoir du Panthéon où va s'édifier l'Institut d'Hygiène alimentaire (I.H.A.).

En 1922, les pastoriens y sont toujours présents, quand la société, presque ruinée par la guerre, obtient, grâce à l'appui de son nouveau président Eugène Roux, à l'époque directeur de l'Institut de recherches agronomiques, une convention avec le Ministère de l'agriculture, *aux termes de laquelle la première fournit les locaux et le second met à sa disposition le personnel et les crédits nécessaires pour le fonctionnement de quatre unités de recherches : Un laboratoire de recherches physiques, un laboratoire de recherches chimiques, un laboratoire de recherches physiologiques, laboratoires auxquels pourra être annexée une station de recherches sur l'alimentation des gros animaux*[263].

Alors que cette dernière est confiée à Jules Alquier, premier secrétaire général de la Société et que *M. Lefèvre qui, à la date du 1er octobre 1914 a été nommé par le conseil au laboratoire de calorimétrie, conserve ses fonctions*, Madame Lucie Randouin, agrégée de sciences naturelles, est jugée présenter *les titres nécessaires pour être désignée comme chef du laboratoire de physiologie.* Le poste de directeur de celui de chimie n'est pas pourvu dans la convention. C'est Maurice Javillier qui l'obtiendra. Ses compétences de pastorien et l'expérience dont il a fait preuve à Dunkerque, tout autant que l'amitié de Gabriel Bertrand et d'Émile Roux ont certainement été des éléments très favorables à cette nomination.

Ce poste marque pour lui une étape importante dans sa carrière, ne serait-ce par les conditions de travail qui règnent à l'I.H.A. *Maurice Javillier disposait enfin d'un laboratoire de recherche autonome, qui lui permettait d'amplifier son œuvre et de s'entourer d'élèves.*

Celui qui écrit ces lignes en 1955 est d'ailleurs l'un de ses élèves. Entré en 1930, à l'âge de 23 ans, *comme travailleur bénévole*[264] auprès de Javillier, Jean Lavollay fera toute sa carrière avec lui, et en grande partie grâce à lui, complétant brillamment son œuvre sur les oligo-éléments et lui succédant dans ses postes, selon une tradition bien établie dans le monde scientifique.

---

263. Convention. Archives de l'Institut Pasteur, Cor. Dir, Dr Roux.
264. M. Javillier, Rapport sur J. Lavollay pour le poste au C.N.A.M. 1945, dossier Lavollay. Archives de l'Académie des Sciences.

Outre la possibilité de former une équipe de recherche, l'Institut de la rue de l'Estrapade met également à la disposition des chercheurs *un musée-bibliothèque, un amphithéâtre et un périodique pour la publication des mémoires originaux, communications, analyses d'ouvrages, etc... ; Le Bulletin de la société scientifique d'hygiène alimentaire*[265].

Le passage du bâtiment aux lignes sobres et classiques du laboratoire de G. Bertrand, à l'étrange construction hexagonale, avec sa porte d'entrée prolongée au niveau du premier étage par deux colonnes doriques encadrant une fenêtre et un balcon surmontés d'un œil-de-bœuf, qui abrite l'Institut d'Hygiène alimentaire, n'est pas seulement un changement de décor dans la vie professionnelle de Javillier. Il correspond également à une ouverture de ses recherches qui l'éloigne du thème des oligo-éléments dans lequel s'est spécialisé et quel que peu enfermé son maître.

Toutefois, il retrouve les objectifs qui l'avaient incité à devenir pastorien. Plus encore qu'à l'Institut Pasteur, la recherche se doit de rester perpétuellement « au contact de la vie pratique » : *Il est entendu que, chaque fois que cela sera possible, des desiderata énoncés par des praticiens pourront servir de point de départ à des recherches*[266].

C'est en effet sur une question d'ordre on ne peut plus pratique que porteront ses premiers travaux. Le directeur de l'Institut de recherches agronomiques ayant demandé une étude sur un procédé de blanchiment et de maturation des farines employant du trichlorure d'azote, Javillier, avec sa conscience habituelle, ne se contente pas d'analyser les échantillons qui lui sont transmis, il va voir sur place la mise en œuvre de la méthode et suit les expériences de panification. Ceci lui permettra, deux ans plus tard, de formuler, devant une société d'experts, la forme de la réglementation qui sera adoptée par le Ministère[267].

Comme il a coutume de le faire, il ne se limite pas à la stricte formulation de la réponse attendue mais relie le champ de ces

265. Allocution de G. Bertrand, centenaire de la société, 1954.
266. Bulletin de la Société scientifique d'hygiène alimentaire.
267. M. Javillier (1928) « Le laboratoire de chimie du centre de recherche sur l'alimentation de la société d'hygiène alimentaire annexe de l'Institut des recherches agronomiques », *Bulletin de la société scientifiques d'hygiène alimentaire*, tome XVI, p. 407.

nouvelles recherches à ses anciens travaux et s'intéresse parallèlement à l'utilisation des oligo-éléments comme engrais pour les céréales.

Si son rang de directeur du laboratoire de chimie à l'I.H.A. lui permet de diriger, dans son laboratoire, les travaux de ses élèves vers des sujets qui lui tiennent à cœur, cette nouvelle autonomie ne signifie pas un isolement ou un enfermement. À l'I.H.A., la relation entre les recherches qui s'y poursuivent, définie par la Convention est claire sur ce point. L'objectif a été *non pas de créer trois services indépendants de physique, de chimie et de physiologie, mais d'avantager dans le dit Institut une série de laboratoires outillés spécialement en vue de recherche sur l'alimentation de l'homme et des animaux et dans lesquels travailleront, sans distinction de spécialité et selon les besoins, le personnel technique mis par l'Institut de recherches agronomiques à la disposition de l'Institut d'hygiène alimentaire*[268].

Ce travail fait d'échanges constants entre les laboratoires et la station agronomiques – qui n'est pas sans rappeler celui que Maurice Javillier a connu à l'Institut Pasteur – va le conduire à élargir ses recherches, jusque-là principalement consacrées à la biologie végétale, vers des questions de nutrition animale et principalement vers l'étude des vitamines.

Comme il l'expliquera plus tard lui-même, au cours d'une conférence, le problème scientifique de l'alimentation, lors de la création de la société d'hygiène alimentaire, reposait sur l'idée *d'une certaine valeur énergétique de la ration [alimentaire], valeur exprimée en calories, variable suivant le travail physique et diverses circonstances physiologiques.* En 1920, cette notion avait déjà bien évoluée. Aux données relativement simples qui conduisaient à doser quantitativement les quatre sortes d'apports alimentaires jugés nécessaires – les glucides ou sucres, les lipides ou matières grasses, les protéines principalement sous forme de viande ou de poisson et les minéraux – pour en mesurer la valeur énergétique, venait de s'ajouter une question toute nouvelle : celle de « facteurs accessoires à la nutrition ». Aussi après avoir déterminé scrupuleusement la teneur en sucre des différents fruits,

268. Texte de la convention créant l'I.H.A. Archives de l'Institut Pasteur, Carton DR cor 2 Direction E. Roux, chemise, Conseil supérieur d'hygiène - Société scientifique d'hygiène alimentaire.

Lucie Randouin, dans son laboratoire de physiologie, s'intéresse-t-elle désormais aux vitamines du groupe B. Comme l'écrira Yves Raoul : *Commençant juste à attirer l'attention, les vitamines n'étaient alors dénommées que par quelques-unes seulement des premières lettres de l'alphabet et sans les indices que l'on dut rapidement ajouter*[269].

En réponse au laboratoire de physiologie, celui de chimie, sous la direction de Javillier oriente ses recherches vers l'activité vitaminique A, constatée notamment dans les matières grasses[270]. *Chacun sait quelle place occupent les matières grasses dans l'histoire des vitamines. Dès le début du XIXe siècle, les médecins rattachent une certaine affection oculaire, la kératomalacie, à quelques déficiences alimentaires et, dès le début de ce siècle, on constate que des organes comme le foie, où s'accumulent matières grasses et substances lipoïdiques, guérissent cette maladie*[271].

Quelque vingt ans plus tard, la recherche sur la vitamine responsable de ces guérisons est en plein débat. La question est de savoir quel lien existe réellement entre le carotène, pigment jaune, et la vitamine elle-même. Pour Steenbook le lien est évident, pour Drumond le carotène purifié est sans activité.

Comme il l'avait fait pour le zinc, Javillier relève le défit et entre à son tour dans l'arène, mais comme Bertrand à propos de la laccase, ce n'est pas sur l'objet du débat qu'il fait porter sa recherche mais sur le phytol, présent dans la composition de la chlorophylle, pigment vert des végétaux. Et il démontre que *le phytol bien pur est inactif mais [qu'il] n'en va pas de même s'il est quelque peu coloré par les carotènes. Et il ajoute alors cette remarque prophétique : « Le facteur A pourrait avoir avec le phytol quelque rapport d'origine ou de constitution ». La vitamine A est en effet un phytol déshydrogéné et cyclisé*[272].

Cette intuition est d'autant plus remarquable que Maurice Javillier n'est pas un organicien. Élève de G. Bertrand, c'est à l'analyse et à la chimie minérale qu'il a consacré toute sa carrière,

269. Y. Raoul (1956) Allocution du 16 février 1956, in *Maurice Javillier 1875-1955*, Imprimerie Maurice Declume, Lons-Le-Saulnier, p. 35.
270. La vitamine A appartient en effet au groupe des vitamines liposolubles, comme les vitamines D, K et P sur lesquelles travaillera plus tard Javillier.
271. M. Javillier, conférence du 2 avril 1944. Archives J. Retel.
272. Y. Raoul, *op. cit.* p. 36.

mais *M. Javillier, et c'est un trait constant de son caractère, remplissait toujours scrupuleusement les devoirs d'une fonction*[273]. Les vitamines comme les aliments étant principalement des substances organiques, Maurice Javillier passe, avec la même précision méthodologique, de l'étude des infiniment petits à celle des infiniment complexes en élargissant son domaine à tous les « biocatalyseurs », puisque les vitamines, comme les oligo-éléments, sans entrer directement dans la constitution structurale de la matière vivante, sont essentiels dans le métabolisme et dans la plupart des réactions chimiques du vivant.

Les protocoles utilisés pour démontrer l'influence de la vitamine A sont par conséquent directement inspirés par le processus suivi dans la mise en évidence du rôle du zinc sur la croissance des végétaux. La Station agronomique pour l'alimentation des gros animaux est un champ d'expériences naturel pour mettre en place un régime de carence et en observer les effets. *Un effondrement des matières grasses, une diminution du cholestérol tissulaire, une inhibition de la synthèse protéique et un bouleversement de l'équilibre minéral*, expliquent aisément l'amaigrissement constaté dans l'avitaminose A. Mais à cette notion qu'il vient de préciser, Javillier oppose bientôt celle de *survitaminose par un intéressant travail sur le rachitisme expérimental d'un grand excès de vitamine A*[274].

Ce « juste milieu » indispensable est très probablement ce qui conduira Javillier à s'insurger contre la manie de prendre à tout bout de champ des vitamines et à jeter hors de chez lui, avec emportement, ceux qui le sollicitaient dans l'espoir d'user du garant de sa notoriété pour mettre sur le marché des produits dits « de confort ».

Loin de négliger les mérites de l'industrie pharmaceutique, et justement parce qu'il la considère comme essentielle et même, nous le verrons bientôt, comme le véritable avenir de la pharmacie, Javillier lui applique naturellement l'exigence scientifique qui est la sienne.

Cette intransigeance qui ajoute encore à la qualité de ses travaux ne manquera pas d'attirer sur lui l'attention des pouvoirs publics. Par deux fois au cours de l'entre-deux guerres, en 1927

---

273. Y. Raoul, *op. cit.* p. 35.
274. *Idem.* p. 37.

et en 1937, Maurice Javillier se verra confier, par le Ministère des affaires étrangères, une mission en Algérie auprès du Gouverneur. Il doit y mener une enquête *pour tenter de pallier les carences alimentaires des indigènes et inspirer certaines réalisations utiles*[275]. Il s'y rend par bateau depuis Marseille, accompagné de sa femme qui en reviendra bouleversée par la pauvreté entrevue et par « ces enfants aux grands yeux emplis de mouches ».

Scènes de la vie familiale

C'est au cours de cette période de l'après-guerre, faste pour la carrière de Javillier, que se situent deux événements importants de sa vie privée : le mariage de ses deux filles à neuf ans de distance l'un de l'autre.

Notons que si Maurice Javillier se plaît à égayer ses discours et conférences par des anecdotes puisées avec complaisance dans ses souvenirs d'enfance, ses années estudiantines ou ses expériences professionnelles, il reste d'une discrétion affligeante pour un biographe sur tout ce qui concerne sa vie d'époux et de père. Ce n'est que grâce aux confidences glanées auprès de ses petits-enfants et enrichies de sa correspondance que nous avons pu entrebâiller la porte du vaste appartement que sa nouvelle situation d'enseignant à la Sorbonne et de directeur de laboratoire à l'Institut d'hygiène alimentaire lui a permis de louer à l'avant-dernier étage d'un immeuble sis au 19 rue Ernest Renan, logement qu'il habitera jusqu'à sa mort en 1955.

Occupant tout l'étage, l'appartement se déploie en U autour d'une cour intérieure suffisamment grande pour que les trois pièces et la cuisine donnant sur l'arrière soient bien éclairées. Côté façade s'ouvrent quatre autres pièces, dont une chambre, la salle à manger dotée d'un *bow window*, un salon à deux fenêtres, et, dans la dernière pièce de l'enfilade, le bureau de M. Javillier qui jouit d'une aura quasi sacrée dans la mémoire de ses petits-enfants. Si l'on ajoute les quatre cagibis de rangement, l'office, une chambre de bonne et les caves dont se compose encore l'appartement, on voit que le logis avait largement la capacité d'abriter une nombreuse famille, même si, dans les

275. Lettre de M. Javillier au directeur du C.N.A.M. du 18 mai 1946. Dossier personnel, archives du C.N.A.M.

années 1920 n'y habitaient que les quatre membres de celle de Javillier, souvent d'ailleurs réduite à deux par les absences répétées d'Anna et de Niné à nouveau reprise par la maladie. Tandis qu'Anna Javillier passe le plus clair de son temps au chevet de sa cadette dans les hôpitaux ou dans les villes de cure, Jacqueline reste seule avec son père, dans le grand appartement, pour préparer les épreuves des deux baccalauréats dont elle a suivi le cursus. C'est ainsi qu'elle passera avec succès les épreuves de celui de Sciences en juillet et de celui de Lettres en septembre, alors que sa sœur Niné est à Font-Romeux avec sa mère.

À vivre constamment auprès d'un homme aussi passionné par son travail que l'est son père, Jacqueline ne pouvait qu'avoir envie de se consacrer à la recherche et d'entrer dans un laboratoire comme lui. En s'inscrivant à la Faculté des Sciences, dès la rentrée, pour y préparer les certificats de chimie biologique, peut-être rêvait-elle de devenir à son tour une Marie Curie ou une Lucie Randouin dont elle avait fréquemment l'exemple sous les yeux, lors des visites que la collègue de son père rendait à la famille. Loin de partager le mépris qu'avaient alors beaucoup d'hommes pour les « femmes savantes », Maurice Javillier au contraire n'hésite pas à leur reconnaître une égale valeur scientifique : *Je n'oublie pas que la femme, qui dans les siècles a conquis tant de domaines, a pénétré dans celui de la science, en faisant mieux que devenir « une femme savante » – une de ces femmes savantes aux dépens de qui notre grand dramaturge, Molière, a ironisé de la façon que chacun sait –. Il est en effet en notre temps des femmes qui ont pris dans les sciences une place durable et qui sont des savants dans toute la force et la grandeur du terme*[276].

Même si les convictions de Lucie Randouin, inspirées par ses analyses sur la teneur en sucre des fruits qui la faisaient classer les melons comme les moins riches en glucides, amusaient beaucoup les membres de la famille et laissaient planer un doute certain sur sa façon de choisir ce mets délicat, ce n'était là que taquineries qui n'amenuisaient en rien l'admiration que lui vouaient les Javillier et faisait d'elle un exemple à suivre pour Jacqueline.

---

276. M. Javillier, *Qu'est-ce qu'un savant*, texte manuscrit. Archives F. Retel.

Mais le destin en avait décidé autrement. Un destin qui avait le visage de sa mère. Car Anna Javillier, mariée à 19 ans, et « marieuse » dans l'âme se devait de donner à sa fille, à l'approche de ses 20 ans, toutes les chances possibles pour découvrir le « jeune-homme-bien-sous-tous-les-rapports » qui ferait son bonheur. Le mariage n'était pas à ses yeux, incompatible avec une carrière et Marie Curie, mère de deux enfants, l'avait d'ailleurs prouvé. Anna se mit donc à accompagner son aînée, chez leurs amis, à des soirées dansantes dont Jacqueline a gardé un souvenir enchanté qu'elle évoquera plus tard dans ses poèmes :

Valse
Tourbillon d'écharpes
violettes
indigo et vertes
bleues
rubis
or
flamme

Valse
Tourbillons de couples
sculptés du tourbillon des voiles

au point d'orgue
mués en spirales
élancés en vrille
vers l'infra-ultra
indivisible[277].

C'est au cours d'un de ces bals privés, organisé cette fois chez ses parents, que Jacqueline va rencontrer René Retel qui deviendra son époux. Trouver des cavaliers n'était en effet pas toujours chose facile et le rôle d'une mère consistait alors à passer en revue ses relations et connaissances pour savoir qui, parmi elles, avaient des enfants de sexe masculin, ni trop jeunes ni trop mûrs et célibataires. Or, répondaient à ces critères, leurs voisins du dessus, rencontrés quelques années plus tôt dans la cave de l'immeuble lors des bombardements de la grosse Bertha. Jules Séjournet en

277. J. Retel (1976) *Images,* éditions Jean Subervie, p. 17.

effet appartient à une famille de trois enfants. Son frère Paul, polytechnicien et ingénieur des Ponts et Chaussées a marqué son époque par ses travaux. Leur sœur Marie, mariée à Fernand Retel, un camarade de promotion de Paul, a perdu son mari, officier de carrière, mort en 1915, en accomplissant son devoir dans les services de l'Intendance dont il était l'organisateur. Elle vit à Lille entourée de l'affection de ses quatre fils qui, après une formation classique au gré des villes de garnison, ont fait de brillantes études. Trois sont ingénieurs, Maurice ayant opté pour la chimie poursuit sa carrière aux usines Solvay, Jean et René ont été formés à l'École des Mines et le dernier Marcel sera médecin. Né en 1890, René, est un parti jugé estimable pour leur fille par les Javillier d'autant qu'issu d'une famille honorable, il semble avoir devant lui une carrière prometteuse. Rentré de la guerre, gazé et l'un des rares survivant de sa promotion, il peut briguer n'importe quelle place. De onze ans plus jeune que lui, Jacqueline est éblouie par l'intérêt très vif qu'il porte à sa profession d'ingénieur. Comme sa mère elle rêve de le seconder dans sa carrière quels que soient ses choix. Peut-être même a-t-elle été séduite par ce goût de l'aventure et du risque qui, au contraire de la rationalité implacable des Javillier, pimente la vie des Séjournet. Disons même qu'une certaine liberté qu'affiche son fiancé vis-à-vis des convenances, n'est pas pour déplaire à la jeune fille. Loin d'être une alliance de famille, l'union de Jacqueline Javillier et de René Retel sera un mariage d'amour, total et éternel.

Ainsi tout s'explique
au détail près de l'Etre
et des raisons d'aimer

...Viens
Nous allons ensemble les inventer
les sortir
de tout et de rien

Viens construire
ce futur qui végète
Qui attend de nous son visage
Son vrai visage
et son vrai nom

Que nous importent
les apparences
les prudences
Le mortier n'est jamais que du sable...
Avec un liant approprié
c'est le ciment des fondations

Pour fonder la ville éternelle
nous allierons les sables d'utopie
au conscient de nos fins
... Nos fins du début des débuts
dans un projet qu'il reste à accomplir[278].

Lors du mariage de Jacqueline, en 1923, Niné, sa sœur, est une adolescente de 16 ans, intelligente et sensible qui a trouvé dans la musique et l'étude du piano une compensation aux souffrances que lui inflige la maladie. Pianiste virtuose, elle aurait pu envisager une carrière de concertiste si sa santé le lui avait permis, mais elle devra se contenter, en 1927, d'un diplôme d'enseignement qui fera d'elle un professeur recherché par les élèves du Conservatoire supérieur de Paris.

Si sa vie professionnelle n'est pas exactement celle dont elle aurait rêvé, Niné cependant, découvre bientôt à son tour le bonheur en la personne du fils de Pierre Masson collègue et ami de son père.

De cinq ans plus jeune que Javillier et Bourguignon comme lui, Pierre Masson est entrée en 1907, en même temps que Maurice à l'Institut Pasteur, mais dans le laboratoire de microbiologie de Borrel. Les recherches sur le cancer se dirigeaient alors vers une hypothèse microbienne de cette maladie. Très vite la diversité des tumeurs cancéreuses et les variations de leur aspect au microscope incitent P. Masson à supposer leurs origines ailleurs que dans une cause microbienne et il se spécialise dans l'embryogenèse de ces tumeurs chez l'homme et chez l'animal. Interrompu dans ses travaux par la guerre de 14-18, il est, toujours parallèlement à Maurice Javillier, nommé à son retour comme professeur, non pas à la Sorbonne, mais à Strasbourg, dans la chaire prestigieuse d'anatomie pathologique fondée un

278. J. Retel, *op. cit.* p. 36.

siècle plus tôt par Lobstein à la Faculté de Médecine de cette ville [279]. L'éloignement entre ces deux hommes qui partagent un même idéal de la science et de la vie ne saurait interrompre leurs relations. Lors des visites fréquentes qu'il fait à l'Institut Pasteur, Pierre Masson ne manque jamais de venir voir la famille Javillier.

Ayant suivi leurs parents à Strasbourg les trois enfants Masson y poursuivent des études qui conduiront Anne et son frère à devenir médecins. Par contre, Henri-Jacques qui avait dix ans lors de son départ de Paris, éprouve une véritable fascination pour la Nature dont il tente de saisir les secrets et d'en approcher l'insaisissable beauté dans ses toiles. Aussi, ses études classiques achevées, entre-t-il à l'École des Arts décoratifs de Strasbourg. Remarqué par deux de ses professeurs et pour répondre aux exigences de son père, il se présente au concours de l'École des Beaux Arts de Paris et se voit admis dans la l'atelier de Maître Lucien Simon.

Il est donc tout naturel que ce jeune homme, loin de sa famille, trouve chez les Javillier une hospitalité chaleureuse. D'autant que si Anna nourrit pour les arts plastiques un intérêt qui la pousse à visiter galeries, musées et vernissages en y entraînant ses enfants, et plus tard ses petits-enfants, Maurice Javillier partage également ce goût pour l'art contemporain. Tous deux, enthousiasmés par le théâtre de Jacques Copeau, ont pris un abonnement au Vieux Colombier, ce qui leur vaut, un soir, d'être présentés au célèbre metteur en scène. Pensant, peut-être, que ses titres scientifiques sont la cause de cet honneur, Maurice Javillier eut alors la surprise de se voir annoncer en ces termes : « Monsieur, l'Abonné ! »

On imagine sans peine que le jeune Henri-Jacques, surnommé Tahi, soit le bienvenu dans l'appartement de la rue Ernest Renan, artistiquement orné de toiles et d'œuvres souvent contemporaines : peintures de Meineret, vases de Lalique ou Daum. Adopté comme un nouveau membre de la famille, Tahi accompagne également Anna et sa fille, lors des cures à Font-Romeux. Ce jeune homme, hors normes par l'abondance de ses dons, s'est

279. J.-C.-L. *Pierre Masson (1880-1959)*, Annales de l'Institut Pasteur, tome 97, septembre 1959, pp. 277-280.

installé à présent en banlieue parisienne dans un petit atelier donnant sur un verger, afin de retrouver le dialogue silencieux qu'il poursuit avec la Nature au fil des saisons. Ce solitaire ne pouvait que se sentir en communion avec Niné, isolée par la maladie, emprisonnée dans un corset, mais dont les doigts magiques savent si bien rendre l'esthétique des sons raffinés et les couleurs insolites de l'œuvre de Claude Debussy. Dans cette famille où la taquinerie est le masque de l'émotion et de la tendresse, on prétend encore que Niné n'avait pas sa pareille « pour engloutir la cathédrale [280] ». Sans doute restituait-elle mieux que bien des interprètes, l'art discret, les émotions fugaces et les couleurs ineffables dont use Debussy pour rendre le mystérieux accord entre la Nature et son imagination.

Pour Tahi, impressionniste « à l'écoute du silence de la terre [281] », la silhouette de la Bien-aimée se fond dans le paysage. Il peint Niné, à Font-Romeux, le visage dissimulé sous une large capeline posée sur ses cheveux noirs, dryade en robe bleue dont les fleurs se prolongent à l'infini entre les camaïeux des verts d'une prairie.

Éperdu d'amour, Tahi, qui vient de connaître l'encouragement d'une première exposition parisienne à la galerie Durand-Ruel, se déclare et se fiance avec Jeannine à l'hôpital où elle vient de subir l'ablation d'un rein. Elle est presque mourante, mais c'est une ressuscitée qui, en juillet 1932, l'épouse, dans la petite église Saint François de Salles de la rue Dutot.

Une aile
C'est un paysage
Deux ailes
C'est un papillon
Quatre ailes
C'est un mariage
Cent un nuage
Un million
Un ciel[282].

280. Allusion à la « Cathédrale engloutie » de C. Debussy.
281. C. Mayron (1984) *Rétrospective H.-J. Masson,* Galerie d'art de la Place Beauveau, Paris.
282. J. Retel, *op. cit.* p. 16.

Est-ce en pensant au mariage de sa sœur que Jacqueline écrira ces vers ? Elle est près d'elle, ce jour-là, avec ses trois premiers enfants. Nicole née en 1925 est demoiselle d'honneur avec Jacques de deux ans son cadet. Ils entourent la mariée en robe blanche, tandis que la plus petite, Françoise, âgée de deux ans à peine, est dans les bras de sa maman. Une maman qui a renoncé à sa carrière de biologiste pour partager avec son mari l'aventure de l'entreprise qu'il vient de fonder.

PHOTOGRAPHIE DU DR ROUX, DIRECTEUR DE L'INSTITUT PASTEUR, DÉDICACÉE À M. JAVILLIER EN 1931.

9
La dure conquête du bastion académique (1930-1936)

Je désire exprimer, avec ma joie d'appartenir à l'illustre compagnie, mon désir de participer activement à ses travaux.

M. Javillier.

Membre d'une famille *où l'on gère sa vie comme on gère un capital [et où] on a du goût pour le savoir, les connaissances et la rationalité*[283], Maurice Javillier, en atteignant la cinquantaine, se devait de briguer une élection à l'Académie des Sciences. Temple républicain du savoir le meilleur sous ses aspects les plus complets et les plus divers, l'Institut de France s'impose dans sa carrière à la fois comme une reconnaissance de la voie à laquelle il s'est consacré et comme un moyen pour infléchir la science vers la route pacifique et humaine qu'il a choisie.

Pour bien comprendre l'importance d'un fauteuil à l'Académie dans la vie d'un savant, il suffit de se souvenir de ce que fut la quête de Louis Pasteur, alors qu'à Lille, il était sur le point de découvrir le secret de la fermentation lactique. *Il me tarde beaucoup que cette affaire soit terminée,* écrit-il à son père à propos de la campagne électorale qu'il mène conjointement à ses travaux en 1856. *Elle me préoccupe de plus en plus, non pas que je doive m'affecter aucunement si le résultat m'est défavorable, mais parce qu'elle est capitale pour la carrière d'un savant et qu'il est loin d'être indifférent d'entrer à l'Académie à une époque ou à une autre*[284].

Certes Maurice Javillier n'a pas la jeunesse de Pasteur âgé de 35 ans lors de sa première candidature, mais la guerre, comme

283. F. Retel, *op. cit.*
284. P. Debré, *op. cit.* p. 123.

pour beaucoup de ses collègues, a interrompu momentanément la liste de ses travaux et il est surtout probable qu'avec sa probité coutumière, il n'a posé sa candidature que lorsqu'il s'est jugé digne de suivre l'exemple de Pasteur et de rejoindre sous la Coupole, ses maîtres de l'École de Pharmacie et de l'Institut Pasteur.

Un bastion nommé Académie des Sciences

Même si, pour nous conformer à l'adjonction de Maurice Druon, *on voudra bien noter que, dans l'usage constant, le mot Académie, lorsqu'il est pris absolument, désigne l'Académie française* [285], pour la communauté scientifique dont fait partie Maurice Javillier, ce vocable évoque prioritairement l'Académie des Sciences où brillent, dans les années 30, Paul Painlevé, Charles Richet, Maurice de Broglie, Jean Perrin, Émile Roux et Albert Calmette, prestigieux héritiers et successeurs du petit groupe de savants parisiens qui se constitua au XVIIe siècle chez le père Mersenne avant d'obtenir la reconnaissance officielle de Colbert, le 22 décembre 1666.

Ainsi venait de naître la troisième académie royale de France. La première, qui avait pour mission de donner des règles à la langue française et de veiller à sa pureté tout en la rendant *capable de traiter des arts et des sciences*, avait déjà plus de trente ans, puisqu'elle avait vu le jour en 1635. La cadette, future académie des Inscriptions et Belles-lettres, ne précédait que de trois ans l'Académie des Sciences et avait été fondée en février 1663 par *Colbert, surintendant des bâtiments du roi, désireux de recevoir des avis sur les choses qui regardent les bâtiments et où il peut entrer de l'esprit et de l'érudition* [286]. Entre les deux premières s'était glissée, en 1648, l'Académie royale de peinture et sculpture pour laquelle Charles Lebrun avait obtenu du jeune Louis XIV et de la Régente les lettres patentes de sa fondation, mais ce n'est qu'en 1791 qu'elle formera la quatrième académie lors de sa réunion avec l'Académie de musique, créée en 1669

285. M. Druon (1995) « Présentation » [de l'Académie française], *Histoire des cinq Académies*, éditions Perrin, p. 57.
286. J. Leclant (1995) « Histoire de l'Académie des Inscriptions et Belles-Lettres », *Histoire des cinq Académies*, éditions Perrin, p. 101.

et celle d'architecture fondée en 1693. Il était par contre inconcevable dans un royaume de pouvoir absolu d'établir une académie de sciences morales et politiques.

Le 8 août 1793, l'Académie des Sciences comme ses trois sœurs, les universités et les chambres de lecture étaient frappées par le décret de la Convention montagnarde qui ordonnait leur fermeture.

Deux ans plus tard, le 22 août 1795, la Convention thermidorienne les invitait à renaître au sein de l'Institut national des sciences et des lettres qui, comme son titre l'indique, regroupait en trois classes, les grands corps littéraires et scientifiques *entre lesquels n'avait existé précédemment aucune liaison* [287]. Résultats de la reconnaissance dont jouissent alors les savants, mobilisés pour sauver la République et du rang que beaucoup occupent ou occuperont dans les gouvernements qui se succèdent jusqu'à la Restauration – alors que les Gens de Lettres figurent surtout parmi les victimes de la Révolution – la première place est accordée à la classe des « Sciences physiques et mathématiques », la seconde à celle des Sciences morales et politiques éphémèrement créée et enfin la troisième est octroyée à « la littérature et beaux-arts » regroupés. Cependant, en 1803, le schéma de l'Ancien-Régime reprend doucement forme avec quatre classes et si celle des sciences reste la première, la classe de « la langue et littérature française » arrive en second, devant celles d'histoire et littérature ancienne et enfin les beaux-arts. Treize ans plus tard, l'ordre est rétabli et les quatre ex-classes [288], ayant retrouvé leur titre d'Académie en même temps que leur autonomie, seront placées dans l'annuaire de l'Institut de France dans l'ordre chronologique de leur fondation.

Ce retour, en 1816, à la troisième place semble avoir figé l'évolution statutaire de l'Académie des Sciences. Lorsqu'en 1929, Maurice Javillier pose, pour la première fois sa candidature, la procédure qu'il doit suivre est exactement la même qu'un siècle plus tôt. Il lui faut d'abord attendre la déclaration

287. Institut de France, *Index biographique de l'Académie des Sciences 1666-1978,* Gauthier-Villars, Paris, 1979, p. 7.

288. Ce n'est qu'en 1832 que sera recréée l'Académie des Sciences morales et politiques qui deviendra la cinquième académie.

d'une place vacante, par le décès d'un titulaire, à laquelle il puisse prétendre, puis *se faire connaître par une lettre adressée au président de l'Académie et, par des visites à ceux dont il désire gagner les suffrages.*

Formée de onze sections regroupées en deux divisions – celle des sciences mathématiques et celle des sciences physiques – ayant chacune à leur tête un secrétaire perpétuel, l'Académie se compose en effet de membres titulaires qui ont droit de vote dans toutes les délibérations, d'académiciens libres ayant seulement voix consultative, d'associés étrangers, ayant comme les titulaires, rang de membres de l'Institut mais qui ne prennent part ni aux délibérations ni aux élections, et de correspondants ayant seulement le droit d'assister aux séances. Les membres titulaires étant élus à vie et à raison de six par section, il est aisé d'imaginer combien il est difficile d'appartenir à cette prestigieuse compagnie. Aussi, *l'élection est l'acte principal de la vie académique. Le nombre de places étant limité, chaque fois qu'une vacance se produit, il importe, pour le maintien de l'Académie à son rang dans le monde scientifique, que ce soit l'homme le plus éminent dans la branche intéressée qui soit choisi*[289].

C'est l'acte principal pour les académiciens de la section où est survenu le décès, car ils auront à proposer une date à l'ensemble de leurs confrères pour la présentation d'une liste de 8 candidats parmi lesquels ils auront préalablement sélectionné et classé sur trois lignes, trois à six noms ; mais aussi et surtout, c'est un acte capital pour les candidats qui attendent avec impatience la libération d'une place correspondant à leurs compétences, ce qui n'est pas toujours exactement le cas. Ainsi Louis Pasteur, après une candidature malheureuse en 1857 à la classe de minéralogie conforme à ses travaux en cristallographie, mais où il s'est vu préféré son ancien professeur, Gabriel Delafosse, tente-t-il, en 1861, une candidature dans la section de botanique, ce qui lui vaut cette réplique féroce du naturaliste Horace Moquin-Tendon : *Allons chez Pasteur, et si nous trouvons dans sa bibliothèque un volume de botanique, je le mets sur la liste*[290]. Ce n'est que l'année suivante que Pasteur entrera à l'Académie, à la place de Henri de Sernamont, en minéralogie.

289. *Idem.*
290. P. Debré, *op. cit.* p. 147.

Cette anecdote souligne en fait un défaut qui n'a fait que s'accentuer jusqu'à la réforme de 1975 : *Il faut aussi reconnaître que les statuts de 1816, à peine amendés depuis, imposaient une composition de l'Académie reposant sur des disciplines figées et bien souvent inadaptées cinquante ans après. L'Académie des Sciences était alors essentiellement un club – une compagnie selon la terminologie de l'Institut – auquel ses membres étaient très fiers et très honorés d'appartenir. Souvent âgés, ils n'avaient pas tous participé activement aux bouleversements des méthodes de travail, des structures, et à l'explosion des publications qui marquèrent les premières décennies d'après guerre*[291].

La fixité des onze sections surtout ne permettait pas d'intégrer des disciplines émergentes comme la microbiologie et la biologie et obligeait, par conséquent, les pastoriens à suivre l'exemple de leur maître en se glissant à des places correspondant plus ou moins bien à leurs travaux. Si l'élection en 1923, de Gabriel Bertrand, comme successeur de Lemoine, dans la section de chimie, récompensait le chimiste et analyste qu'il était effectivement, en 1922, Albert Calmette n'avait pu se faire élire dans la section de médecine et chirurgie, absolument méritée par ses travaux sur le vaccin de la tuberculose, et avait dû attendre 1927 pour poser finalement sa candidature dans la section d'économie rurale, réservée autrefois aux vétérinaires, obligeant son rapporteur Émile Roux à invoquer les expérimentations qu'il avait faites sur des animaux et à écrire : *Si l'on réfléchit aux pertes immenses que la tuberculose cause à l'agriculture et au nombre de personnes qu'elle atteint chaque jour, on reconnaîtra que la découverte de Calmette est une des plus importantes qui aient été réalisées en médecine.* [...] *Les titres d'Albert Calmette justifient sa candidature aussi bien dans la section de médecine que dans celle d'économie rurale. Les circonstances ont voulu que la première place vacante fût dans cette dernière*[292].

D'ailleurs, en 1889, l'élection d'Émile Roux, lui-même, dans cette section, n'était guère plus adaptée, mais, le digne *continuateur de Pasteur* devait être académicien, aussi avait-on pris en compte *cette méthode curieuse qui permet de cultiver un*

291. P. Germain (1995) « Une Académie des Sciences en France à l'aube du XXIe siècle. Pour quoi faire ? » *Histoire des cinq académies*, éditions Perrin, p. 240.
292. Rapport d'É. Roux, 1927. Dossier biographique d'A. Calmette. Archives de l'Académie des Sciences.

microbe dans les tissus d'un animal en le protégeant contre les phagocytoses qui le menacent[293]. É. Duclaux son rapporteur était également membre de la section d'économie rurale, mais ses travaux sur les fromages lui avaient mérité son élection, l'année précédente.

Ainsi, alors que pour Boussigault *l'économie rurale [était] l'application de la science à l'industrie agricole, comme la médecine est l'application de la science à l'art de vivre et de guérir*[294], la section avait quelque peu dévié de sa définition initiale et se présentait, au début du XXe siècle comme une planche de salut pour tous les pastoriens dignes de devenir académiciens.

Fort injustement, la prise de conscience de cette habitude par les membres de la section, fut très probablement la cause des difficultés que Maurice Javillier rencontra pour s'y faire élire alors que, paradoxalement, il présentait un dossier, absolument en rapport avec les desiderata de la section. Ses travaux sur l'amélioration de la végétation des plantes par le zinc, comme ses recherches sur le blé et les farines à l'Institut d'hygiène alimentaire étaient parfaitement recevables et, le choix de l'économie rurale, même imposé par les décès successifs de ses membres, représentait aussi pour Javillier un désir profond de retrouver ses origines terriennes à un moment où la mort de sa mère en 1927 et celle de son père en 1929 venaient de couper le fil qui l'attachait à ses racines bourguignonnes. Aussi, contrairement à Pasteur, le choix de la section d'économie rurale restera son unique objectif et il ne cherchera même pas à être candidat aux places de la section de chimie, libérées en 1930 par la mort de Charles Moureu et en 1934 par celle Camille Matignon, alors que ses travaux et sa carrière lui eussent permis d'y figurer sans déroger aucunement[295].

293. Rapport d'É. Duclaux, 30 mars 1899. Dossier biographique d'É. Roux. Archives de l'Académie des Sciences.
294. Rapport de Viala, 193. Dossier biographique de Schribaux, Archives de l'Académie des Sciences.
295. C'est Marcel Delépine qui succédera à Charles Moureu et Robert Lespeau à C. Matignon.

Quatre essais avant la victoire

Mais, malgré ce qu'en dit la règle, l'adéquation entre les titres et travaux présentés par un candidat et la vacance d'une place dans la bonne section est loin d'être un critère suffisant pour entrer à l'Académie des Sciences. La procédure suivie très lourde. Quand, après le mois de silence officiel qui suit le décès par respect pour le défunt, la vacance est déclarée, les candidatures affluent. C'est à la section que revient la tâche difficile de ne garder que trois à six d'entre elles pour les présenter, dans l'ordre de sa préférence, à l'Académie toute entière réunie en comité secret. Au cours de cette séance, les rapporteurs, chargés d'examiner les dossiers des postulants inscrits, se transforment en avocats faisant valoir les mérites de chaque dossier, et prenant part à la discussion qui n'est cependant pas encore décisive puisque c'est, seulement au bout d'un délai de réflexion d'une semaine, que le vote à lieu à bulletin secret, en séance publique cette fois. *Plus la lutte est ardente, plus l'aspect de la séance est passionné. Des académiciens malades se font porter à la séance pour voter*[296]. Assis sur la banquette du public, parents, amis et élèves attendent avec anxiété le verdict qui sortira de l'urne. Une anxiété qui ne fait que croître au fil des candidatures.

Sachant que très peu de candidats sont élus au premier tour, il est probable qu'en 1930, Maurice Javillier considère sa candidature plutôt comme un examen test. Sans doute l'obtention, pour la seconde fois en 1928, du prix Longchampt qui lui a été décerné par l'Académie *pour la continuation de ses travaux sur la constitution minérale des végétaux*[297] l'a-t-elle encouragé à se présenter. Mais sa campagne reste restreinte. Il se contente de joindre à l'envoi de ses titres et travaux, qu'il a fait imprimer en vue de sa candidature, un court billet à « son cher maître », Gabriel Bertrand : *Ayant appris, à votre laboratoire, que vous étiez encore souffrant, je me fais scrupule de vous déranger, mais si l'amélioration de votre santé vous le permet, je serai très heureux de vous rendre visite et je souhaite que vous puissiez m'accorder une audience*[298].

296. P. Gauja, *op. cit.*
297. *Comptes-rendus de l'Académie des Sciences*, 1928, tome 107, p. 1245.
298. Lettre du 16 novembre 1929. Dossier biographique de M. Javillier. Archives de l'Académie des Sciences.

Bien que membre de la section de chimie, c'est en effet G. Bertrand qui a été désigné pour rapporter sur les travaux de Javillier. Il ne manquera pas de le faire avec habileté, insistant sur les trois thèmes de recherche à la fois les plus novateurs et les mieux adaptés à la section où il se présente : l'influence du zinc sur les végétaux, les vitamines dans la nutrition des animaux et l'étude toute nouvelle sur le dosage du phosphore tissulaire : *Une partie du phosphore présent dans les tissus des plantes et des animaux est sous la forme de combinaisons complexes que l'on appelle des nucléoprotéides et qui offrent le grand intérêt d'être parmi les constituants fondamentaux des noyaux cellulaires. La détermination quantitative de ce phosphore équivaudrait donc à peu près à la mesure de la masse cellulaire. On entrevoit le nombre et l'importance des problèmes physiologiques qu'une telle détermination permettrait d'aborder. C'est ce qu'a compris M. Javillier. Déjà, chez les animaux, il est parvenu à doser, par une méthode personnelle et très délicate, le phosphore nucléoprotéidique, à établir la notion d'existence d'indices de phosphore nucléoprotéidique des tissus et à suivre les variations de ces indices au cours de la croissance, en particulier durant la période d'alimentation lactée*[299].

Ce travail en cours et les promesses qu'il contient conduit Bertrand à conclure : *Il me parait un excellent candidat pour la section d'économie rurale et je le recommande très vivement au choix de l'Académie*[300]. Malheureusement, lors du comité secret du 26 mai 1930, G. Bertrand, non remis probablement de son indisposition, s'excuse de *ne pouvoir participer à la discussion qui aura lieu au sujet des candidatures à la place vacante dans la section d'économie rurale*[301]. Cette discussion est d'autant plus importante que la section a choisi de présenter en première ligne, Pierre Mazé, collègue de Javillier à l'Institut Pasteur et dont les travaux en agronomie lui ont largement mérité cette place. Néanmoins, premier succès, le nom de Javillier figure dans la liste des candidats, en seconde ligne, place que son deuxième rapporteur, Théodore Schloesing, avait demandée pour lui, après avoir signalé l'intérêt de ses travaux sur le zinc,

---

299. Rapport de G. Bertrand pour le comité secret du 26 mai 1930. Dossier biographique de M. Javillier. Archives de l'Académie des Sciences.
300. *Idem.*
301. *Idem.*

les vitamines et les présures. Mais voilà qu'usant de son droit, L'Académie demande que l'on ajoute à la liste les noms de Louis Lapicque et de Gustave Moussu [302].

À la séance publique, huit jours plus tard, il faudra trois tours de scrutin pour que Louis Lapicque obtienne les 31 voix nécessaires à son élection. Maurice Javillier, quant à lui, a obtenu 2 voix au premier tour, ce qui est plus qu'honorable pour une première fois.

L'année suivante, c'est à la mort de son second rapporteur, T. Schloesing, que Javillier doit de pouvoir se présenter une nouvelle fois à l'Académie. Naturellement il se trouve confronté aux mêmes postulants que la fois précédente et de la même façon, alors que les membres de la section d'économie rurale ont placé en première ligne Pierre Mazé, les membres des autres sections font ajouter le nom de G. Moussu, une nouvelle fois « oublié ». Sans résultat cependant puisque, dès le second tour, Richard Fosse obtient la majorité absolue des voix (34/57) devant Mazé 12, Moussu et Schribaux 11.

Maurice Javillier n'a eu qu'une voix au premier tour, mais les membres de l'Académie des Sciences ont cependant été sensibles à ses travaux et c'est sans hésitation qu'ils le placent en première ligne quand il s'agit de désigner le successeur de T. Schloesing au Conservatoire national des Arts et Métiers. Faute d'obtenir son fauteuil, Maurice Javillier aura sa chaire professorale.

Trois ans plus tard, les deux morts successives, en novembre 1933, du docteur Roux, le 3 et du docteur Calmette, le 29, endeuillent l'Institut Pasteur et laissent vacantes deux nouvelles places dans la section d'économie rurale qui seront pourvues au cours des comités secrets des 12 mars et 7 mai 1934.

Naturellement Maurice Javillier se porte candidat. Jamais le sort n'a paru plus favorable pour lui. Non seulement le nombre des chances est double, mais si la règle qui consiste à élire le savant dont les travaux et la carrière se rapprochent le plus de ceux du disparu, doit s'appliquer ici, Maurice Javillier apparaît comme favori puisqu'en l'absence de P. Mazé, il est le seul pastorien. Un pastorien dont les recherches, de plus, entrent parfaitement dans le cadre de la section d'économie rurale, d'au-

302. Comptes rendus de l'Académie des Sciences, 1930, tome 190, p. 1247.

tant que, comme son rapporteur Louis Lapicque l'a souligné, *sa carrière a subi une évolution qu'il ne faut pas manquer de noter chez un candidat à la section d'économie rurale : il est devenu, depuis trois ans, professeur de chimie agricole et biologique au Conservatoire des Arts et Métiers*[303].

Si l'on ajoute à cela, que les deux élus des années précédentes, sont tous deux professeurs au Muséum d'histoire naturelle, il semble que le choix d'un pastorien professeur au C.N.A.M. et à la Sorbonne serait judicieux.

Toutes les chances semblant être de son côté, Maurice Javillier se lance cette fois dans une campagne sérieuse. Il demande à être reçu par Émile Borel, président de l'Académie des Sciences et par Émile Picard, alors secrétaire perpétuel pour la classe des sciences mathématiques, qui lui fixent rendez-vous à leur domicile [304], et il adresse à Henri Le Chatelier ses travaux sur les vitamines. Chimiste, mais surtout métallurgiste, et par conséquent totalement étranger à ce thème, Le Chatelier, prend cependant la peine de répondre en personne, par une lettre extrêmement touchante par sa naïveté et la maladresse qu'il met à la taper à la machine comme en témoigne les multiples fautes de frappe. Montrant bien que la chimie biologique n'est pas son fait, il termine sa lettre par ses mots : *Si vous avez un meilleur usage à faire de vos conférences, je puis vous les renvoyer, car maintenant que je les ai lues, j'en n'ai plus rien à en faire*[305].

Malheureusement, cette élection, que l'on pouvait considérer à juste titre comme acquise, va se heurter à une violente réaction de Pierre Viala, excédé de voir envahir la section d'économie rurale par tous les savants qui n'ont pas de section appropriée à leurs recherches. Avec une verve toute méridionale, ce natif de l'Hérault se déchaîne : *Le terme d'économie rurale a été, depuis plus d'un siècle, dévié de son sens primitif; il est devenu une expression plutôt économique et administrative, à un point tel que, dans les enseignements, l'Économie rurale est aujourd'hui l'enseignement de l'économie politique appliquée à l'Agriculture. Ce titre paraîtrait devoir*

303. « Supplément (1934) au rapport de A.-Th. Schloesing sur M. Javillier (1930) ». Dossier biographique de M. Javillier. Archives de l'Académie des Sciences.
304. Archives J.-S. Retel.
305. Lettre de Henri Le Chatelier à M. Javillier du 14 décembre 1933. Archives J.-S. Retel.

être réservé de préférence à une section de l'Académie des Sciences morales et politiques. Je comprendrais mieux, pour ma part, que l'application de la Science de l'Agriculture soit exprimée par le mot, plus moderne dans cet esprit, d'Agronomie. J'en avais exprimé la pensée à l'un des Secrétaires perpétuels en lui demandant de changer le vieux nom d'Économie rurale ; mais la crainte qu'une simple modification de titre entraînât, dans notre vieil édifice, un bouleversement et une catastrophe, cette pensée n'a pu le convaincre et je me suis incliné.

C'est sans doute à cause de ce sens élargi d'Économie rurale que nous avons vu surgir, pour les deux places actuellement vacantes dans notre section, des candidatures au nombre de 24, posées d'une façon plus ou moins positive et venant de nombreux points de l'horizon scientifique. Je reconnais que cela peut paraître naturel pour une section qui représente l'industrie agricole dont toute l'évolution et la vie ont pour base le soleil ; les astronomes qui l'étudient ne paraîtraient, sans doute, pas déplacés dans notre section et pourraient donner un concours utile au progrès de la culture des plantes, et par elles, des animaux[306].

Il est vrai que les deux dernières élections à la section d'économie rurale illustrent assez bien les excès dont se plaint Viala. Si les deux nouveaux académiciens ne sont pas des astronomes, ils ne sont pas non plus des agronomes, puisque Richard Fosse est un spécialiste de la chimie végétale et que Louis Lapicque *est avant tout un physiologiste [qui] réclame, non sans raison, le titre plus large de naturaliste, car il a manifesté une curiosité féconde en divers domaines de l'Histoire naturelle par ses travaux anthropologiques*[307]. Si l'on ajoute que son œuvre capitale concerne « *la notion de chronaxie*[308] » et que son rapporteur, Joseph Gravier, membre de la section d'anatomie et de zoologie, s'étant jugé incompétent pour exposer ce sujet, a préféré passer la parole au docteur d'Arsonval, on ne peut que donner raison à la colère de P. Viala.

Sans doute a-t-il largement profité de la situation en exigeant que, cette fois, le choix des membres de l'Académie se porte sur les agronomes véritables que sont Émile Schribaux et Gustave Moussu, dont il est le rapporteur : *Je ne doute pas un seul instant*

306. « Rapport sur les travaux de M.-E. Schribaux par P. Viala ». Dossier biographique d'É. Schribaux. Archives de l'Académie des Sciences.
307. Dossier biographique de L. Lapicque. Archives de l'Académie des Sciences.
308. La réaction musculaire en rapport avec l'intensité de l'onde électrique.

que l'Académie ne veuille, cette fois enfin, réserver les vacances de la section d'Économie rurale à des Agronomes qui, par la science, ont rendu service à l'Agriculture, de préférence à des personnalités dont la science appliquée à l'agriculture n'a jamais constitué que l'accessoire de leurs recherches et qu'un accident dans leurs œuvres.

L'agriculture comprend deux parties essentielles, l'une relative à l'élevage de la plante, l'autre à l'élevage de l'animal. A mon avis, purement personnel, deux hommes en ce moment sont des plus représentatifs pour ces deux branches de l'économie rurale : M. Schribaux pour la plante, M. Moussu pour l'animal. Leur présence, à mon avis personnel et strictement personnel, dans notre section, compléterait sa composition actuelle et renforcerait le caractère agricole de la section, un peu perdu dans la nuit des temps[309].

Comment demeurer insensible à la vigueur d'un tel plaidoyer. En 1934, les deux médecins et pastoriens Albert Calmette et Émile Roux auront pour successeurs Émile Schribaux *foncièrement agronome, plus que pur savant, voué au progrès technique plus qu'à la découverte scientifique*[310], comme le soulignera Maurice Javillier, chargé de faire, en 1951, sa notice nécrologique, et Gustave Moussu, *l'un des hommes qui ont apporté la plus grande contribution à l'élevage français basée sur les plus pures données de la science*[311].

Bien que profondément déçu, sans doute, Maurice Javillier, ne renoncera pas et deux plus tard, en 1936, il pose à nouveau sa candidature à la place rendue vacante par le décès de… Pierre Viala.

À nouveau, en vue du Comité du 30 novembre 1936, il faut solliciter les amis, prendre rendez-vous, envoyer les derniers travaux de son laboratoire, dans l'espoir qu'ils seront *appréciés comme une bonne contribution à la biochimie et à l'agronomie*[312]. Cette fois, c'est Richard Fosse qui sera son rapporteur. En bon chimiste, il entreprend une analyse détaillée des travaux de

309. « Rapport sur les travaux de M.-E. Schribaux par P. Viala ». Dossier biographique d'É. Schribaux. Archives de l'Académie des Sciences

310. M. Javillier, Notice nécrologique d'É. Schribaux. Dossier biographique d'É. Schribaux. Archives de l'Académie des Sciences.

311. « Rapport sur les travaux de M.-G. Moussu par P. Viala ». Dossier biographique de G. Moussu. Archives de l'Académie des Sciences.

312. Lettre de M. Javillier du 26 juin 1936. Dossier biographique de M. Javillier. Archives de l'Académie des Sciences.

Javillier, si détaillée même qu'il doit sabrer plusieurs passages de son rapport et qu'il conclut finalement, assez évasivement : *Il me paraît un excellent candidat pour la section d'Économie rurale et je le recommande très vivement aux choix de l'Académie*[313]. Est-ce de ce manque d'insistance à demander clairement la présentation de Javillier en première ligne que vont profiter les membres de la section pour inscrire à cette place tant convoitée le nom du médecin Émile Brumpt[314] et en seconde ligne celui d'Albert Demolon, reléguant Javillier en troisième ligne ? On ne le saura jamais. Mais dès lors, ce qui va se passer lors de la séance de travail hebdomadaire du lundi 30 novembre, précédant celle publique, du 7 décembre, s'annonce comme un moment essentiel de la vie de Maurice Javillier.

À 14 heures 10 la section d'économie rurale donne lecture des rapports sur les titres des candidats à la place vacante par la mort de M. Viala, puis l'on passe aux affaires courantes jusqu'au comité secret situé en fin de soirée. C'est alors que, selon la tradition, *la section d'économie rurale, par l'organe de son doyen Leclainché, présente la liste des candidats* sélectionnés dans l'ordre choisi. Des rapports sont lus. M. Lapicque lit le rapport sur M. Brumpt, M. Schribaux sur M. Demolon, M. Moussu sur M. Foex, M. Fosse sur M. Javillier. Le rapport sur Lavadi déjà lu, ne sera pas relu. M. Moussu rapporte sur M. Maignon. Alors commence la discussion : *La candidature de M. Brumpt est appuyée par MM. Lapicque, Bouvier*[315]*, Blaringhem*[316]*. Ce dernier exprime le regret que MM. Foex et Javillier n'aient été placés qu'en seconde ligne (sic). M. Gabriel Bertrand soutient la candidature de Javillier. MM. Schribaux, Bertrand et Borel prennent successivement la parole. La discussion est close. L'échéance aura lieu en la prochaine séance publique et les membres en seront informés par billet à domicile. La séance est levée à 17 heures 45*[317].

313. Rapport sur les travaux de M. Javillier par R. Fosse, pour le comité secret du 30 novembre 1936. Dossier biographique de M. Javillier. Archives de l'Académie des Sciences.

314. E. Brumpt, membre correspondant de la section thérapeutique en 1919.

315. Bouvier, membre de la section d'anatomie et zoologie, professeur au Muséum d'histoire naturelle.

316. L. Blaringhem, petit gendre de Berthelot, membre de la section de botanique. Professeur à la faculté des sciences.

317. Comité secret, pochette de séance du 11 novembre 1936. Archives de l'Académie des Sciences.

Le Lundi 7 décembre, en séance publique, cinquante-quatre académiciens titulaires vont voter dans l'urne séculaire apportée par l'huissier, cinquante-quatre bulletins dont vingt-huit portent le nom de Maurice Javillier, dix-neuf celui de Brumpt, sept celui de Demolon et un nul. Maurice Javillier vient d'être élu, obtenant, dès le premier tour, la majorité absolue des voix.

Dès le lendemain, 8 décembre, Émile Borel, qu'il a aussitôt remercié, lui écrira :

Mon cher confrère,

Je suis très touché de votre lettre, qui me prouve combien vous avez compris mon désir de sincérité totale envers les autres comme envers moi-même. Quelques-uns de nos confrères étaient dans le même état d'esprit, mais les dernières hésitations ont été levées par la décision bizarre de la section et aussi par l'action personnelle de Gabriel Bertrand; c'est ainsi que votre élection a été assurée du premier tour, ce dont il faut féliciter l'Académie et vous-même[318].

« L'ange Gabriel » venait de vraiment mériter l'appellation que la moqueuse Anna Javillier lui avait un jour décernée.

Membre de l'institut

Sans doute, est-ce avec un légitime orgueil, que Maurice Javillier ouvre l'abondant courrier qui durant toute la fin de l'année 1936 et jusqu'au début de 1937, afflue à son domicile. Sans doute éprouve-t-il de l'émotion à voir que ses amis, mais aussi ses élèves tiennent à lui exprimer leur joie.

Monsieur, écrit l'une d'entre eux, *j'ai été très heureuse en apprenant hier votre élection à l'Académie des Sciences et je me permets de vous adresser mes félicitations et de vous redire encore une fois que tous vos élèves sont très heureux et très fiers de vous avoir comme professeur. Irène, comtesse Tolstoï*[319].

Sans doute, est-ce avec émotion qu'il constate que les liens établis lors de la guerre de 14-18 sont encore très vivaces, ainsi Robert Esnault-Pelleterie, de Boulogne-sur-Mer, qui le félicite pour sa brillante élection, mais aussi Jean Vincent, médecin inspecteur de l'armée, professeur au Collège de France et membre de l'Académie dans la section médecine, qui le prie *d'agréer ses*

318. Lettre d'Émile Borel à M. Javillier du 8 décembre 1936. Archives J.-S. Retel.
319. Carte de visite de la Comtesse Paul Tolstoï. Archives J.-S. Retel.

vives félicitations et de les faire partager, avec ses hommages, à madame Javillier[320].

Sans doute, quelle que soit la modestie qu'il doit se contraindre à observer, lui est-il bien difficile de ne pas ressentir quelque fierté à découvrir, les noms prestigieux de ses correspondants : Gaston Ramon, sous-directeur de l'Institut Pasteur, Pasteur Valéry-Radot, Louis Lumière et beaucoup de ceux auprès desquels il siégera désormais à l'Institut. Le mélange des sentiments qui doivent être les siens, c'est Daniel Berthelot, académicien, mais aussi son ex-professeur à l'École de Pharmacie, qui le devine et dépeint le mieux :

C'est avec grand plaisir que j'ai appris dans quelles brillantes conditions vous avez été choisi parmi tant de candidats. Je suis d'ailleurs persuadé que votre satisfaction d'avoir enfin obtenu que justice soit pleinement rendue à vos travaux, ne doit pas tenir seulement à la légitime fierté de siéger à l'Institut, mais aussi à l'espoir qu'on vous accordera plus facilement, dans l'Université et à l'Institut Pasteur, des moyens de travail dignes de vous[321].

C'est en effet bien connaître Javillier et ses préoccupations du moment. Le retrait imminent de G. Bertrand et la succession promise à M. Javillier dans la chaire de chimie biologique de la Faculté des sciences de Paris, va incessamment poser la question du laboratoire de recherche lié à ce professorat. Jusqu'ici, le service de Bertrand à l'Institut Pasteur avait servi de laboratoire à la chaire de la Sorbonne, mais il était de plus en plus évident qu'il fallait créer de toute pièce et aménager à grands frais de nouveaux laboratoires dans d'autres locaux, notamment Boulevard Raspail.

Ajoutons qu'aux multiples facettes composant le bonheur de son élection, il ne faut pas omettre, comme le fait remarquer l'aîné de ses petits-fils, *qu'en entrant à l'Académie, il gratifiait sa femme d'un statut exceptionnel et, pourquoi pas, lui faisait très lucidement ce beau cadeau*[322]. Si, depuis leur retour à Paris, Anna Javillier n'intervenait plus directement dans la vie professionnelle de son mari, comme elle l'avait fait à Tours, en devenant sa laborantine bénévole, elle avait toujours une grande part dans sa

320. Lettre de Jean Vincent, 8 décembre 1936. Archives J.-S. Retel.
321. Lettre de Daniel Berthelot du 8 décembre 1936. Archives J.-S. Retel.
322. Hypothèse suggérée par Jacques Retel, dans l'évocation de ses souvenirs sur son grand-père. Février 2004.

réussite, ne serait-ce qu'en lui assurant une totale tranquillité dans son travail. Mondaine dans l'âme, fille, mère et grand-mère dévouée, elle était capable d'offrir, chaque mercredi, le thé à de nombreux amis, de rendre visite à sa mère qui habita d'abord leur ancien appartement de la rue de Staël, puis de l'autre côté de la Rue Renan, d'accueillir ses petits-enfants afin de soulager sa fille Jacqueline dans ses tâches de mère de famille nombreuse, de se rendre à des vernissages ou à des spectacles, sans jamais perturber l'isolement nécessaire au travail de son mari, retiré dans son majestueux bureau, toujours impeccablement rangé, pour y rédiger articles et conférences. Mais chaque fois que Javillier reçoit des confrères étrangers, Anna est également présente et sait les recevoir dignement. Les pièces de réceptions sont ouvertes dans ces occasions pour de fastueux festins et c'est en guide expérimenté qu'Anna conduit ensuite ses hôtes à la découverte de la capitale.

Il est cependant difficile d'imaginer couple aussi dissemblable que les Javillier. Douée d'une forte personnalité extravertie, Anna avait des dispositions certaines à la raillerie. Elle n'était pas méchante, seulement peu sensible aux froissements de ses victimes. Ce tempérament intempestif s'accommodait pourtant fort bien de la délicatesse et de la réserve observées par Maurice, peut-être par compensation. Que ce soit dans leur appartement de Paris ou dans la maison de vacances à Lormes, il s'était aménagé un territoire réservé. Les membres de sa famille n'y pénétraient que dans de rares occasions, impressionnés tout autant par le grand bureau dont *la surface recouverte d'une plaque de verre juste surmontée d'un minimum d'objets n'en effaçait ni la froideur, ni la solennité* que par les livres de la bibliothèque, *bien pourvue en toutes sortes de matières y compris la littérature classique*[323]. C'est dans ces lieux que, chaque matin, tout au long de sa vie, Javillier s'installera pour répondre à son courrier. Pendant ce temps, Anna est libre de faire tout ce qu'elle veut, la seule exigence étant la ponctualité du repas du soir, servi à dix-neuf heures trente précises. Si bien que souvent, il arrivait à Anna, au retour de quelques

323. Hypothèse suggérée par Jacques Retel, dans l'évocation de ses souvenirs sur son grand-père. Février 2004.

visites, de se précipiter dans la cuisine et, sans prendre le temps de retirer son manteau, de râper à toute vitesse les légumes d'une soupe qu'elle préparait en deux minutes. Cette virtuosité culinaire, qui a tant impressionné sa petite-fille Françoise, s'ajoutait à des vertus de parfaite maîtresse de maison. Jamais, malgré la grandeur de son appartement à Paris, Anna Javillier ne se fera aider par une femme de ménage.

Ainsi la victoire de Maurice Javillier est également celle d'un couple et même celle de toute une famille. Il est facile d'imaginer ce que sera plus tard la fierté émerveillée de ses petits-enfants devant leur grand-père revêtu du grand costume avec son habit et son pantalon noirs, brodés en plein d'une branche d'olivier en soie vert foncé et le chapeau à la française, prêt à se rendre à quelque cérémonie, sous la Coupole, de l'ancienne chapelle du Collège des Quatre-Nations. *Cette coupole, devenue le synonyme de l'Institut leur [à tous ses membres] est chère. En effet, elle constitue à leurs yeux, un élément essentiel de leur patrimoine sentimental, mais aussi du patrimoine de la France*[324].

Le cérémonial immuable des séances solennelles de rentrée – d'abord celle des cinq académies, puis celle particulière de chacune d'elles – qui marquent en octobre et novembre de chaque année la reprise des travaux, causa probablement une joie profonde à Anna Javillier quand, pour la première fois, elle se retrouva assise dans les places réservées pour les familles des académiciens. Près des épouses de ceux qui étaient depuis longtemps leurs amis, les de Broglie, Bertrand, Leprince-Ringuet, elle faisait face à la tribune où allaient prendre place le président entouré des deux secrétaires perpétuels au-dessus du demi-cercle des Académiciens, pour l'instant invisibles, mais dont le roulement des tambours de la Garde Républicaine, présentant les armes de l'autre côté du mur, réminiscence lointaine de l'époque révolutionnaire qui vit la création de l'Institut de France, annonçait la venue imminente.

Mais, comme chaque décor, aussi somptueux soit-il, celui-ci a un envers et cache des coulisses où chacun s'évertue à accomplir les missions de l'Académie.

---

324. A.-F. Poncet (1962) [chancelier de l'Institut de France] *La chapelle du collège des quatre nations 1662-1962, le tricentenaire d'un bâtiment : la coupole de l'Institut de France*, éditions Vincent, Fréal et Cie, Introduction.

Dans les lettres qu'il s'empresse de rédiger dès le lendemain du scrutin, Maurice Javillier se met à la disposition des secrétaires perpétuels.

Je viens exprimer, avec ma joie d'appartenir à l'illustre compagnie, le désir de participer activement à ses travaux. Je prends bonne note de l'excellente tradition que vous me rappelez et me ferai un devoir de faire, dans les délais prévus, une lecture sur la vie et l'œuvre de mon prédécesseur[325].

Gageons que, malgré le mauvais tour que Pierre Viala lui avait joué, bien involontairement, Maurice Javillier éprouva un certain plaisir à retracer la carrière de ce provençal qui avait appliqué les méthodes pastoriennes aux maladies de la vigne. Avec ce savant « à qui le vignoble français doit son salut à l'époque où le phyloxéra paraissait sur le point de l'anéantir », sans doute, se sent-il des liens de parenté. Comment lui, qui, à plusieurs reprises dans ses allocutions, a évoqué le sauvetage du vignoble bourguignon, ne serait-il pas reconnaissant à celui qui *envoyé, en Amérique [a su] choisir et sélectionner les plants susceptibles de s'acclimater dans nos régions et d'y résister au parasite*[326] ?

Mais certainement la joie de Javillier fut bien plus grande quand il se vit, en 1937, confié l'organisation du jubilé de « son cher maître » G. Bertrand. Courroie de transmission entre le comité d'organisation créé pour cette célébration et l'Académie des Sciences, il se charge d'obtenir, du secrétaire perpétuel, Robert Courrier, la présidence de la séance, l'informe du programme qui se déroulera à l'Institut Pasteur *dans l'amphithéâtre même où G. Bertrand a si longtemps enseigné. Le comité se chargera de la préparation matérielle de la cérémonie et de tous les frais de la mise en état de l'amphithéâtre et des locaux voisins.* De même *il offrira pour terminer un petit lunch aux assistants*[327]. Avec son ordre coutumier, tout sera méticuleusement organisé, depuis le cérémonial prescrivant la place de chacun jusqu'au choix de son élève Machebœuf pour faire l'appel des seize personnes qui doivent lire ou déposer des compliments.

---

325. Lettre de M. Javillier du 8 décembre aux secrétaires perpétuels. Dossier biographique de M. Javillier. Archives de l'Académie des Sciences.
326. Dossier biographique de P. Viala. Archives de l'Académie des Sciences.
327. Lettre de M. Javillier à R. Courrier. Jubilé de G. Bertrand. Dossier biographique de G. Bertrand. Archives de l'Académie des Sciences.

Tout se passera selon ses désirs et il restera même assez d'argent pour éditer la plaquette où figurent les discours, fort utiles pour les biographes et les historiens.

Cependant, ces grands moments de la vie académique ne doivent pas faire oublier les instants traditionnels de la vie quotidienne, ou plus exactement hebdomadaires, car c'est tous les lundis à 15 heures que les académiciens se réunissent sous la direction du bureau composé des président et vice-président et des deux secrétaires perpétuels. Après avoir signé la feuille de présence à l'entrée de la salle des-pas-perdus, chaque membre prend place pour écouter la lecture de la séance précédente. Après que les secrétaires perpétuels aient donné verbalement le contenu de la correspondance reçue, la parole est donnée d'abord aux titulaires qui ont une communication personnelle à présenter ou le rapport d'un ouvrage de savant étranger à faire. Interviennent ensuite les membres correspondants, enfin les savants étrangers autorisés à lire leur travail s'il a été préalablement soumis au bureau pour examen.

À dire vrai, l'époque où M. Javillier est élu à l'Académie des Sciences n'a rien de commun avec celle où siégeait Pasteur. *Au début du XXe siècle, l'Académie des Sciences est très différente de ce qu'elle a été un siècle plus tôt, sans doute à l'image de la société qui l'entoure. Des blocages institutionnels viennent accentuer le déclin d'activité et d'influence déjà amorcé pour des raisons démagogiques*[328].

En plus de l'inflation monétaire due à la guerre qui la bride dans ses actions, l'Académie souffre d'une concurrence nouvelle avec la mise en place, en 1901, d'une caisse de recherche scientifique qui contrebalance les prix académiques et la prise en main par l'État de l'organisation de la recherche scientifique nationale avec la création du C.N.R.S. Si l'on ajoute que *l'Académie des Sciences, depuis 1917, avait cessé toute activité de conseil au gouvernement*[329] et que *les progrès de la médecine joints aux remplacements individuels sans référence d'âge, avaient progressivement conduit à un âge moyen élevé des membres*[330], *il ne faut pas s'étonner si dans ses conditions, une institution plusieurs fois cente-*

328. C. Douyère-Demeulenaere (1995) « L'Académie des Sciences des origines au milieu du XXe siècle », *Histoire des cinq Académies*, éditions Perrin, p. 229.
329. J. Friedel, « L'Académie des Sciences face à l'explosion de la recherche scientifique dans les années 1945-1975 », *Histoire des cinq Académies*, éditions Perrin, p. 226.
330. *Idem*, p. 236.

naire, comme l'Académie des Sciences, [fait] parfois figure de « club de dignitaires » sans influence notoire[331].

On comprend mieux, alors, les félicitations quelque peu humoristiques que Jules Drach adresse à Javillier en même temps que ses vœux pour l'année 1937.

Mes félicitations pour votre beau succès – auquel ma présence n'aurait rien changé – et tous mes vœux pour que vous en tiriez toutes les satisfactions, qu'il est en droit de vous apporter. J'ai constaté, avec quelque surprise, sur certains de mes confrères d'âge assez avancé que le succès avait une heureuse valeur thérapeutique. C'est un peu d'eau de Jouvence. Vous êtes loin, très loin, de ces conditions, mais comme dit G. Dumas, la mélancolie est une maladie ; je souhaite que votre joie demeure, pour cette année et les autres[332].

Cette réflexion est d'autant plus savoureuse que Jules Drach, lui-même académicien, est de quatre ans l'aîné de Javillier qui est d'ailleurs le benjamin de la section d'économie rurale et le seul sexagénaire avec Richard Fosse, née en 1870. L'âge des quatre autres titulaires s'échelonne de 70 ans pour Louis Lapicque à 76 pour le doyen Leclainche. Aucun n'a été élu avant la soixantaine, ce qui montre bien que le temps où Pasteur briguait l'Académie est totalement révolu.

Pourtant, à soixante-deux ans, Maurice Javillier n'a nul besoin « d'eau de Jouvence », loin de songer à la retraite, il garde la vigueur qui sera la sienne jusqu'à sa mort, malgré la maladie. Aussi s'engage-t-il plus particulièrement dans la mission qui reste encore la plus déterminante pour l'avenir de la science : les fondations et les prix. Durant les trois années qui précèdent le second conflit mondial, il sera membre successivement et même souvent en même temps, de plusieurs commissions chargées d'attribuer des récompenses aux lauréats dont les travaux correspondent le mieux aux volontés des donateurs.

---

331. C. Douyère-Demeulenaere, *op. cit.* p. 224.
332. Lettre de Jules Drach, (membre de la section de mécanique, professeur d'analyse supérieure à la Faculté de Paris) à M. Javillier du 10 janvier 1937. Archives J.-S. Retel.

Lui-même, titulaire, par trois fois, d'un prix décerné par l'Académie des Sciences – 2 fois le prix Longchampt et, en 1925, le prix Monthyon sur les arts insalubres, pour ses travaux en biologie – il est rapporteur à plusieurs reprises. Qu'il s'agissent de récompenser l'œuvre d'un jeune chimiste par le prix Jecker ou de lui attribuer une bourse de la fondation Hozeard, celle d'un physiologiste par le prix Lacaze, ou *d'une personne de nationalité russe ou française, en récompense d'un travail scientifique ou d'études pratiques de nature à améliorer le bien-être économique des familles exploitant de petites fermes, particulièrement en développant la culture maraîchère et l'élevage, en appliquant les loisirs de la mauvaise saison aux travaux d'action matérielle qui facilitent la diffusion de l'énergie électrique,* comme le précise le curieux prix Nicolas Zvorikine, fondé en 1937, Maurice Javillier, grâce à sa formation et à ses connaissances multidisciplinaires, sélectionne avec compétence le meilleur lauréat.

En 1938, c'est Étienne Foex, son rival au fauteuil de Pierre Viala, qui, avec Vital Duomant, obtient les 15.000 francs du prix Marguerite de Charloni pour leurs recherches sur la pathologie et la génétique végétales. En 1940, c'est une dotation de la fondation Charles-Adam Girard qui entend « récompenser des recherches ou des découvertes de chimie utile à la science et dans l'intérêt de l'humanité », que reçoit Léon Velluz, professeur au Val de Grâce, pour sa contribution à la chimie de l'immunologie. De la même façon, il appuie, quand il la juge méritée, la candidature de ses proches collaborateurs ainsi en 1937, celle de J. Lavollay pour la prix Longchampt.

Être académicien, lorsqu'on est professeur, c'est aussi faire reconnaître les travaux de ses élèves les plus méritants en lisant leurs travaux dans les séances hebdomadaires du lundi. Mesdemoiselles Rousseau et Emerique, Paul Meunier et Yves Raoul, auront cet honneur. Car, professeur, Javillier l'est au plus profond de son être et le restera tout au long de son existence.

Maurice Javillier Académicien.

10
Le semeur d'idées (1931-1939)

> *Il est une forme de mon activité dont* [...] *je ne puis faire abstraction, car je lui ai accordé une large part de moi-même : mes enseignements où j'ai essayé de faire connaître les faits et de semer les idées.*
>
> M. Javillier.

Mon grand-père, quoique souriant et d'un abord affable, m'inspirait un grand respect par son côté professeur, un peu sec, nerveux et de prime abord corseté dans un rationalisme sans faille[333]. Tel est le portrait que l'aîné de ses petits-fils, trace de Maurice Javillier. Il avoue même au cours d'une conversation : « Il était professeur, jusqu'à la caricature ». Mais une caricature qui n'a rien de commun avec celle du professeur Nimbus absorbé dans ses pensées et totalement absent à son environnement. Pour Maurice Javillier, exercer son métier est avant tout transmettre un message, un flambeau capable d'allumer, chez ses interlocuteurs, des vocations aussi ardentes que la sienne. Une vocation au sens religieux du terme qui, de son propre aveu l'a conduit « à se consacrer à la science » avec toute la foi, l'amour et l'ascèse que recouvre ce mot.

Il n'est pas cependant de ces prédicateurs enflammés par des sujets dont eux seuls ont la clef. En homme de partage, il veut et il sait avant tout se mettre à la portée de ses auditeurs quel que soit leur niveau ou leur âge. S'agit-il d'enseigner à ses petits-enfants les merveilles de la nature, *il parlait sans pédanterie, sans recourir aux mots savants. Comme je suppose que les*

333. Lettre de Jacques Retel du 27 février 2004.

termes techniques lui venaient à l'esprit, il devait donc les écarter volontairement[334].

S'il réserve formules et nomenclatures scientifiques à son auditoire de la Sorbonne, même là, il se refuse de faire usage d'un jargon hors de la portée de ses élèves. Son but n'est pas, comme certains professeurs, d'éblouir son public par l'étalage de son propre savoir, mais d'inspirer à ses auditeurs l'envie de prolonger, voire de surpasser un jour ses connaissances. Comme son maître, Émile Duclaux, il attend qu'au prix d'un effort personnel, ils s'engagent dans une voie librement choisie, en se réservant le modeste rôle de guide : *En début d'année Maurice Javillier demandait toujours à ses étudiants de rédiger une note indiquant leurs études antérieures et le but qu'ils poursuivaient. Si le cheminement ne lui paraissait pas logique, il provoquait un rendez-vous au cours duquel il signalait à l'étudiant ses errements et lui donnait des conseils*[335].

Ainsi, loin de le décourager, l'apathie de son premier auditoire à Tours, alors qu'il faisait ses débuts professoraux, n'a fait que lui insuffler plus d'enthousiasme pour sa mission. Tout au long de sa carrière, il n'a cessé d'innover en mêlant allègrement les disciplines du large éventail de sa formation de pharmacien et de pastorien et l'expérience acquise dans les laboratoires de Bertrand comme dans celui de la rue de l'Estrapade.

Il ne cache pas sa prédilection pour l'enseignement qu'il anime, rénove, étend, développe selon les nécessités. Il s'est notamment expliqué sur la haute mission professorale et sur l'interprétation de certaines sciences traditionnelles par d'autres disciplines, par exemple la chimie agricole par la chimie biologique : Si cependant l'on me disait qu'à trop rajeunir la pensée qui anime un enseignement, l'on risque d'aller au-delà des données solidement acquises et vérifiées par la pratique, je répondrais que ceci est affaire de présentation et qu'au reste professer n'est pas seulement choisir dans les faits acquis, ceux qui sont les plus importants, ou de la plus grande valeur éducative, c'est encore, et surtout peut-être, semer des idées. Je suis fidèle à cette doctrine[336].

---

334. Lettre de Jacques Retel du 27 février 2004.

335. Propos de Jacqueline Javillier-Retel recueillis par C. Clarté, *Revue d'histoire de la pharmacie,* tome 54, n° 315. Archives de l'Académie de Médecine. Dossier M. Javillier.

336. Éloge du professeur M. Javillier prononcé devant l'Académie de Médecine le 8 novembre 1955 par Raymond Delaby (1956) *Maurice Javillier 1875-1955,* imprimerie Maurice Déclume, Lons-le-Saunier, p. 27.

Où qu'il soit, dans un amphithéâtre de la Sorbonne comme au cours de ses conférences, en promenade avec ses petits-enfants ou devant les auditeurs du C.N.A.M., il s'applique, effectivement, à être « un semeur d'idées », métaphore qui, par son allusion au dur labeur de la terre convient mieux que toute autre aux méthodes professorales de Maurice Javillier.

Un homme de la terre professeur au C.N.A.M.

Ces qualités d'enseignant n'avaient sans doute pas échappé aux membre de l'Académie des Sciences chargés d'examiner sa candidature à l'Institut en 1931, puisque, faute de lui accorder le fauteuil de Théophile Schloesing, ils le classèrent en première ligne à la chaire de chimie agricole et biologique du C.N.A.M. que laissait également vacante le défunt.

Plus encore que pour ses autres postes, cette nomination comblait ses désirs comme la double reconnaissance de sa formation de biologiste et son ascendance bourguignonne qu'il ne manque pas d'ailleurs de rappeler lors de son discours inaugural : *Lorsqu'une grande ambition trouve sa réalisation, il serait injuste d'accueillir celle-ci sans faire quelque retour sur soi-même et de ne point proclamer à qui l'on doit, pour une part au moins, formation et esprit.* [...] *À l'heure où j'hérite d'une chaire de chimie appliquée à l'agriculture, je ne puis oublier* [...] *que je dois [à mon père], avec le respect de l'œuvre patiente, décevante, du paysan, la connaissance des principes élémentaires de la culture*[337].

Cette déclaration dans la bouche de Javillier n'est pas seulement un hommage à ses parents mais bien l'annonce d'une qualification en rapport avec les exigences de l'enseignement dans cette institution particulière qu'est le C.N.A.M. Œuvre de la Convention thermidorienne le Conservatoire national des arts et métiers, depuis sa création en 1794, n'a cessé de former des hommes aux pratiques industrielles et, depuis le milieu du XIXe siècle à celles de l'agriculture. Aussi, malgré son nom, ce « conservatoire » est-il infiniment moins conservateur que ne le sont les structures figées des Académies. *Garder des liens divers*

337. M. Javillier, Leçon inaugurale : A.-Th. Schloesing et son œuvre : « La chimie biologie et ses relations avec la chimie agricole », *Bulletin des sciences pharmacologiques*, tome 38, pp. 53-54.

et vivants avec la société, implique *la nécessité de tenir l'enseignement au courant des dernières découvertes de la science et de ses applications*[338] et par conséquent de créer de nouvelles chaires ou de faire évoluer les plus anciennes au gré de la progression des sciences.

C'est ainsi qu'introduite au C.N.A.M. en 1845, la chaire d'agriculture devient en 1851 chaire de chimie agricole pour mieux s'adapter aux travaux et à l'enseignement qu'y professe Boussingault, spécialisé dans la recherche des éléments constitutifs des végétaux, et particulièrement de l'azote. En 1887, cette sorte de travaux nécessitant de plus en plus la précision de l'analyse chimique, tant pour déterminer la composition des engrais que pour comprendre le mécanisme de leur action chez les plantes, la chaire prend le nom de chimie agricole et analyse chimique et le gardera pendant que les deux Schlœsing père et fils s'y succéderont, soit de 1887 à 1930. À cette date la biologie ayant permis de mettre en évidence le processus de transformation des nitrates en nitrites assimilables par les végétaux, l'enseignement intègre naturellement cette discipline émergente et c'est à la chaire de chimie agricole et biologique que Javillier est nommé en 1931. Cette modernisation constante donne bien évidemment un rôle prépondérant au titulaire qui, tant par ses travaux que par ses qualités pédagogiques, doit constamment répondre à une triple exigence : excellence du savoir, connaissance de la pratique et adaptabilité à un auditoire non spécialisé, puisque les étudiants ne sont pas des élèves sortis du moule scolaire ou universitaire mais des praticiens venus compléter et enrichir leur formation professionnelle.

L'expérience d'homme de la terre qu'apporte Javillier n'est donc pas, dans ce contexte, qualité négligeable et sonne même comme une innovation. Aucun de ses prédécesseurs, en effet, n'a pu faire état d'une telle ascendance. Tous quatre sont des citadins, Boussingault est né à Paris en 1802 d'un père soldat devenu droguiste et a commencé sa carrière de chimiste à l'École des Mines de Saint Étienne. Sa vocation pour l'agriculture ne lui est venue qu'incidemment alors que, nommé professeur à l'École des

338. B. de Andia (1994) *Le Conservatoire national des arts et métiers au cœur de Paris, délégation à l'action artistique de la ville de Paris,* Introduction.

Mines de Bogota et ayant en charge le ravitaillement des mineurs, il s'est trouvé confronté à ces problèmes. Les deux Schlœsing sont nés respectivement à Marseille en 1824 pour Jean-Jacques le père, et à Paris en 1856, pour Alphonse Théophile le fils. Tous deux sont polytechniciens et sont d'abord entrés au service de la manufacture royale des tabacs. C'est par le biais de la chimie du tabac que Jean-Jacques en est venu à s'intéresser à la chimie agricole et s'est vu nommé professeur dans cette discipline à l'Institut national d'agronomie lors de sa fondation en 1876, avant de succéder à Boussingault au C.N.A.M. en 1887. Son fils a fidèlement suivi le même parcours. Albert Demolon, qui assure l'intérim quand Th. Schlœsing se retire en novembre 1929, est né à Lille et est inspecteur général des stations agronomiques. La nomination de Maurice Javillier représente donc un véritable changement avec le passage des « hommes de l'azote », élément constitutif des végétaux à « l'homme du zinc » et des biocatalyseurs actifs dans les mécanismes du vivant; c'est aussi l'ouverture à la biologie pastorienne après le règne des agronomes ; enfin, c'est l'arrivée d'un savant doublé d'un homme de terrain.

Pour se faire une idée de ce que signifie une ascendance viticole cultivée durant l'enfance sur les pentes ensoleillées et précieuses des clos de l'étroite bande qui s'étend, au sud de Dijon, vers Beaune et Mersault, il faut avoir mesuré la noblesse que constitue cet héritage aujourd'hui pour les descendants de Jean Javillier, frère du grand-père de Maurice et propriétaires à Meursault. Il faut avoir vu avec quelle fierté la fille de Patrick Javillier revendique et remplit son rôle d'héritière tandis que son père, les yeux clos et les joues gonflées, analyse de la langue et du palais une gorgée de sa production pour y mesurer la plénitude des arômes ou y déceler les moindres imperfections. Il faut aussi avoir suivi des yeux, au Clos Vougeot, la lente progression des chevaux entre les ceps, avec, derrière eux, l'homme pesant sur la herse pour aérer la terre des sillons, image tout droit sortie des « *Très riches heures du Duc de Berry* » ou de quelque enluminure médiévale, fort loin du machinisme agricole contemporain issu de l'industrialisation et de l'accélération de la vie.

Voilà ce qu'est, pour Maurice Javillier, « l'œuvre patiente, décevante du paysan » à laquelle il a non seulement participé dans sa jeunesse, mais dont il ne s'est jamais totalement éloigné. Dans la solitude quasi monastique qu'est son bureau où il passe des heures nombreuses, trône la pendule qui ornait la maison de Nuits-Saint-Georges. Chaque dimanche, selon un rite presque sacré, il prend la longue clef et la remonte solennellement. Les liens avec la terre de ses ancêtres n'ont jamais été rompus : ce sont des vacances passées à Nuits et les amis Morin, affectueusement surnommés Tatabé et Toutou, familiers de l'appartement de Paris comme les Javillier le sont de leur moulin sur les bords du Muzin, entre Nuits et Villars Fontaine.

Homme de la terre, Javillier l'est aussi resté dans son comportement. Ce travailleur forcené sait aussi s'accorder des vacances qui lui procurent un contact nécessaire avec la campagne au cours de longues marches à travers le Morvan et qui sont pour lui l'occasion de communiquer à ses petits-enfants l'amour et le respect qu'il éprouve pour la nature *Au cours des promenades*, raconte Jacques Retel, *il aimait me faire découvrir les merveilles de la nature qui nous entouraient, il parlait des plantes et savait transmettre son savoir avec humour : me faisait goûter une pousse poivrée ou une racine à la saveur de réglisse, me montrant bien d'autres particularités cachées comme les plantes dangereuses aux fleurs magnifiques*[339].

Encore aujourd'hui, Françoise, sœur cadette de Jacques, se souvient de la façon dont son grand-père lui faisait comprendre la révolution agricole en lui montrant des épis de 60 grains, alors qu'ils n'en avaient que six naturellement. Comme le souligne encore Jacques, la relation des enfants de Jacqueline et René Retel avec leur grand-père peut se résumer en reconnaissant que Maurice Javillier les a introduit à l'esprit de l'écologie dès leur plus jeune âge[340].

Semailles et moissons

Sans doute, Maurice Javillier, en entendant aujourd'hui ces propos, se réjouirait-il d'avoir semé si durablement de telles connaissances dans l'esprit de ses petits-enfants, bien qu'aucun d'eux ne soit devenu biologiste ou chimiste, ni n'ait embrassé une carrière scientifique à proprement parler. Cette ouverture à la

339. Lettre de Jacques Retel, 2 février 2004, doc. cit.
340. *Idem.*

science révèle tout l'art dont fait preuve le semeur qui sait adapter le grain à la diversité des terrains rencontrés.

Pour se persuader du talent du professeur face à la multitude des publics qu'il sut séduire, il suffit de parcourir rapidement quelques passages des textes qu'il nous a laissés.

S'adressant aux étudiants de la Sorbonne, alors que, sitôt la fin de la première guerre mondiale, il vient d'être nommé maître de conférence à la chaire de chimie biologique, il n'hésite pas à choisir un sujet d'une actualité brûlante : « En quoi la chimie biologique a-t-elle contribué aux événements de guerre [341] ? » Le thème est à la fois très en vogue et en même temps très nouveau puisqu'il ne s'agit pas de parler, une fois de plus, de l'effort chimique de guerre mais de l'apport de la biologie à celle-ci : *Nous savions bien, diriez-vous, que la chimie avait joué, pendant la guerre, un rôle très important ;* [...] *l'effort chimique a été considérable, mais ce fut un effort essentiellement chimique où la chimie biologique n'a rien à voir. Eh ! bien détrompez-vous : la chimie biologique, si elle ne saurait prétendre avoir joué un rôle de premier plan, n'en a pas moins joué un rôle éminemment utile. Personne jusqu'ici ne semble s'être préoccupé de la mettre particulièrement en valeur. Je vais essayer de le faire en vous montrant que chez les Alliés et chez nos adversaires, on a dû recourir à des méthodes biologiques pour l'obtention des substances indispensables à la guerre*[342].

Ses auditeurs, il le sait, ont tous une excellente formation scientifique qui leur permettrait de le suivre sans peine sur les chemins des transformations chimiques. Pourtant, loin de se gargariser de formules et d'équations, il n'en cite qu'une seule ; celle de la décomposition du sucre en alcool, alors qu'il vient, chiffres à l'appui, de démontrer l'augmentation de ce produit, base de la fabrication de l'éther et du coton poudre, durant la guerre : *Au total, les poudreries et les fabriques d'éther ont consommé pendant les hostilités 1.700.000 hectolitres d'alcool. Ce chiffre est naturellement en dessous de la consommation réelle, puisqu'il faudrait faire entrer en ligne de compte tout l'alcool employé à d'autres fins, et, par exemple, à la fabrication des médicaments. Mais ceci suffit pour vous donner une idée du travail physiologique qu'accomplirent des milliers*

341. M. Javillier, « La chimie biologique et la guerre », *op. cit.*
342. *Idem.*

de cellules de levure suivant l'équation classique de Gay-Lusac : C6H12 = 2C6H5O + 2 CO2[343].

Cette formule en fait n'est là que pour faire toucher du doigt l'apport de la biologie à la simple chimie. Alors que, selon l'équation, le sucre en fermentant ne produit que de l'alcool et du dioxyde de carbone, l'étude des levures a montré que ces organismes végétaux, donc vivants, n'agissent pas avec la violence des réactifs chimiques et font passer la décomposition par différents stades intermédiaires dont la production de la glycérine d'un très grand intérêt ne serait-ce que pour la fabrication de la nitroglycérine. *C'est intentionnellement que je remets sous vos yeux cette formule classique, parce que la guerre a précisément appris aux belligérants à faire travailler la levure d'une façon différente, dans le but d'obtenir une matière première autre que l'alcool. Pasteur a démontré, dès 1858, que, dans la fermentation alcoolique, il se produit une petite quantité de glycérine*[344].

Sollicité, un quart de siècle plus tard pour parler, au lendemain de la Seconde Guerre mondiale, des « armes chimiques » devant les élèves officiers de Coëtquidan, il adapte immédiatement ses propos, non aux connaissances qu'ils possèdent – celles-ci étant proches de celles des étudiants de la Sorbonne – mais de celles qui leur seront utiles dans leur profession, à commencer par les qualités demandées aux différentes substances employées : *De l'arme chimique, je voudrais maintenant vous parler plus explicitement – car, en somme, c'est là ce que vous devez connaître – les armes éventuelles de l'ennemi – et les vôtres* [...] *Il faut qu'une telle substance soit fugace ou au contraire très persistante suivant les fins poursuivies, qu'elle soit d'une certaine densité, compatible avec d'autres corps, notamment les métaux, susceptible d'être préparée en masse importante, avec des matières premières accessibles et d'être conservée, etc. Dans le nombre considérable de corps nocifs pour l'homme, il n'y en a, en fait, qu'un petit nombre qui puisse devenir de véritables armes de guerre*[345].

Ce cours, qu'il préfère modestement appeler « une causerie », commence alors naturellement par la présentation des différentes substances classées dans l'ordre de leurs effets, vésicants, suffoquants

343. *Ibidem.*
344. *Ibidem.*
345. M. Javillier, « Débats et perspectives de la guerre des gaz », doc. cit. 12 mars 1947.

etc. Chacune d'elle est placée dans un tableau portant son nom, sa formule chimique, son état physique à 15° (liquide ou gazeux) et sa stabilité. Vient ensuite la partie la plus théorique qui porte sur l'obtention de ces toxiques. Pour aider la mémoire, Javillier prend alors la précaution d'utiliser le véritable jeu de construction qu'autorise la chimie organique dans la présentation des dérivés d'une même famille. Ainsi, après le thiochlorure qu'est l'ypérite [S-(CH2-CH2-Cl)2] il place le thioglycol en remplaçant le chlore par la fonction alcool OH [S-(CH2-CH2-OH)2] puis le sulfonyl en oxygénant le soufre : [O=S-(CH2-CH2-Cl)2] et ainsi de suite.

Ayant ainsi passé en revue les connaissances nécessaires aux chimistes de l'armée, il aborde un terrain plus général avec la détection des diverses substances soit par l'odeur, soit par les réactifs chimiques, puis la quantité de produit toxique libéré après l'explosion, avant de terminer sur les moyens de protection en les illustrant d'un croquis des différents masques, prouvant que Maurice Javillier est non seulement un habile chimiste et un excellent professeur, mais également un adroit dessinateur.

Lorsqu'il lui faut faire son cours devant les auditeurs du C.N.A.M. dont *la composition particulièrement variée exige, pour les professeurs* [...] *de faire d'une manière simple, accessible aux intelligences ordinaires, un enseignement scientifique rigoureux, sans recourir à des calculs ou à des raisonnements trop délicats à suivre*[346], il adapte son exposé à ces exigences et propose : *Le cours aurait comme introduction une leçon où l'on définirait d'abord la chimie agricole, science d'application de toutes les disciplines chimiques à l'agriculture, c'est-à-dire à la production, au meilleur compte, des végétaux utiles et des animaux domestiques.* [...] *– Je dirais dans cette leçon comment je conçois l'enseignement de la chimie agricole et biologique au Conservatoire : placer les connaissances chimiques, dont l'ensemble constitue la chimie agricole, dans le cadre de la chimie biologique, mais, d'une part, en ne retenant de cette science que les faits et les théories nécessaires à l'intelligence de la chimie agricole ; d'autre part, en ajoutant en bonne place, tout ce qui est spécifiquement agronomique, mais relève au point de vue des principes, d'autres disciplines chimiques*[347].

346. B. de Andia, *op. cit.* p. 16.
347. M. Javillier (1931) *Projet d'un enseignement de chimie agricole et biologique au Conservatoire national des arts et métiers.* Archives du C.N.A.M.

Et d'ajouter, montrant combien il a compris les caractères particuliers du C.N.A.M. et cédant à sa constante envie de croiser les disciplines : *L'on ne peut pas, au Conservatoire, oublier qu'elle intéresse plus d'un chapitre de la chimie industrielle. On saisira dès lors toutes les occasions de montrer le lien qui s'établit entre les principes ou les faits de la chimie biologique et leurs applications, sans entrer bien entendu dans des exposés technologiques*[348].

S'adapter à la variété des publics est également un exercice qu'il pratique fréquemment dans ses conférences, desquelles pédagogie et militantisme ne sont pas exclus. Parlant des « besoins alimentaires des végétaux cultivés et des engrais chimiques », il prélude en ces termes : *Imaginons que notre monde soit plus jeune d'un siècle. Nous sommes en 1844. Près des rives du Laln, dans son laboratoire de l'Université de Giessen, Justus Liebig âgé de 41 ans, a médité sa « chimie appliquée à la Physiologie végétale et à l'Agriculture » dont a paru une édition française due à Charles Gerhardt. À Pechel-lbronn et Paris, Jean-Baptiste Boussingault à peine plus âgé que Liebig a mûri son « Économie rurale considérée dans ses rapports avec la chimie, la physique et la Météorologie », dont la première édition vient de paraître. Il sera bientôt professeur d'Agriculture au Conservatoire National des Arts et métiers*[349].

Ce voyage dans l'histoire n'est pas pour Javillier un agrément ajouté à son cours, ni seulement un hommage rendu à ses prédécesseurs, Liebig, Boussingault et Payen, mais la preuve que loin de jaillir brusquement comme la lave des volcans, la marche de la science est un long cheminement fait de relais entre les chercheurs. Il n'est pas question, chez lui, comme c'est le cas trop souvent dans notre presse contemporaine, de parler des miracles de la science, de découvertes révolutionnaires. Il ne berce pas son public ni ses élèves d'illusions, car semer des idées c'est aussi faire connaître la tâche « patiente et décevante » réservée au cultivateur qui chaque jour mesure la croissance de ses plantations. L'histoire des sciences, bien avant qu'elle ait été enseignée officiellement, est, sous la plume de Javillier, l'étalon qui lui sert à mesurer les progrès accomplis par sa discipline. *Ici, je me rencon-*

---

348. M. Javillier (1931) *Projet d'un enseignement de chimie agricole et biologique au Conservatoire national des arts et métiers.* Archives du C.N.A.M.
349. B. de Andia, *op. cit.* p. 16.

tre avec le professeur Paulin qui après avoir comparé l'état de la science en 1900 et aujourd'hui, a envisagé la conquête scientifique sous son aspect moral[350], déclare-t-il à la rentrée solennelle de l'École de Plein exercice de Médecine et de Pharmacie des Tours. Et de citer aussitôt les bienfaits procurés à l'humanité par la naissance des vitamines, vitales pour l'homme, et par les progrès de la chirurgie.

Mais semer des idées ne se borne pas à présenter agréablement et rigoureusement des savoirs multiples, il faut aussi, parfois, pour éveiller l'enthousiasme, plaider la causes des travaux qui vous tiennent à cœur, telle l'action des oligo-éléments dont il se fait une fois de plus le chantre devant les étudiants tourangeaux : *Ces touches rapides suffisent, me semble-t-il, pour vous donner la sensation que la question dont la France peut revendiquer la mise en route avec les découvertes de Jules Raulin et de Gabriel Bertrand est d'un haut intérêt, non seulement scientifique, mais aussi pratique, qu'elle aboutit à des résultats de premier plan en agronomie et phytopharmacie, médecine vétérinaire et médecine humaine*[351].

Encore prêche-t-il ici devant un auditoire réceptif et convaincu, mais, comme le note J. Lavollay, *ce savant méticuleux et prudent n'hésitait pas à défendre avec véhémence des notions encore nouvelles car il était confiant dans ses méthodes et dans ses résultats*[352]. Ce visage de lutteur est aussi celui du chercheur et il ne le cache pas à ceux qui suivront ses traces. La vieille loi de l'habitude alliée à un positivisme déficient et persistant qui se méfie de toute nouvelle hypothèse, loin de faire la vie belle aux pionniers de la science, a la fâcheuse tendance de les mettre hors-la-loi. Peut-on imaginer – alors que de nos jours encore les « oligo-éléments » sont péjorativement classés dans les « médecines douces », les vitamines, dans les « médicaments de confort » et l'écologie regardée comme l'apanage de doux rêveurs ou de politiciens opportunistes – ce qu'a pu être la lutte menée par Maurice Javillier pour tenter de faire reconnaître l'activité « des aliments catalytiques comme engrais ». *On voit que s'il y a querelle de mots, il y a aussi plus, il y a divergence de point de*

350. Discours du professeur M. Javillier (1952) *L'Ouest Médical, op. cit.* p. 7.
351. *Idem.*
352. « Réception de M. Lavollay, nouveau membre titulaire », Procès verbal de la séance du 13 mai 1956. Académie d'Agriculture.

vue, une orientation différente d'idées. Or, la dernière, loin d'être stérile incite à rechercher des explications, à découvrir le mécanisme des actions biochimiques dans lesquelles interviennent des catalyses. C'est pourquoi, pour ma part, je fais confiance à cette théorie[353] *!*

Prévenus de toutes les difficultés qui attendent le chercheur, nombreux sont cependant les élèves qui n'ont pas hésité à le suivre, captivés par le talent du professeur : *M. Javillier possédait d'éminentes qualités de professeur. Ses leçons parfaitement préparées, étaient toujours données sur un ton allègre et persuasif qui détermina maintes vocations pour la science. Chez lui, une extrême facilité d'élocution était au service d'une pensée claire; une érudition peu commune émaillait des exposés limités volontairement aux exemples choisis*[354].

Ce n'est donc pas un hasard si la Faculté des Sciences de Paris a vu grandir ses promotions *à tel point qu'on ne sait plus où les loger,* [ni s'il] *a pu fonder une école de chercheurs*[355]. Pour les accueillir et leur permettre de travailler dans les meilleures conditions possibles, il ne cesse de se battre en vue de l'amélioration de ses laboratoires. Dès sa nomination au C.N.A.M., il s'est empressé d'y transplanter le laboratoire de recherche qu'il avait monté rue de l'Estrapade et d'utiliser toutes les possibilités financières offertes par l'Académie des Sciences pour l'enrichir d'instruments performants.

Attentifs au travail de cette pépinière, il est un patron à la fois disponible et distant. S'il reçoit volontiers chez lui les élèves qui lui demandent un rendez-vous, ils ne sont pas pour autant admis dans le cercle de ses intimes. S'il maintient une certaine distance à l'égard des familiarités, cela n'entache en rien son équité. M. Javillier est un patron égalitariste, et, fait assez rare dans l'entre-deux-guerres où les femmes commencent tout juste à obtenir quelques droits, il les accueille volontiers dans son laboratoire et leur réserve un statut identique à celui des chercheurs masculins. Dans les dernières années de sa vie, alors qu'il est à la retraite, il prend plaisir à retrouver l'une d'elles venue lui rendre une visite impromptue : *Voilà que nous avons*

353. M. Javillier, Conférence sur la composition élémentaire des aliments, 10 février 1918.
354. Réception de M. Lavollay, *op. cit.*
355. Lettre de M. Javillier, 18 mai 1945. Archives du C.N.A.M. Dossier personnel.

eu la visite d'un jeune ménage. Il s'agit d'une jeune dame qui fut jadis mon élève et qui fit de la bonne besogne dans mon laboratoire du C.A.U.[356].

Il serait d'ailleurs injuste de ne pas être « féministe » quand on appartient à une famille où les épouses peuvent se glorifier d'avoir participé pour une grande part à la carrière de leur mari, que ce soit Anna aidant Javillier dans ses expériences tourangelles, leur fille Jacqueline collaborant aux expérimentations sur les carburants injectés dans les moteurs inventés par son mari, l'ingénieur René Retel, puis gérant son laboratoire, ou de Niné faisant tout pour permettre à Tahi de gagner son indépendance et d'exercer sa vocation. Il ne faut donc pas s'étonner si, lors de son élection à l'Institut, les femmes aussi bien que les hommes de son laboratoire se sont cotisés pour lui offrir son épée d'académicien.

Leur reconnaissance envers leur patron est d'autant plus vive que, comme son maître Gabriel Bertrand, Maurice Javillier n'use pas d'un droit, toujours en vigueur aujourd'hui, en publiant sous son propre nom les résultats de ses élèves. *Il dirige plusieurs laboratoires où ses élèves deviennent eux-mêmes des maîtres,* dira J. Polonovski en lui rendant hommage après sa mort, *et avec une rare discrétion, lui-même, leur laisse de plus en plus, le bénéfice de la signature des publications*[357]. Présentant, en 1941, l'état des travaux de son laboratoire sur le magnésium et sur le phosphore, il ne manque pas de préciser : *Sous les noms associés de trois de mes collaborateurs, M. Lavollay, Mme Laborey et M.-J. Neumann et moi-même j'ai l'honneur de présenter à l'Académie un travail relatif à la fonction du magnésium dans la production végétale. J'ai plaisir à dire que, si j'ai eu le faible mérite d'aiguiller mon laboratoire dans cette voie de recherche qui me paraissait fructueuse pour la science et pour l'agronomie, c'est le travail patient et réfléchi de mes collaborateurs qui a acquis les faits et précisé les idées*[358].

De même chaque fois qu'il remet à jour la liste de ses propres *Titres et travaux* pour l'Académie des Sciences, il ne manque jamais d'y joindre celle des « *Travaux originaux, thèses et*

356. Lettre de M. Javillier à Jacques Retel du 23 février 1952. Archives J.-O. Retel.
357. J. Polonovski (1956) « Notice sur Maurice Javillier (1875-1955) », *Annales de l'Institut Pasteur,* tome 91, pp. 260-262.
358. M. Javillier, séance du 7 janvier 1941, classeur n°1, 1940-1946. Archives J.-O. Retel.

travaux divers des travailleurs attachés aux laboratoire de M. Javillier[359] ». Parallèlement, et avec un soin méticuleux, il tiendra à jour, jusqu'à la veille de sa mort, deux petits carnets, l'un où il inscrit ses publications et l'autre intitulé : « *Travailleurs et travaux* ». Autour de lui, dans chacun des laboratoires dont il fut le patron depuis 1924, gravitent de deux à sept préparateurs et quelques travailleurs bénévoles. Un rapide coup d'œil sur la liste de leurs travaux laisse percevoir la liberté d'esprit qui était la sienne. Si la grande majorité de ces publications portent bien évidemment sur les thèmes favoris du patron, oligo-éléments et vitamines, on a la surprise d'y trouver aussi une suite de recherches sur « *le microfilm et la photographie luminescente* » ou sur « *les nouveaux aspects de la réglementation des établissements classés* » par L. de Saint Rat ou encore les biographies historiques d'Oscar Leclerc-Thouin et de Théodore Saussure rédigées par D. Leroux.

C'est une moisson variée et débordante de 500 articles qui sortiront de ses laboratoires et viendront compléter et élargir les recherches du maître, mais qui seront aussi de précieux arguments chaque fois que Javillier doit plaider la cause d'un de ses chercheurs auprès de l'Académie. Car il sait être pour ses élèves un ardent solliciteur. En 1937, une mission en Algérie le privant d'assister à la commission du prix Longchampt dont il est membre, alors que Lavollay y a posé sa candidature, il s'empresse d'envoyer un courrier au secrétaire perpétuel :

La commission des prix doit se réunir le lundi 7 juin. J'aurai le regret de ne pas être présent à cette commission car je pars en Algérie pour y remplir une mission que m'a confiée M. le Gouverneur général. Je vous serais reconnaissant de m'excuser auprès de M. le président de la commission et de nos confrères. Je voudrais souligner les mérites de M. Lavolay, boursier de la caisse nationale des sciences, qui, depuis plusieurs années a fait une série de travaux sur le magnésium dans la biochimie animale et végétale. Sa thèse de doctorat est consacrée à ce sujet. Dès la soutenance de sa thèse, M. Lavollay a continué ses recherches, et, lundi dernier, je présentais précisément à l'Académie, certains de ses résultats. Si je disposais de plus d'instants – mais je n'ai que quelques heures –, je ferais volontiers un rapport circonstancié sur les travaux de M. Lavollay,

359. Dossier biographique M. Javillier. Archives de l'Académie des Sciences.

rapport qui montrerait l'intérêt et la haute portée de ceux-ci. J'ajoute que les travaux de M. Lavollay entrent de façon exacte, dans le cadre de ceux qui peuvent être récompensés par l'attribution du prix Longchampt[360].

Exigent, il sait, comme on le voit, reconnaître le travail de ses élèves et collaborateurs et leur faire attribuer les récompenses méritées pour leur permettre de continuer un jour à semer des idées pour que lèvent d'autres moissons.

Pour que le grain ne meure

Dans l'attention qu'il porte à ses élèves, entre pour une bonne part la volonté de former des successeurs afin que soit continuée l'œuvre qu'il a initiée avec Gabriel Bertrand. C'est donc avec fierté qu'en 1949, en posant sa candidature à l'Académie de Médecine, il se permet d'ajouter à son propre palmarès : *Et peut-être puis-je mentionner que dans les facultés, au C.N.A.M., à l'école d'application du Val de Grâce, dans des écoles de médecine et de pharmacie, plusieurs des élèves des laboratoires que j'ai dirigés occupent des chaires et des laboratoires. Ils le doivent à leur seul mérite. Mais je me berce de l'espoir de n'avoir pas été, au point de départ, étranger à leur direction de pensée et à leur goût pour la connaissance*[361].

Pour certains d'entre eux, comme Jean Lavollay, il a même fait plus. Lorsqu'au lendemain de la seconde guerre mondiale, il prend sa retraite du C.N.A.M., il le choisit pour être son successeur, et, non content d'avoir rédigé sur lui un rapport des plus élogieux, il insiste pour être présent à la séance de l'Académie lorsque sera présentée sa candidature. Alors qu'il profite de quelques temps de repos et de vacances en Mayenne, il prend la précaution d'écrire au Secrétaire Perpétuel :

Éloigné de Paris durant quelques semaines [...] *je voudrais vous signaler que vous sera incessamment transmis le dossier relatif à la désignation de mon successeur à la chaire de chimie agricole et biologique au C.N.A.M. Je ne pense pas que la question puisse être examinée par l'Académie dans une période où tant d'entre nous sont*

360. M. Javillier, lettre du 3 juin 1937. Dossier biographique de M. Javillier. Archives de l'Académie des Sciences.
361. Dossier M. Javillier. Archives de l'Académie de Médecine.

éloignés de nos séances. Je souhaite naturellement être présent quand l'Académie sera appelée à émettre son avis. Peut-être celui-ci pourra-t-il être différé jusqu'en septembre ou même les premiers jours d'octobre[362] *?*

Vœu exaucé par l'Académie qui s'empresse de donner son accord par retour du courrier. Jean Lavollay, classé en première ligne, prendra la succession de son maître en novembre 1945. Et, en 1956, devant tant d'estime affichée, les membres de l'Académie de Médecine, ne manqueront pas de l'élire à la place laissée vacante par la mort de Javillier.

Mais loin de se plier à la tradition qui veut que les savants désignent un même et unique successeur pour toutes les places qu'ils ont occupées, Maurice Javillier s'est réjoui de voir sa tâche partagée entre plusieurs de ses élèves, pour que les semailles, et par conséquent la moisson, s'étendent à la fois dans l'avenir et dans l'espace. À l'Institut Pasteur, c'est Michel Machebœuf qui l'a remplacé dans le laboratoire de G. Bertrand, en 1920 et c'est lui qui y prendra la direction du service de Chimie biologique quand Bertrand prendra sa retraite, alors que Javillier succède à son maître dans sa chaire de la Sorbonne. Certes Michel Machebœuf ne figure pas parmi les collaborateurs de M. Javillier, ils n'ont jamais signé de publications ensemble, mais leur rencontre à la Faculté des Sciences de Paris fut assez décisive pour que l'un et l'autre aient entretenu d'amicales relations de maître à élève : *C'est à l'occasion de ses études en vue du certificat de chimie biologique que, Maître de Conférence de fraîche date, j'ai appris à connaître et à estimer ce grand et vigoureux garçon, sympathique, intelligent, laborieux, dont l'avenir paraissait assuré*[363].

Comme M. Machebœuf à Lille puis à Bordeaux, c'est en province d'abord, à la Faculté des Sciences de Lyon, que Paul Meunier sera professeur de chimie biologique avant de diriger un laboratoire de recherche au C.N.R.S. Il y aura pour collaborateur, puis successeur, Charles Mentzer qui sera au Muséum d'Histoire naturelle de Paris, le successeur de Richard Fosse, dans le laboratoire où avait débuté l'amitié de Javillier et de Bertrand.

362. Lettre du 31 juillet 1945. Dossier biographique M. Javillier. Archives de l'Académie des Sciences.
363. M. Javillier, notice nécrologique de M. Machebœuf, *Bulletin de l'Institut Pasteur*, 1953.

Malheureusement, pour M. Macheboeuf, comme pour P. Meunier, tous deux décédés avant leur maître, la transmission n'aura été que de peu de durée. Or, c'est aussi à une postérité beaucoup plus lointaine que Javillier veut transmette l'héritage de son travail. Pour ce faire, comme le dira J. Polonovski : *Il consacra son activité à la rédaction de nombreux ouvrages, articles, conférences, ayant le souci constant de transmettre au maximum les fruits de sa pensée et la somme de ses connaissances afin d'instruire et de rendre service*[364].

Cette volonté que sous-tend un effort constant, a fait de lui « un semeur d'idées » jusqu'aux lieux les plus retirés, puisque c'est d'un cloître qu'émane l'un des témoignages les plus touchants, adressé par un ancien élève à Anna Javillier après la mort de son mari :

C'est un ancien élève et ami du Professeur Javillier qui se permet de vous adresser ces lignes et non sans émotion. Le frère Marie Luc, qui porte la robe de bure depuis plusieurs années, était jadis le Dr André Choay. Mais la rupture d'avec le monde n'a rien effacé de ses souvenirs, et la mémoire de ses maîtres et ses amis lui reste chère. Aussi est-ce avec un profond chagrin que j'ai appris, il y a seulement quelque temps, la mort, déjà ancienne, du Professeur Javillier. Sans doute avais-je donné à mes fils la consigne de ne pas faire suivre les nouvelles, mais je suis extrêmement peiné qu'ils l'aient suivie si étroitement. Le professeur Javillier était un de mes maîtres les plus chers, mais davantage, un ami – un ami de ma famille – amitié soudée par des angoisses communes lors de la fatale maladie de ma sœur – un ami personnel aussi[365].

Ce n'est donc pas en vain que Maurice Javillier s'en est allé courir le monde pour faire connaître au Canada, en Espagne, en Roumanie, au Liban et en Syrie, comme en Algérie, les besoins journaliers que les hommes et les végétaux ont de ces catalyseurs infiniment petits comme les oligo-éléments ou infiniment complexes comme les vitamines. De ses nombreux voyages à travers le monde, en homme de partage, il a gardé de précieux souvenirs dont il nourrit son amour de l'humanité :

364. J. Polonovski, *op. cit.*

365. Lettre adressée du couvent des Carmes de Lille, janvier 1956. Archives de J.-S. Retel.

Je me souviens pour ma part de contacts que nous avons eu occasion de prendre avec des pays étrangers. Ces souvenirs restent très vifs et même quand les précisions s'estompent, les impressions générales demeurent, et, généralement justes, tant sur les hommes que sur les choses et les lieux. La garde du drapeau en berne sur une grande place de Budapest, les sentiments perçus d'une assemblée universitaire dans une ville roumaine, les prosternations des fidèles dans une mosquée d'Istanbul, l'orgueil de montrer la bibliothèque municipale à Reykiwik, ou celui de faire les honneurs d'une grande université américaine – que de choses vues, senties, admirées qui nous en dit long sur l'âme des hommes[366].

Comme il le dit lui-même dans une lettre au directeur du C.N.A.M. : *Si l'on parle beaucoup de la tour d'ivoire des savants, il me semble que ma tour est singulièrement percée de fenêtres sur des horizons variés*[367]. De ces horizons sont accourus de nombreux collègues à l'annonce de sa mort pour apporter eux aussi leur témoignage sur l'œuvre de Maurice Javillier. De Madrid, de Berkeley en Californie, de Stockholm, de Giessen, de Berne, de Wageninger aux Pays-Bas, de Bristol, ils ont reconnus « *His pionnering work in the field of micronutrient elements*[368] » et ont évoqué avec émotion sa personnalité attachante : *Je me souviens de sa dernière visite rendue à la Hollande en 1953, où j'eus le privilège de le revoir, homme âgé sans doute, mais plein de vivacité et de bonne humeur, le même homme accueillant que j'avais eu le plaisir de rencontrer à Paris, treize ans plus tôt, le 9 mai 1940, au seuil de la seconde guerre mondiale*[369].

Au-delà de ces échanges entre collègues et hommes de sciences comme lui, Javillier a aussi voulu atteindre et instruire un public à la fois beaucoup plus vaste et beaucoup plus modeste en se prêtant à ce qu'on appelle aujourd'hui « la vulgarisation scientifique ». C'est à ce but que tendait sa participation à l'exposition internationale de 1937 et le stand, *en haut du grand escalier du Palais de la Découverte, au premier étage, à droite, [qu'il avait] décoré de deux tableaux de son gendre*

366. Lettre de M. Javillier à Jean-Stanislas Retel, 2 mars 1952. Archives de J.-S. Retel.
367. Lettre du 18 mai 1945, doc. cit.
368. Professeur Daniel T. Arnon, Université de Berkeley, Californie.
369. Professeur Jan Smit, Université de Wageningen.

H.-J. Masson, représentant des paysages champêtres[370] afin de mieux faire goûter aux visiteurs venus de tous les pays du monde, les merveilles de la chimie agricole et biologique.

M. JAVILLIER DANS SON LABORATOIRE
AVEC DEUX DE ET SES COLLABORATEURS.

370. Lettre de Jacques Retel, février 2004, doc. cit.

11

Le retour du pire (1939-1949)

Nous nous remettrons à la besogne, l'âme bien attristée, mais la volonté tendue vers le relèvement de la Patrie.

M. Javillier.

Comme l'Exposition Universelle de 1867, à Paris soixante ans plus tôt, l'exposition internationale de 1937 consacrée « aux arts et aux techniques de la vie moderne », portait dans sa chair les stigmates d'une paix agonisante. Ce n'était plus « un bruit de bottes » qui résonnait de l'autre côté du Rhin, mais le tremblement du sol sous les divisions Panzers de l'Allemagne hitlérienne manœuvrant devant un *Führer* tonitruant et acclamé face à une forêt de bras levés à la romaine. Cette fois, le malaise est si profond qu'il ne peut échapper au public. Même les plus jeunes spectateurs, tels Nicole et Jacques Retel âgés de 13 et 11 ans, amenés par leur grand-père Javillier à l'exposition, ont perçu *l'extraordinaire affrontement que présentait le face à face des pavillons en hauteur de L'U.R.S.S. et de l'Allemagne*[371]. Dans le chantier indescriptible qu'est cette exposition inachevée lors de son inauguration en raison des mouvements de grèves qui ne cessent d'agiter la France, ces deux pavillons sont l'incarnation même de deux états d'apparence politiquement opposés, mais de fait tous deux totalitaires. Et les merveilles les plus extravagantes de la technologie – comme ce téléphone où, déjà, l'on pouvait voir son interlocuteur et échanger avec lui un festival de grimaces avant d'en apprécier l'inventivité dans une salle adjacente sitôt la communication terminée – ne sont que des prétextes pour faire

371. Lettre de Jacques Retel, février 2004, doc. cit.

oublier, dans un instant de détente, ce qui se passe en France et au-delà de ses frontières.

Après l'euphorie des « années folles » qui ont suivi l'atrocité du conflit de 14-18, les nuages n'ont cessé de s'amonceler. Crises, krach new-yorkais, dévaluation, grèves, scandales financiers et politiques se sont ligués pour détruire les chances qu'avaient cru saisir les socialistes avec la percée du Cartel des Gauches en 24 puis du Front Populaire en 36. Le durcissement des blocs extrémistes, parti communiste et ligues d'extrême droite, ont enserré dans leur étau les ministères de la Gauche et provoqué une alternance précipitée de chutes, retours et rechutes. Malgré les lois de 1936, accordant les quarante heures de travail par semaine et les congés payés à tous les ouvriers et employés, qui avaient tant réjoui le cœur de Javillier, les scandales depuis la mascarade de madame Hanau en 1929 jusqu'à l'affaire Stavinsky en 35, en éclaboussant les parlementaires ont terni leur œuvre. Et, tandis que débrayages et occupations d'usines entraînaient un retard alarmant dans l'armement français, l'affrontement des blocs, au-delà des frontières, poursuivait son œuvre dévastatrice. En Espagne c'est le déclenchement d'une guerre civile dont *Guernica* sera un témoignage pour la postérité; c'est aussi la décision de la France de ne pas intervenir et de ne pas envoyer « les avions » que réclament les communistes; c'est même l'interdiction faite aux volontaires d'aller prêter main forte aux insurgés, avant de reconnaître officiellement la victoire de Franco et de refouler les fugitifs, tant grande est alors la peur du communisme. En Italie, le même spectre a suffi pour donner le pouvoir à Mussolini qui s'applique à imiter du mieux qu'il peut son voisin allemand, ébloui par l'ascension fulgurante et l'audace démoniaque de celui qui, en 1923, n'était encore que le *leader* du parti national-socialiste. Quinze ans plus tard, ce même Adolf Hitler et son parti contracté en « Nazi » ont volé de faux prétextes en violations jusqu'au sommet du pouvoir. Profitant du chômage et prenant appui sur les organisations pro militaires S.A. et S.S. qui ne sont pas à une violence près, il a imposé son parti aux élections de 1932. Un an plus tard la peur du communisme, toujours, lui valait le poste de chancelier. Alors commence une chasse aux non-Aryens qui ne se terminera que par sa propre mort. L'incendie du Reichstag est un excellent prétexte pour éliminer 4.000 communistes et se faire attribuer les pleins pouvoirs par Hindenburg qui, en décédant en août 1934, fait de Hitler – qui a pris soin de faire exterminer ses anciens amis les S.A. par les S.S., au cours de la « nuit des longs couteaux » – le maître de l'Allemagne et bientôt, pense-t-il, de toute l'Europe.

Le grand rêve allemand de la reconstitution du Saint Empire romain germanique, attendue par des poètes, des musiciens et des philosophes comme une terre promise, fait autant pour sa popularité que la terreur qu'il fait régner en supprimant tous ses opposants. En 1936, c'est la Rhénanie qui est reprise par violation du Traité de Locarno. En mars 1938, prétextant une sédition à Vienne, c'est l'*Anschluss* et l'Autriche est occupée. Un mois plus tard, c'est la Tchécoslovaquie qui attire l'appétit du tyran, et les Sudètes, population d'origine allemande, sont le prétexte à une annexion. Pourtant, cette fois, Hitler rencontre une opposition à son projet. La France et l'Angleterre lui font savoir que liées depuis 1925 à la Tchécoslovaquie, elles défendront sa liberté.

Un drame sans nom

Pour les Français en vacances – un droit tout neuf et d'autant plus doux pour beaucoup – l'été 1938 reproduit effroyablement celui de 1914. Pourtant les enfants de l'après guerre n'ont pas encore vingt ans et l'on parle de « remettre ça », après avoir clamé « Plus jamais ça » et « La Der des Der ». Mais comme le dit Cassandre à Andromaque : « C'était la dernière, mais une autre attend [372] ». Comme en 1914, le jeu des traités va-t-il remettre en marche la machine infernale et cela pour des Sudètes ? Dans ce mois d'août, lourd de menaces, si semblable à celui qui avait précédé l'effroyable carnage dont beaucoup portent encore des traces dans leur chair, les familles s'interrogent, partagées, divisées, inquiètes, comme les héros de *La Guerre de Troie n'aura pas lieu,* pièce si terriblement prémonitoire de Jean Giraudoux.

Pour la famille Javillier, c'est la maison de Lormes qui sert de cadre à la scène [373]. Comme chaque année, Jacqueline et René Retel, après des vacances en famille au mois de juillet, sont venus

372. J. Giraudoux (1935) *La Guerre de Troie n'aura pas lieu,* acte I.
373. Nous devons cette scène au récit de Françoise Retel fait pour sa petite-fille et intitulé *Kaléidoscope de la Mémoire,* novembre 2002.

confier leurs quatre enfants – Nicole 14 ans, Jacques 12, Françoise 8 et le petit Jean âgé de 3 ans – à leurs grands-parents Javillier. Mais, au lieu de regagner Paris où les attend la reprise de leur usine, ils s'attardent à Lormes. Sont également présents le frère d'Anna, Julien Champenois et sa femme Taleine qui, comme chaque été, ont fait la traversé depuis les États-Unis sur *Le Normandie*. Pourtant, ce n'est pas à la joie d'un repas de retrouvailles qu'assistent les enfants, médusés, bouches closes mais yeux et oreilles grands ouverts. Autour de la table, la position que doit prendre la France face à la menace allemande sur la Tchécoslovaquie a déclenché l'orage d'une discussion passionnée entre Maurice Javillier, son gendre et son beau-frère. Apparemment rien ne devrait les opposer : tous trois, avec le même courage, ont défendu leur patrie pendant la dernière guerre ; tous trois en sont revenus blessés dans leur cœur et dans leur chair. Tandis que Javillier souffre toujours de son empoisonnement stibio-arsenical et qu'au mur le casque cabossé de Julien semble vouloir lui rappeler sa blessure, René Retel, gazé, ne peut oublier qu'il est l'un des seuls survivants de sa promotion et que son père, Fernand Retel, mort au champ d'honneur, a son nom gravé dans l'église Saint Louis des Invalides.

Pourtant les avis sur l'affaire des sudètes sont partagés. Issu d'une ligné d'industriels et de militaires, R. Retel est naturellement pour le respect des traités et « au nom de l'ordre et de l'honneur », il pense que la France doit défendre la Tchécoslovaquie. Julien Champenois, malgré ses opinions radicales, partage le même avis. Sans doute ne voit-il pas sans frémir s'étendre l'hégémonie des dictatures totalitaires sur l'Europe.

Curieusement, le seul qui soit partisan d'une « paix à tout prix » est Maurice Javillier, attitude qui, à première vue, peut paraître paradoxale. Autant que son gendre et son beau-frère, c'est un homme d'honneur et de devoir respectueux des engagements pris. De plus, il est le seul des trois à avoir observé de ses propres yeux la fascination et le danger que représente Hitler. Lui qui, à l'encontre de presque tous ses compatriotes, au lendemain de la première guerre mondiale, voulait croire à un rapprochement franco-germanique et qui, malgré les gaz et les souffrances dont il avait été l'un des premiers témoins, refusait d'admettre la barbarie – universellement proclamée dans le presse du temps –d'un peuple qui avait donné au monde tant de poètes et tant de philosophes, est revenu de son voyage en Roumanie, en 1937, profondément inquiet. Même la joie de ses petites-filles devant les jolies jupes brodées qu'il leur a rapportées, n'a pas apaisé sa profonde désillusion. Longtemps membre d'une association œuvrant pour la réconciliation entre l'Allemagne et la France, il a continué à travailler l'allemand chaque jour dans son bureau, et s'est rendu, chaque été, Outre-Rhin pour pratiquer la langue qu'il aimait. Mais ces voyages annuels lui ont ouvert les yeux sur le régime qui s'y prépare. La violence des discours et de la propagande, la foule galvanisée ou terrorisée massée dans les stades, l'embrigadement de la jeunesse et surtout le déferlement de haine contre les Juifs qu'ont déclenché les lois raciales de Nuremberg en 1935, avec les pogroms et les arrestations massives qu'elles encourageaient, l'avaient déjà conduit à se retirer de l'association franco-allemande. Comment se fait-il que, face à ces constatations, il n'ait pas souhaité que la France s'opposât à l'extension d'un régime qu'il désapprouvait profondément ? Même la foi qu'il portait à la raison des hommes, même l'utopie un peu naïve qui était la sienne, ne peuvent suffire à expliquer sa position. Et l'on peut se demander si, chez cet érudit si profondément imprégné de la culture germanique, la vision de l'Allemagne hitlérienne n'a pas fait surgir en sa mémoire le texte prophétique du poète Henrich Heine, paru dans la *Revue des Deux Mondes* peu de temps après la révolution de 1830 :

Ne riez point du poète fantasque qui attend dans le monde des faits la même révolution qui s'est opérée dans le monde de l'esprit. La pensée précède l'action comme l'éclair le tonnerre. Le tonnerre en Allemagne est bien à la vérité allemand aussi : il n'est pas très leste, et vient en roulant un peu lentement; mais il viendra et quand vous entendrez un craquement comme jamais craquement ne s'est encore fait entendre dans l'histoire du monde, sachez que le tonnerre allemand aura enfin touché son but. À ce bruit, les aigles tomberont du haut des airs, et les lions, dans les déserts les plus reculés de l'Afrique, baisseront la queue et se glisseront dans leurs antres royaux. On exécutera en Allemagne un drame auprès duquel la Révolution française ne sera qu'une innocente idylle[374].

374. H. Heine (1934) *La Revue des deux Mondes* cité par N. Parfait (1995) *Une certaine idée de l'Allemagne : l'identité allemande de Luther à Heidegger,* Dejonquères.

Comme les héros de l'antique légende celtique qui gardaient la meurtrière lance d'Assal enfouie au fond d'un chaudron, peut-être Javillier aurait-il voulu empêcher à tout prix qu'éclate le tonnerre allemand dont il a perçu, sur place, les grondements terribles, et a-t-il pu garder un éphémère espoir en apprenant l'imprudente lâcheté des accords de Munich.

Mais la volonté des hommes aussi sincère soit-elle, peut-elle éviter la guerre ? À cette question, dans la dernière scène déchirante où l'on voit Hector, chef des Troyens et Ulysse ambassadeur des Grecs, faire tout pour sauver la paix, Giraudoux a déjà répondu : *La guerre est affaire non de la volonté des hommes mais du destin.* L'abandon de la Tchécoslovaquie, pas plus que la restitution d'Hélène à Menélas, ne pourra éviter la Guerre. Un an plus tard, dans la même maison de Lormes, les mêmes familles seront à nouveau réunies. Sans illusion cette fois. Les Javillier sont venus y mettre à l'abri leurs biens les plus précieux. René Retel, parfaitement conscient de la tournure que prendront les événements, interrompt brutalement les vacances de sa famille en camping dans le Dauphiné, et, en voiture, sans même prendre le temps de récupérer son chat, gagne le Morvan. Cette fois c'est vers la Pologne que Hitler a tourné ses canons, entraînant, comme en 1914, la lourde machinerie des alliances. La France et l'Angleterre se sont rangées aux côtés de la Pologne. L'Italie s'est liée à l'Allemagne par le pacte d'acier, mais cette volte face de nos anciens alliés à moins causé d'émoi que le pacte germano-soviétique signé entre Hitler et Staline le 24 août 1939. Comme en 1914 tout se précipite : le rappel des réservistes sous les drapeaux, les appels à la paix de Roosevelt aux U.S.A., du pape à Rome et du Roi des Belges. Cette fois il ne s'agit plus de « se battre pour quelques sudètes » mais de « mourir pour Danzig ». Et le premier septembre, sans déclaration de guerre, les troupes allemandes envahissent la Pologne.

C'est par la voix du garde champêtre que Maurice Javillier et sa famille apprendront que le pire est de retour. Comme en 1914, vingt cinq ans après presque jour pour jour, « la guerre est déclarée ! L'ordre de mobilisation placardé sur le mur à côté de la fontaine [375] ».

---

375. F. Retel, *Kaléidoscope de la mémoire*, novembre 2002. Nous empruntons à ce texte, tous les événements concernant la famille Retel.

Tout de suite c'est la dispersion. Tandis que R. Retel, mobilisé sur place au service du ministère de l'Air, rentre à Paris avec sa femme, les deux aînés, Nicole et Jacques restent en pension en Bourgogne ; les deux plus jeunes sont confiés à une famille amie réfugiée à Grandville.

Dans la capitale – où est revenu Maurice Javillier, qui à 65 ans révolu n'est plus mobilisable – chacun se prépare au pire avec des exercices de défense passive, la distribution de masques à gaz et de culottes en caoutchouc. Mais Hitler pour l'instant préfère achever son œuvre dévastatrice vers le Nord et après la Pologne s'en prend à la Norvège avant de se retourner vers la France en mai 1940. Cette fois c'est « le pire du pire ». En moins d'un mois, du 22 mai à la mi-juin, les neutralités de la Hollande et de la Belgique sont violées et les territoires envahis. L'invincible ligne Maginot est contournée. Encerclées, les armées françaises et britanniques tentent de se rembarquer à Dunkerque, mitraillées par la Luftwaffe, tandis que les divisions blindées déferlent dans la plaine du nord vers la capitale, sans qu'une nouvelle victoire de la Marne permette de les arrêter. À Paris c'est la débandade, la fuite éperdue vers le sud en voiture, en charrette, à bicyclette et même à pied ; les longues colonnes de civils étirées sur les routes que l'aviation italienne bombarde lâchement.

Pour les Javillier, comme pour beaucoup d'autres familles, c'est la dispersion et l'angoisse. Replié près de Bordeaux chez des amis, Maurice Javillier et sa femme sont sans nouvelle de leurs enfants et petits-enfants. Il ne savent pas que leur gendre, qui s'est réengagé dans l'active au mois de mai, a eu la chance de ne pas être fait prisonnier et a gagné également le Bordelais. Ils n'apprendront que plus tard les hésitations qui agitaient alors René Retel partagé entre le désir de prendre un avion pour rejoindre l'Angleterre et celui d'y renoncer en songeant à sa famille et surtout à ses responsabilités vis-à-vis de celles des employés de son laboratoire. Dans cet interminable mois de juin 40 chacun vit au rythme des événements tragiques qui se succèdent – Paris livré aux ennemis le 14 juin, les atermoiements du gouvernement entre la capitulation préconisée par Raynaud, l'acceptation d'une fusion avec l'Angleterre proposée par Churchill ou l'armistice envisagé par Pétain et l'appel vibrant du général de Gaulle, depuis Londres, invitant les Français à continuer la guerre – sans rien savoir de la situation ni du devenir des êtres chers. Maurice et Anna Javillier ignorent si leur fille Jacqueline a pu opérer le transfert vers la Creuse, de l'usine que son mari lui avait confiée, si, ayant quitté Paris avec les six familles qui y travaillent, elle a pu être rejointe par ses enfants, Nicole et Jacques de leurs pensions et les deux petits venant de Normandie. Malgré la défense héroïque des cadets de Saumur aidés par ceux de Saint Maixent, la Loire est franchie par les envahisseurs repoussant encore devant eux les fugitifs jusqu'au 21 juin où l'armistice signée fige sur une humiliante ligne de démarcation le flot dévastateur. À la panique de l'invasion, à la honte et à la souffrance devant des régions annexées, interdites ou occupées succède l'heure des décisions : soit demeurer en zone libre et poursuivre ses activités sous un gouvernement français faussement libre, soit regagner Paris en zone occupée. Choix qui impose une nouvelle séparation, longue de quatre ans, pour bien des familles dont celle de Javillier. Tandis que son gendre décide de rester en zone libre et d'installer sa famille à Tulle où il a trouvé un hébergement pour son laboratoire dans la manufacture d'armes désaffectée, Maurice Javillier a choisi de regagner Paris avec sa femme. Dès la fin de juillet, de Gènes en Gironde, il écrit son désir de se remettre à l'ouvrage au Directeur du C.N.A.M.

Je faisais précisément mes plans pour le retour à Paris du service dont j'avais la charge au C.N.A.M. [...] *Nous nous remettrons à la besogne, l'âme bien attristée, mais la volonté tendue vers le relèvement de la Patrie*[376].

À chacun sa résistance

De toute évidence ce n'est pas avec l'intention de faire allégeance aux envahisseurs que Maurice Javillier reprend son travail. Entre la soumission prônée par Laval et la rébellion à laquelle de Gaulle appelle, il ne tardera pas à choisir. La patience avec laquelle il écoutera, durant toute la guerre, Radio-Londres malgré les brouillages qui rendent les messages la plupart du temps inaudibles, suffit à le prouver. Puisque il a été « rayé des cadres et admis à l'honorariat depuis le 6 avril 1933 [377] », c'est à son poste qu'il se

376. Lettre au directeur du C.N.A.M. du 27 juillet 1940. Archives du C.N.A.M.
377. Dossier militaire de M. Javillier. Archives J.-S. Retel.

met au service de la France. Tout désormais doit faire comprendre aux Allemands qu'ils ne sont pas chez eux à Paris, et qu'ils se sont imposés contre la volonté de ses habitants. À l'Académie des Sciences, lors de la séance traditionnelle de rentrée le 23 décembre 1940, le président Hyacinthe Vincent s'est empressé de le rappeler : *En cette période douloureuse qui pèse sur notre pays, la séance annuelle ne pouvait être tenue dans les circonstances d'habituelle solennité. Mieux que des phrases vaines, sa simplicité traduit à la fois notre réserve et notre dignité. Vous êtes venus ici pour participer à cette manifestation du dévouement commun à la double cause de la solidarité et de la science. Soyez en remerciés*[378].

C'est le même esprit qui règne dans le laboratoire du C.N.A.M. où la plupart des élèves se sont regroupés autour de leur maître. J. Lavollay, P. Meunier, Y. Raoul, Mlle Vinet, D. Leroux, ont repris leurs recherches et un rythme intense de publications. Comme il le précisera plus tard, c'est principalement sur les facteurs de coagulation, telle la vitamine K et *l'action des substances dont l'emploi pouvait avoir quelques intérêts pour nos blessés*[379] que portent les travaux de Maurice Javillier et de ses collaborateurs. Mais comme il l'ajoute modestement *tout cela est peu* auprès du harcèlement mené contre les envahisseurs par les réseaux de résistance dont beaucoup se sont peu à peu organisés sous la houlette de l'Angleterre. C'est peu comparativement à l'audace des maquisards dont le flot ne cessera de grossir quand en 1943 le gouvernement de Vichy se prêtera à ce marché de dupes qui consiste à envoyer la jeunesse française travailler en Allemagne en échange de la restitution de quelques prisonniers[380]. Cela est peu, certes, mais il faut néanmoins un certain courage pour poursuivre son œuvre quotidienne et faire comme si de rien n'était dans le Paris de l'occupation où, partout, de grands drapeaux à croix gammées rappellent l'occupation de la France par Hitler. Il faut du courage pour supporter le froid et les longues nuits de l'hiver 40-41 et les restrictions de plus en plus sévères, les tickets sans lesquels on ne peut rien obtenir, mais qui ne garantissent pas pour autant d'accéder, après avoir

378. Procès verbal de la séance du 23 décembre 1940, comptes-rendus de l'Académie des Sciences.
379. Lettre du 18 mai 1946. Archives du C.N.A.M. doc. cit.
380. Trois jeunes hommes contre un prisonnier. C'est le S.T.O.

fait la queue pendant des heures, à la maigre part à laquelle ils donnent droit.

Plus que tout autre, Javillier sait que 450 grammes de viande par mois et la ration de 1000 à 1200 calories journalières accordées aux Parisiens est terriblement dommageable à la santé des adultes mais surtout à celle des enfants. Lui qui a passé sa vie à mesurer les besoins vitaminiques des végétaux comme des animaux et qui, au beau milieu de l'occupation, choisit de faire une conférence au centre de perfectionnement technique sur « le cycle des protéines », n'a pas manqué d'envoyer des paquets de caséine à ses petits-enfants. Mais, tandis que les plus jeunes absorbent avec dégoût cet apport quotidien en protéines nécessaire à leur croissance, leur grand-père, affamé, dévore un jour ce qu'il croit être un pâté de viande. Étonné par son goût, il s'en confesse à Anna, horrifiée quand elle réalise que son mari vient d'avaler les rideaux « en ersatz » de la fenêtre que le lavage avait réduit à l'aspect trompeur d'une boule de rillettes.

Continuer à faire des cours et des conférences dans de telles conditions, se rendre à son laboratoire et multiplier responsabilités et occupations, c'est aussi faire preuve de courage et surtout aider les autres à survivre par l'exemple dans une sorte de « résistance citoyenne » qui, sans avoir l'héroïsme des résistants, n'en a pas moins un certain mérite. Rien ne prouve d'ailleurs que M. Javillier se soit contenté de vaquer uniquement à ses occupations coutumières à travers les pièges tendus par l'occupant, les rafles, le couvre-feu, le froid, la faim, l'odieuse pratique des arrestations juives et des fusillades des otages.

Mon grand-père, écrit son petit-fils interrogé sur ce sujet, *déployait manifestement une grande activité, mais il était absent, en dehors de son domicile. Nous avions juste quelques échos : il nous donnait des informations générales. C'est sans doute par son intermédiaire que nous avons appris que les ponts et les principaux monuments de Paris étaient minés. Comme le téléphone marchait bien et beaucoup, je ne suis même pas certain de l'origine de ce renseignement. Nous cachait-il des secrets ou ses occupations étaient-elles finalement anodines ? Certes, il ne serait pas du tout déplacé vu son caractère d'imaginer qu'il continuât imperturbablement à poursuivre ses travaux de chimie. Cependant, j'ai toujours supposé qu'il restait volontairement discret et que ses occupations débordaient le strict domaine de la chimie biologique et de l'enseignement. Je ne dispose que d'indices. D'abord son opposition sans ambiguïté à l'occupant. Une fois il est revenu assez content de lui parce qu'il avait pu profiter de sa connaissance de l'allemand pour envoyer « geradeaus zu nase » se perdre des militaires qui s'informaient de la direction à prendre. L'ampleur des occupations extérieures, y compris dans les moments cruciaux de la libération de Paris, indique bien des engagements particuliers. Au domicile, il venait très souvent un jeune collègue Machebœuf. Il racontait en ma présence les manœuvres pratiquées à l'Institut Pasteur pour tourner les règlements allemands. En particulier la mise en boite de conserve des chevaux qui décédaient, expliquait-on aux contrôleurs allemands, de maladies très dangereuses qui obligeaient à un enfouissement immédiat. Mais ils devaient aborder d'autres sujets en tête à tête*[381].

En mars 1942, Michel Machebœuf, tout en restant titulaire de sa chaire à la Faculté de Bordeaux, avait été rappelé à Paris par le directeur de l'Institut Pasteur. Ayant loué un appartement dans la rue des Volontaires, c'est en proche voisin de Javillier qu'il vient le visiter et discuter des questions liées à leur travail commun sur la nutrition et l'approvisionnement. Dans ce domaine, Machebœuf n'avait pas son pareil pour récupérer les matières premières employées dans les laboratoires à des fins d'analyses. Outre la viande de cheval mise en conserve, son entourage fut aussi abondamment pourvu en savon à l'huile de colza. Mais à côté de ces activités anodines, Machebœuf était aussi en étroit contact avec la Résistance, fermant les yeux chaque fois que des membres de son laboratoire disparaissaient au maquis. Se sachant recherché par la Gestapo, il demeura caché pendant plusieurs jours à l'Institut Pasteur, sans oser mettre le nez dehors[382].

Quel fut exactement le rôle de Javillier auprès des pastoriens engagés dans la Résistance, il est difficile de le savoir avec exactitude. Selon ses propos, c'est surtout à travers ses engagements associatifs qu'il mena son combat : *Je ne considère pas comme extraordinaire d'accéder à la Présidence de telle académie ou de telle société savante. Après tout c'est un honneur en même temps qu'une charge. Mais tout de même assumer certaines présidences en un*

381. J.-O. Retel, février 2004, doc. cit.
382. Carton Machebœuf. Archives de l'Institut Pasteur.

temps où il n'était pas sûr de se mettre en vedette devant l'occupant [...] *c'est quelque chose qui ne se pratique pas couramment*[383].

Membre de la Société d'agriculture depuis 1938, président de la Fédération nationale des Associations de chimie (1939), membre du Conseil technique à l'Économie nationale (1939-1940), Membre associé de la Société de chimie biologie (1942), vice-président en 1941 puis président en 1942 de la Société de pharmacie, membre du Conseil d'hygiène et de salubrité du département de la Seine (1943) président de la Confédération des Sociétés scientifiques françaises (1943) vice-président du Comité consultatif de la pharmacie (1944), il multiplie les réunions et les occasions « de se mettre en vedette devant l'occupant » par les allusions patriotiques dont il émaille presque tous ses discours. Doit-il faire un rapport sur l'agronome M. Gault qu'après avoir longuement exposé ses travaux, il enchaîne sur *ce fils d'Alsace et de Lorraine* qui en 1914 *n'a accepté le poste qui lui était offert dans la section technique de l'aéronautique qu'après trois ans de séjours aux armées* et qui, en 1939 a mis au point un explosif jugé parmi les meilleurs. Et de saluer pour conclure une œuvre qui témoigne à la fois de la maîtrise du chimiste organicien, de la valeur du professeur et du directeur de laboratoire, de la force d'âme du concitoyen[384].

Déjà en 1942, la mort de son ami François-Eugène Choay lui avait permis d'évoquer publiquement et avec nostalgie la présidence de Choay à la société de pharmacie en 1918 : *Le sort de l'Europe dépendait du succès de nos armes et nous souhaitions construire un monde où les aspirations nationales trouveraient leurs réalisations dans d'autres voies que la guerre.*

En février 1945, président les cérémonies qui honorent la mémoire d'Antoine Ballant, directeur au Val de Grâce du laboratoire d'expertise de guerre, il dévoile, cette fois, ce que fut sa résistance personnelle :

L'ennemi occupait encore le territoire national. La tentative de germanisation du peuple français s'appesantissait sans mesure, le moment ne pouvait être meilleur pour affirmer notre personnalité, pour glorifier l'un des nôtres, pour nous recueillir devant la mémoire

383. Lettre du 18 mai 1946.
384. M. Javillier, Rapport sur M. Gault, 1944. Archives J.-O. Retel.

d'un bon serviteur de la Patrie. C'était une forme de la Résistance. Et c'est ainsi qu'en période d'occupation nous avons organisé la commémoration du centième anniversaire d'Antoine Ballant, comme nous avions participé à la célébration du deuxième centenaire d'un savant d'un tout autre génie, Laurent Lavoisier.

Et puis, Messieurs, c'est dans les instants qu'un organisme souffre, c'est quand le doute s'insinue parmi les membres, quand la loi s'effrite, quand l'avenir se teinte de couleurs sombres, qu'il faut intervenir pour dire que la santé reviendra qu'un idéal ne s'éteint jamais en des âmes volontaires et fortes[385].

Il n'est plus possible de douter que c'est avec cette fermeté d'âme que Maurice Javillier s'est engagé en solitaire dans la Seconde Guerre mondiale et que finalement, comme le remarque Jacques Retel, *il a consacré une bonne partie de son temps à organiser et à prévoir les mesures propres à éviter le pire aux Parisiens, en envisageant tous les cas de figure catastrophiques* [tel] *le recensement de tous les points d'eau susceptibles de servir en cas d'interruption du service habituel*[386].

La loi révisée

Même au sommet de la gloire, académicien, professeur et chercheur, il n'oublie pas qu'il est d'abord et qu'il sera toujours un pharmacien comme son père et c'est en tant que membre de ce corps qu'en 1944, il s'investit totalement dans son rôle de président de la commission de révision de la loi sur l'exercice de la pharmacie pour *tenter d'apporter à une grande profession un statut juridique autre qu'une loi insuffisante et inutile*[387].

Dans l'esprit de beaucoup de pharmaciens aujourd'hui, « ce statut juridique » est malencontreusement associé à l'une des périodes les plus humiliantes de l'histoire de notre pays, puisque la date du 11 septembre 1941, retenue comme celle de la loi sur l'exercice de la pharmacie, se place indéniablement sous le gouvernement de Vichy.

385. M. Javillier, Allocution du 7 février 1945. Archives J.-O. Retel.
386. J.-O. Retel, février 2004.
387. M. Javillier, « Vue de mes principaux travaux ». Dossier présenté à l'Académie des Sciences en 1949. Dossier biographique de M. Javillier. Archives de l'Académie des Sciences.

L'étude des activités de Maurice Javillier pendant la dernière guerre jette un éclairage nouveau sur le déroulement des faits dans leur totalité et permet de rectifier une image fausse de cette loi.

Disons d'abord que l'idée de la nécessité d'une législation nouvelle n'émane pas des ministres pétainistes, mais qu'elle était, à la veille de la guerre, le leitmotiv des réclamations émises par les membres de la profession pharmaceutique. En matière de conservatisme, les pharmaciens battent d'une bonne longueur les académiciens, puisque c'était toujours à la loi Fourcroy du 21 germinal an XI (11 avril 1803) qu'ils étaient assujettis. Formulée au lendemain de la Révolution française, alors que la suppression des corporations en 1791 avait laissé le champ libre à toutes les tentatives de charlatanisme, ce texte entendait principalement donner des règles aux titulaires d'une officine – nécessité d'obtenir un diplôme pour exercer la pharmacie et acheter une officine, inspection de la qualité des médicaments, réglementation des substances toxiques – et instituer un enseignement dans trois écoles spécialisées à Paris, à Montpellier et à Strasbourg. Mais, *dans son principe, la loi de Germinal inspirée par le souci politique de l'époque, veillait avec un soin jaloux à ce que rien qui rappelle les corporations ne subsistât. C'est pourquoi l'État avait fixé les règles applicables aux individus et avait laissé de côté tout ce qui était organisation professionnelle*[388].

Il va sans dire qu'au bout de cent trente-huit ans, cette loi, malgré quelques retouches administratives, ne correspondait plus à l'évolution d'une profession située aux confins des sciences chimiques, biologiques et médicales dont les progrès s'étaient brusquement accélérés depuis la fin du XIXe siècle. La représentation du benzène sous une forme hexagonale par Kékulé en ouvrant les portes des synthèses organiques et en autorisant conséquemment la création d'une foule de produits chimiques nouveaux, avait engagé les pharmaciens dans deux voies inimaginables au temps de Fourcroy : le laboratoire de recherche et l'industrie pharmaceutique. Nouvelles branches avec lesquelles il fallait désormais compter.

388. « Origine, naissance et réforme de l'Ordre », *Bulletin de l'Ordre des pharmaciens*, n° XVIII, mars 1962.

Dès lors, ce qui n'était que des désagréments pour les pharmaciens d'officine, devint vite des obstacles fâcheux pour les fabricants. Ainsi l'obligation d'être diplômé pour être propriétaire de son outil de travail avait surtout, jusqu'ici, perturbé les veuves obligées de vendre l'officine de leur mari quand elles n'étaient pas elles-mêmes titulaires du diplôme. Mais l'apport financier nécessaire à un investissement beaucoup plus important pour les industriels posait la question des capitaux appartenant à des non pharmaciens et, dans ce cas, à leur droit de propriété sur un bien pharmaceutique. De même, faute de règle prévoyant le cas, le jeu des marges bénéficiaires entre grossistes et détaillants laissait libre cours à une lutte commerciale fondée sur une « surenchère à la baisse », chacun rognant sur ses bénéfices pour attirer chez soi un plus grand nombre de clients. Et ceci, bien souvent au détriment d'un confrère du proche voisinage. Le nombre des officines n'étant pas limité, rien n'empêchait un jeune diplômé de créer une pharmacie à quelques mètres d'une autre préexistante et de tenter de récupérer sa clientèle.

Pour pallier ces pratiques bien peu confraternelles, les pharmaciens, à partir de la fin des années 1870 s'étaient regroupés en syndicats. En 1879 la Chambre syndicale des fabricants venait faire pendant à l'Association générale des syndicats pharmaceutiques créée l'année précédente et, en 1908, naissait le Syndicat de la nationale réglementation auquel s'unissait en 1937 le Syndicat des spécialités réglementées et la Ligue des spécialités réglementées, dont les titres mêmes soulignaient la dispersion des efforts autant que les besoins éprouvés par la profession toute entière. Cependant l'adhésion aux syndicats n'étant pas obligatoire, le pouvoir disciplinaire qu'ils tentaient d'exercer restait limité et l'idée d'une chambre ou d'un ordre regroupant tous pharmaciens désireux d'exercer la profession, se faisait de plus en plus pressante quand la guerre de 1939 survint.

Hostile aux syndicats qu'il s'était d'ailleurs empressé de supprimer, le gouvernement de Vichy s'empara aussitôt d'un projet qui semblait devoir s'accorder aisément avec ses vues corporatistes. Le 17 septembre 1940, soit un mois à peine après l'armistice, Augustin Damiens, doyen de la Faculté de Pharmacie de Paris, se voyait confier le soin d'établir un projet de loi sur l'exercice de la pharmacie et sur l'organisation de la profession.

Le 26 octobre un premier texte était remis, suivi le 13 novembre d'un résumé. Le 24 décembre, le ministre de la Santé et de la famille faisait savoir son approbation. Puis ce fut le silence. *Depuis lors, nous avons ignoré le sort réservé à nos propositions. L'occasion ne nous a pas été donnée de les commenter, de les expliquer, même de les justifier.* [...] *Nous attendions avec patience, et avec confiance, comme d'ailleurs la profession toute entière, légitimement inquiète de l'avenir que l'on préparait pour elle*[389].

Le 14 juin enfin sort un texte officiel qui, loin d'être satisfaisant, provoque « une vive réaction de la profession ». Après une réplique immédiate le 16 juin, un nouveau texte, adressé le 22 juillet, expose les principaux points sur lesquels « porte le désaccord ». Ceux-ci concernent d'abord *les combinaisons quels que soient le titre et la forme, dans lesquelles le pharmacien ne serait pas le maître absolu de l'officine, non seulement du point de vue technique, mais encore du point de vue commercial et financier et dans lesquelles sa liberté d'action pourrait être entravée dans une mesure quelconque par des interventions intéressées*[390].

Cette remarque visant le sort particulier fait aux sociétés que le texte officiel a exempté de cette règle : *On peut être surpris que le projet, si fermement attaché à la règle traditionnelle de Germinal pour le commerce de détail et de gros, et même pour l'industrie pharmaceutique, lorsque le pharmacien est seul propriétaire, abandonne délibérément cette même règle, et, en prenne même rigoureusement le contre-pied, lorsqu'une Société se trouve formée*[391].

La réplique du doyen Damiens est sans parade :

En pharmacie, les techniciens ne doivent pas être subordonnés aux financiers. C'est l'intérêt de la Santé Publique qui l'exige. Le médicament n'est pas une marchandise quelconque. Sa destination lui donne un caractère de noblesse et le fait échapper à certaines contingences[392].

Le second point, qui irrite profondément les membres du corps pharmaceutique, concerne l'inspection réduite à des commissions départementales ou régionales, sans qu'un conseil national puissent en assurer la coordination, *mais ce qui est pour*

389. A. Damiens, Rapport au conseil d'État, 1er août 1941, in Origine... *Op. cit.* p. 36.
390. *Idem*, p. 38.
391. *Idem.*
392. *Idem*, p. 39

nous plus inattendu et plus grave c'est que les Facultés sont dépossédées du privilège de diriger techniquement l'Inspection[393].

L'établissement d'un contrôle et d'une limitation des spécialités par l'État basés sur une vérification analytique de leur formule et le versement de 2000 francs par produit pour les fabricants, attirent une double remarque : la difficulté du contrôle analytique et le supplément de travail qu'il demandera aux laboratoires de recherche en les réduisant au rôle de simples laboratoires d'analyses, et l'importance de la somme exigée pour les fabricants de produits spécialisés, non inscrits au remboursement de la sécurité sociale, qui les entraînerait à des faillites sans réduire les dépenses du Gouvernement.

Dans une mention spéciale, vient en conclusion, l'oubli intentionnel ou non fait par le Gouvernement de la création d'un Ordre des pharmaciens :

Nous croyons, d'autre part, nécessaire d'attirer votre attention et celle du Gouvernement sur le fait que le Corps pharmaceutique ne comprend pas pour quelles raisons a été abandonné le projet de création d'un Ordre des Pharmaciens qui était envisagé en septembre 1940. Dans la corporation sanitaire, que l'on a l'intention de constituer, il a été convenu que médecins et pharmaciens seraient sur le même plan. Nous souhaitons vivement que cet équilibre se réalise, et nous nous permettons d'insister pour que soit révisée la décision concernant l'Ordre[394].

Malgré ces protestations, polies, mais fort nettes, la loi du 11 septembre 1941 n'en a presque pas tenu compte. Le rôle de l'administration y est dominant par rapport à celui laissé aux membres du corps pharmaceutique. Ainsi l'ouverture de Sociétés se fait-il par un arrêté d'ordre administratif, tandis que les pharmaciens n'ont que le contrôle de ces sociétés. La réorganisation des inspections maintient l'exclusion des facultés et est directement sous la dépendance du Ministère de la Santé Publique, enfin les spécialités nouvelles doivent obtenir le visa de ce même ministre après contrôle du dossier présenté. Seule la réclamation d'un Ordre a été entendue. Une organisation professionnelle est ébauchée avec la création de chambres départementales séparées pour les titulaires

393. A. Damiens, Rapport au conseil d'État, 1er août 1941, in Origine… *Op. cit.* p. 41.
394. *Idem*, p. 45.

d'officine, les fabricants et les droguistes répartiteurs, qui reprennent en gros les anciens pouvoirs des syndicats : celle de conseils régionaux chargés de la disciplines et enfin d'un Conseil supérieur de la pharmacie pour coordonner et orienter l'ensemble. Mais pour les pharmaciens *cet organisme ressemblait à l'Ordre dans la mesure ou une caricature se rapproche d'un véritable portrait*[395].

Des remous provoqués par la loi *signée par le Maréchal Pétain, chef de l'État et huit ministres, relative à l'exercice de la pharmacie,* Maurice Javillier semble s'être tenu éloigné et c'est comme il le dit lui-même, parce qu'il a pris conscience qu'il était du devoir du président de la Société de Pharmacie de la bien connaître et même d'en faire l'objet de son discours[396], que le 7 janvier 1942, il s'implique dans un débat qu'il mènera jusqu'au bout.

Fort de sa formation de pharmacien qu'il revendique hautement, mais aussi de l'éloignement de la profession où l'a tenu sa carrière, c'est à la fois un regard neuf et un avis personnel qu'il présente à ses confrères avec sa vivacité coutumière : *Le président sortant a donné un texte si fin, si mesuré mais éloigné de tout commentaire du texte qui retentit aujourd'hui sur la vie des pharmaciens français.* [...] *Une moindre discrétion s'impose à moi-même* [...] *j'ai pensé que j'étais à la fois assez près et assez loin de la pharmacie, pour pouvoir, en cette place, mais en n'engageant que moi-même, vous faire part de mes réactions personnelles*[397].

D'emblée ses critiques portent sur deux points qui n'avaient pas été commentés par A. Damiens et qui le touchent directement : la création d'un chambre disciplinaire et l'interdiction de cumul pour les pharmaciens d'officine.

Pour la chambre chargée de surveiller l'activité professionnelle, il manifeste sans ambages sa méfiance à l'égards des pratiques mises en usage par le gouvernement de Vichy : *Cette surveillance me tourmente. Car comment l'exercer ? Ah ! Messieurs, gardons nous d'un système qui userait de moyens mesquins et créerait une atmosphère de suspicion et de défiance, là, où, dans une réciproque estime, doit se fonder la cordialité des rapports*[398].

---

395. A. Damiens, Rapport au conseil d'État, 1er août 1941, in Origine... *Op. cit.* p. 48.
396. Allocution à la séance annuelle de la Société de Pharmacie du 7 janvier 1942, pp. 229-242.
397. *Idem.*
398. *Idem.*

Le second point soulève une question qui n'a pas attiré l'attention de ses confrères, mais que son expérience passée lui a permis de remarquer : *L'exploitation d'une officine est incompatible avec l'exercice d'une autre profession. Très bien. Mais est-elle incompatible avec l'enseignement même de la pharmacie ? Peut-on être à la fois pharmacien praticien et chef de travaux ou professeur dans une école préparatoire ? Il est des hommes qui ont dû à un tel cumul la possibilité de développer un jour leur carrière dans le sens où les entraînaient leurs passions intellectuelles*[399].

Si au sujet des sociétés, il se contente de déclarer *que le pharmacien doit être libre d'exercer correctement sa profession à l'abri des influences extraprofessionnelles* il ne fait ici que reprendre l'idée émise dans le texte de Damiens. Il se montre, par contre, plus explicite à propos du contrôle des spécialités et développe, preuves à l'appui, les risques qu'il y a à confondre laboratoire de recherche et laboratoire d'analyse.

Les maîtres de nos facultés doivent donner un enseignement continuellement rajeuni, maintenu au niveau du savoir, et consacrer une large part de leur activité à la recherche originale. Aucun ne manque à ces deux devoirs, dont le dernier n'est inscrit dans aucun texte, mais s'impose à leur esprit comme le plus élevé de leur charge. Ils sont, ils doivent rester les pionniers de la connaissance. Laissez-les, Monsieur le Ministre, à leurs méditations et à leurs expériences, à tout ce qui peut enfanter l'avenir. En une heure où de grandes firmes industrielles s'outillent spécialement en vue de la recherche scientifique et technique, faites que l'effort des laboratoires universitaires reste puissant et fertile en réalisations. Ne faites pas de maints professeurs des analystes de spécialités. Ils ont d'autres chemins à tracer.

Et de citer le cas des laboratoires d'agronomie *conduits au déclin* parce que *des hommes de mérite manquent de moyens matériels, de personnel et surtout sont astreints à une pure besogne d'analystes. Ne rééditons pas cette erreur. Si l'autorité des Maîtres de nos Facultés doit intervenir que ce soit pour des avis sur telles méthodes de direction ou de dosage d'un principe actif par exemple. Ils pourront être initiateurs dans ce domaine ; mais qu'ils ne soient pas des « agents d'exécution » d'expertise, dont on ne soupçonne peut-être ni la diversité, ni la durée.*

399. Allocution à la séance annuelle de la Société de Pharmacie du 7 janvier 1942, pp. 229-242.

Ces propos ne seront pas pour Maurice Javillier un simple discours de circonstance sans lendemain ; s'étant investi dans la réforme de la loi du 11 septembre 1941, il la suivra jusqu'au bout de sa réalisation.

Alors que la fin de l'occupation se dessine et que les pouvoirs s'amenuisent de plus en plus dans les mains du Maréchal Pétain, par la constitution d'un gouvernement parallèle sous les ordres du Général de Gaulle, la loi sur l'exercice de la pharmacie échappe de justesse à une suppression pure et simple. Mais finalement, *après avoir d'abord décidé à Alger d'abroger la loi du 11 septembre 1941, le Gouvernement provisoire de la République, constatant que tout n'y était pas mauvais, sépara ce qu'avait artificiellement uni le Gouvernement de Vichy en une loi unique : les dispositions relatives à l'exercice de la pharmacie et l'organisation professionnelle*[400].

Pour ce faire, est ouverte une nouvelle concertation. Le 12 septembre 1944 est créé un Comité consultatif de la Pharmacie, dont Maurice Javillier est élu le vice-président, et qui a pour mission d'examiner l'ordonnance soumise à son expertise d'où sortira la loi.

Les procès-verbaux des deux uniques séances de ce Comité, les 18 et 22 septembre, heureusement publiés, nous révèlent ce que fut l'action discrète mais efficace de Javillier qui n'intervint qu'à deux reprises sur des sujets qui lui tenaient à cœur. La première fois, il réclame *la création d'un seul ordre et d'un seul tableau* réunissant les pharmaciens d'officine, les fabricants de produits spécialisés, les pharmaciens droguistes et répartiteurs, mais aussi ceux qui n'ont plus un contact direct avec la vente des médicaments, tels les directeurs de laboratoires de recherches et leurs collaborateurs, ainsi que les enseignants, autrement dit tous les titulaires du diplôme de pharmacien. L'acceptation de l'unanimité des membres du Comité sur cette demande lui permettra un mois plus tard d'intituler le discours présentant ces travaux à ses confrères de la Société de Pharmacie : « La pharmacie, profession libérale, industrielle et commerciale et son statut légal ». Et de défendre son point de vue en ces termes :

La pharmacie, profession libérale, tient ce caractère des connaissances qu'elle nécessite, des études élevées, bien coordonnées,

400. Origine, naissance… *Op. cit.* p. 51.

hautement formatrices de l'esprit qu'elle exige. Elle le tient de l'idéal moral qu'elle doit servir, de la conscience, du dévouement, du désintéressement qu'elle requiert.

La pharmacie est une profession commerciale. Le pharmacien, je pense surtout au pharmacien d'officine, achète, vend, réalise des bénéfices. Jadis, il transformait plus qu'aujourd'hui les drogues naturelles et les produits chimiques ; sa personnalité intéressait davantage. Les laboratoires devenant une légitimation directe dans le talent déployé pour fabriquer les remèdes secundium artium, le caractère commercial de la profession s'est aujourd'hui accentué.

La pharmacie est aussi une profession industrielle. J'en voudrais souligner le caractère – avec d'autant plus de force qu'un distingué confrère qui déposa devant notre commission le lui dénia. L'on disait même que telle est la doctrine ministérielle. Or le ministre en question parle au contraire, en un texte officiel de « la partie industrielle » de la profession pharmaceutique. C'est une petite industrie, quand le pharmacien ou la société pharmaceutique se borne à la fabrication pas trop compliquée de spécialités peu nombreuses. C'est une industrie plus notoire lorsqu'il s'agit de la fabrication, par ex., de poudres ou extraits opothérapiques, de l'obtention de telle hormone mal définie nécessitant, pour de petits rendements, des quantités industrielles de matières, et l'obtention de la gamme étendue des médicaments galéniques en quantités importantes. Il importe ne pas laisser s'estomper ce caractère industriel de la profession pharmaceutique. Il faut au contraire manifester que si le pharmacien d'officine a quelque peu perdu de ses titres de noblesse, la pharmacie industrielle est en train de s'amplifier, qu'elle fait appel à des techniques de plus en plus complexes, à des expérimentations de plus en plus délicates, à des réalisations de plus en plus onéreuses[401].

Convaincre ses confrères de la Société de pharmacie et rendre compte devant eux de la mission pour laquelle ils l'ont mandaté est pour Maurice Javillier un devoir essentiel. Membre de cette Société, il n'a pas manqué de le faire savoir en défendant énergiquement sa place lors de l'élaboration du futur Conseil Supérieur de l'Ordre prévu par la loi. Prévoyant l'objection qui pourrait lui être faite sur l'impossibilité d'y admettre des repré-

401. Manuscrit du discours de M. Javillier prononcé le 8 novembre 1944. Archives de J.-O. Retel.

sentant de toutes les sociétés savantes touchant la pharmacie, il se sert avec adresse de son antériorité et de son rôle passé :

Au reste, la Société de Pharmacie n'est pas, comme on l'énonce, une simple société savante comme la Société de Biologie. Juger ainsi serait bien mal connaître son histoire. Elle a été dès ses débuts étroitement mêlée à la vie professionnelle. Il est néanmoins évident qu'elle n'exerce plus, comme au temps du Collège de Pharmacie, les fonctions de société enseignante, de société scientifique et de société de défense des intérêts professionnels. Et cependant les circonstances ne démontrent-elles pas avec éclat que la Société sait descendre des hauteurs de la science et de la technique pharmaceutique vers les réalités professionnelles ? N'est-ce pas à elle que le Gouvernement a demandé de se pencher sur le problème épineux de la révision de la loi de 1941 ? Sans doute a-t-on jugé, quand on lui fit cette demande, qu'elle n'était pas purement et simplement une société savante. Comment jugerait-on différemment aujourd'hui, alors qu'elle poursuit une tâche difficile, ingrate, où il faut des connaissances scientifiques et techniques et un certain sens en matière juridique, une connaissance approfondie de la vie professionnelle et aussi des vues générales sur l'Industrie et les grands intérêts économiques[402] *?*

Ce vibrant plaidoyer n'ayant pas convaincu M. Viale qui objecte que les « délégués » de la Société *ne pourraient être pris que parmi les pharmaciens exerçant de activités déjà représentées,* Maurice Javillier réplique avec hauteur qu'il ne s'agit pas de « délégués » et précise immédiatement le rôle qu'il pense devoir être celui de ces élus :

Les personnes élues ne seront pas les délégués d'un groupement. Elles seront élues pour leur propre valeur, leur mérite, leur prestige individuel. Elles n'auront pas à être les porte-parole de la compagnie qui les aura élues. Et puis, peut-on prétendre que ces personnes exerceront des activités déjà représentées ? La Société de Pharmacie aurait au contraire pour rôle de parer à des carences possibles : hommes de sciences ou praticiens[403]*.*

On conçoit qu'un tel orateur ait pleinement comblé les vœux de ses électeurs tenus au courant de toutes ses démarches. Porte-parole de sa compagnie, il l'est aussi auprès du gouvernement en

402. Intervention de M. Javillier, Procès verbal de la séance n°1 du comité consultatif du 15 septembre 1944, in Origine, naissance. *Op. cit.* p. 58.
403. *Idem.*

tant que président de la Commission de législation de la Société de Pharmacie Si cette position officielle lui vaut d'être consulté sur les détails de l'ordonnance qui doit fonder l'Ordre des pharmaciens, dès le 22 septembre 44 par une lettre du Ministre de la Santé Publique, avant que celui-ci reçoive le Comité Pharmaceutique de la résistance présidé par Pasteur-Vallery-Radot, M. Javillier garde pour ses confrères des questions oubliées dans les débats nationaux, mais qui lui paraissent importantes.

Du personnel non pharmacien je voudrais vous dire un mot. La loi n'en parle pas. Je n'ai pas introduit la discussion de cette question devant la commission, d'ailleurs nous avions assez de choses à envisager. Mais le silence sur une question ne la résout point. Elle demande à l'être en tenant compte de ce qu'il y a de juste dans les desiderata des pharmaciens d'une part, des préparateurs d'autre part. Il faut définir les conditions d'admission à l'apprentissage, la durée de ce dernier (4 années par ex.) son contrôle (par de simples certificats annuels du ou des pharmaciens), les conditions d'admission à la fonction et à l'appellation de préparateur. (A mon avis, sans formalité sur le vu de l'attestation annuelle). Il y a là un modeste statut à élaborer, dont il ne faut pas nier de parti pris la nécessité. C'est à la profession elle-même à résoudre ces questions. Croyez en quelqu'un qui, par un côté de son activité, touche à l'enseignement technique.

Ainsi sans le savoir, les préparateurs en pharmacie doivent-ils l'officialisation de leur statut et de leur formation à Maurice Javillier. Et c'est avec une fierté légitime qu'en 1946, Javillier peut s'enorgueillir d'avoir fait *sortir une loi qui se tient en toutes ses parties et dont chacun reconnaît qu'elle corrige certaines erreurs de 41 et pourrait servir de base à une discussion parlementaire*[404].

La joie en deuil

C'est au cours de cette année 1944 que Maurice et Anna Javillier vont peu à peu voir leur famille se rassembler autour d'eux. À l'automne 1943, Nicole qui vient d'atteindre l'âge et le niveau des études universitaires est arrivée chez ses grands-parents pour s'inscrire à la Sorbonne. On vit alors à Paris dans un mélange d'angoisse et d'espoir, l'oreille tendue à toutes les

404. Lettre du 18 mai 46.

rumeurs et aux nouvelles occultées qui annoncent le revirement tant souhaité. Depuis le mois de mai 1943, dans l'Afrique du Nord reconquise, un Comité Français de la défense nationale, installé à Alger sous l'autorité du général de Gaulle, contrebalance le gouvernement de Laval de plus en plus à la botte des Allemands. Durant l'été la contre-offensive russe et la conquête par les Alliés de la Sicile qui ouvre la voie vers l'Italie, entraînent immédiatement des représailles dans la France entièrement occupée depuis le 11 novembre 1942. Tandis que parachutages, sabotages et attentats sur des officiers allemands se multiplient, la milice et la Gestapo torturent et fusillent tous les résistants que la délation et la trahison jettent entre leurs griffes. Comme une bête venimeuse blessée, Hitler et ses S.S. se livrent aux pires cruautés. Le 9 mars 1944 la France tremble sous la menace d'une nouvelle loi condamnant à la déportation toutes les familles de maquisards ou de résistants. On peut imaginer ce que fut alors l'angoisse des Javillier qui ne pouvaient ignorer l'engagement de Julien Champenois dans la Résistance et dont ils étaient sans nouvelle. Au même moment, les atrocités gratuites se déchaînent dans les villes et villages proches des maquis. À Fraysinet dans le Lot des hommes sont fusillés et des femmes pendues ; à Rouffignac en Dordogne la Gestapo se saisit de 22 otages et en déporte 16. Or, Tulle, où René Retel a installé son laboratoire, est un point stratégique tant pour les maquisards que pour les occupants. La famille Retel qui s'est enrichie d'une petite Sylvie en 1943, habite de plus dans un quartier qui est un véritable guêpier dont il est impossible de s'échapper.

Conscient du danger grandissant, René Retel *se rend à la préfecture pour glaner des informations* [coiffé de] *son chapeau de bourgeois qui doit lui ouvrir les portes*[405], et, le 3 juin 1944, décide brusquement d'envoyer son fils Jacques à Paris chez ses grands-parents. Son sac à dos hâtivement préparé, le jeune homme arrive juste à temps à la gare de Tulle pour prendre le dernier train en partance pour la Capitale. Il ne saura que plus tard, en apprenant la mort de plusieurs de ses camarades, qu'il vient d'échapper à la pendaison…

405. F. Retel, *op. cit.*

Trois jours après, le 6 juin 1944, les Alliés débarquent sur les grèves normandes. Fin juin, dans la Normandie reconquise, de Gaulle annonce la création du gouvernement de la France Libre et, alors que, le 20 juillet, Hitler échappe de justesse à un attentat, les troupes américaines, anglaises et françaises continuent leur progression vers la Bretagne. Galvanisés par l'espoir de plus en proche de leur libération, les Parisiens se soulèvent. Du 18 au 24 août, c'est l'insurrection, les francs-tireurs sur les toits, la population dresse des barricades. Du côté des occupants, c'est la débandade. Par les fenêtres des administrations, les Allemands jettent leurs dossiers dans des camions. Ne voulant pas manquer un tel spectacle, l'intrépide Anna Javillier part avec ses petits-enfants vers le Grand Palais, sans bien sûr avertir Maurice Javillier de cette escapade. Pourtant le plaisir qui les a d'abord saisis devant les camions prêts à partir, n'est pas suffisant pour leur cacher l'étrangeté de ce qu'ils sont en train de vivre. Sur le pont Alexandre III, il n'y a pas un seul passant, dans les rues désertes, ils sont seuls et c'est inquiets, qu'ils rentrent rue Renan. Ce n'est que plus tard qu'ils apprendront que dans sa fureur démente, Hitler a donné l'ordre de brûler Paris.

Mais l'attente ne sera plus longue, les alliés sont à Rambouillet le 23 août et le 24, à 21 heures 30, la 2e division blindée du général Leclerc entre dans Paris. C'est la reddition. L'armistice pour la capitale sera signé le lendemain à la gare Montparnasse quelques heures avant l'arrivée triomphale du général de Gaulle.

Pourtant face au délire de joie qui se répand comme une traînée de poudre dans tout Paris, Maurice Javillier garde la mesure qui a toujours été la sienne. Car si Paris est libre, la France mettra encore de longs mois à l'être à son tour. La guerre n'est pas finie. En Janvier 1945, alors qu'il accède à la présidence de l'Académie d'Agriculture, Maurice Javillier ne manque pas de le rappeler dans son discours :

Ma présidence s'ouvre en des heures encore sévères, le drame qui déchire le monde n'en est pas à son dernier acte. La libération, qui gonfle nos cœurs de reconnaissance pour ceux qui en furent les artisans ; d'espérance en des jours plus sereins, d'ambition pour la Patrie que nous voulons reconstruite, grande moralement, pros-

père, forte et juste, la libération n'atteint pas encore tout le territoire national[406].

Pour Javillier la paix entre les hommes ne peut-être que mondiale, comme la guerre – les guerres qu'il a vécues – l'ont été. Or, cette paix, même aujourd'hui, soixante ans plus tard, n'est toujours pas revenue sur notre globe !

Pas plus que la paix pour lui, la joie n'est totale. La France est libre, Hitler s'est suicidé, Mussolini est abattu, l'armistice enfin signé le 8 mai 1945, mais avec elle le temps est venu de lever le voile que les mésinformations, la coupure de la France en deux zones séparées et le silence de la peur ont jeté sur ce qui s'est réellement passé sous l'occupation. On découvre peu à peu l'indicible.

C'est par René Retel arrivé en septembre 1944 avec sa fille Françoise que les deux aînés et leurs grands-parents apprendront ce à quoi Jacques a échappé. Au lendemain du débarquement de Normandie, les Allemands après avoir pensé qu'il s'agissait d'une tactique de diversion, ont quand même fait remonter du Sud Ouest vers le nouveau front quelques-unes de leurs divisions pour arrêter l'invasion. Le 8 juin, la division blindée *S.S. Das Reich* arrivait à Tulle et pour se venger des attaques incessantes dont elle était l'objet par les maquisards s'en prenait à la population civile. En pleine nuit, les maisons sont fouillées une à une et tous les hommes jeunes et moins jeunes regroupés dans la manufacture. Âgé de 53 ans, René Retel n'est pas arrêté. Quelques heures plus tard, les S.S. reviennent réclamer des cordes... À seize heures, quatre-vingt-dix neuf otages étaient pendus aux balcons dans les rues de Tulle... La même division allait encore s'illustrer horriblement par le massacre d'Oradour-sur-Glane quelques jours plus tard.

Au martyr des victimes de la répression vient s'ajouter celui des Juifs dont on ignorait le sort réel. Si, un sentiment larvé d'antisémitisme, nourri d'une jalousie inavouée devant leurs richesses acquises par le travail, avait laissé de marbre, voire même réjoui certains Parisiens en 1941 quand les rafles ne concernaient encore que les Juifs étrangers ou ceux du 11e arrondissement, les brimades comme le port de l'étoile jaune et l'interdiction d'entrer

406. M. Javillier, Discours prononcé à la société d'agriculture le 10 janvier 1945. Archives J.-O. Retel.

dans les lieux publics, et bientôt les arrestations massives qui entassaient au Vel' d'Hiv ou à Drancy des familles entières dont un grand nombre d'enfants, ne pouvaient laisser indifférents même les plus endurcis. Il n'était personne qui n'eut parmi ses voisins ou ses amis de ces êtres brusquement frappés d'infamie pour être nés d'un sang abhorré par des déments. Dans la famille Javillier on ne voyait pas, sans trembler pour lui, leur ami Michel Polonovski sortir chaque jour de son domicile juste en face le Lutécia, et ne pas porter l'étoile jaune à la barbe de la Gestapo et des officiers de la Komandantur.

Pourtant personne ne connaissant encore le nombre des déportés, ni le destin réservé à ces hommes, ces femmes et ces enfants. Ce n'est qu'après l'armistice, après la libération des camps qu'en France l'on découvrit les atrocités dont ils avaient été les victimes, l'horreur des fours crématoires fumant en permanence dans les camps de la mort, mais aussi « les expériences scientifiques » faites sur des êtres humains, auprès desquelles les gaz de la guerre de 14 « n'était qu'une innocente idylle ».

L'idée même que des hommes aient pu concevoir de telles expériences, qu'ils aient pu obéir sans révolte, sans la compassion la plus naturelle à tant de cruauté sera pour Javillier la plus douloureuse des blessures. Au lendemain de l'Armistice, devant les membres de l'Académie d'agriculture, il ne cache pas sa peine et sa colère :

Dans ce drame sans nom, ce qui fut, à mon sens, le plus douloureux, ce fut l'éclipse des sentiments de la dignité de l'homme, le mépris de la vie, la froide préméditation des crimes, la conception continue des moyens de dégrader l'individu.

Quand pourra-t-il reprendre sa place dans la famille humaine, ce peuple qui a voulu et exécuté tout ce que nous avons vu ? Et ce peuple pourtant avait – il a encore – ses penseurs, ses savants, ses artistes. Déconcertant antagoniste entre la grandeur de la pensée et la perversion du cœur. Il avait – il a encore – ses bons artisans, ouvriers et paysans. Comment le juste amour de la Patrie qui est en chacun d'eux, peut-il dégénérer en une si dévorante et illégitime ambition, en une telle déviation du bon sens et du sentiment de la mesure[407] *?*

---

407. M. Javillier, Discours à l'Académie d'Agriculture, le 9 mai 1945. Archives J.-O. Retel.

Blessé dans les sentiments qu'il portait au peuple allemand en homme nourri de l'œuvre de ses philosophes et de ses poètes et continuateur de ses savants, Maurice Javillier l'est aussi dans ses biens et dans son affection.

Persuadé que, même en cas d'invasion, le petit bourg de Lormes serait épargné par la guerre, il avait transporté certains des objets précieux qui étaient à Paris dans la maison du Morvan. Comme dans beaucoup d'autres lieux, des troupes ont été cantonnées dans ce coin forestier et la maison inoccupée a été pillée et réquisitionnée par les occupants pour en faire un bordel, au grand chagrin d'Anna Javillier, qui ne remettra jamais les pieds dans la maison de son enfance ainsi souillée.

Mais cela n'est rien encore auprès de la souffrance causée par la disparition de Julien. Si l'on se souvient de l'amitié profonde qui unissait Javillier à son beau-frère dont la correspondance pendant la première guerre est un émouvant témoignage, on peut imaginer la peine qui fut la sienne en apprenant que Julien avait été arrêté par la Gestapo à Marseille en 1943 et déporté dans un camp politique allemand.

La longue attente déchirée entre l'espoir d'un retour et de la crainte d'apprendre sa mort a encore prolongé le supplice de la famille. Chaque jour, Taleine, l'épouse de Julien, se rend à Orsay où arrivent petit à petit les prisonniers libérés. Sa nièce Françoise l'accompagne et l'on comprend la révolte de cette jeune fille devant l'héroïsme d'Horace qu'au lycée il était de bon ton d'admirer. Sans doute se sentit-elle plus proche de Camille et de son ressentiment, lorsqu'elle apprit de façon certaine que Julien, libéré par les Russes et emmené par eux, avait succombé au typhus qu'il avait contracté à Buchenwald.

Tant de haine, tant de douleurs et sacrifices, tant de déviances aussi ne pouvaient que conduire Maurice Javillier à d'amères réflexions. La science en laquelle il avait cru, qu'il s'était efforcé de montrer sous son jour le plus favorable, ne serait jamais qu'un instrument que l'imagination démente de quelques hommes peut transformer en outil d'extermination. Connaître les rouages de la vie, découvrir les facteurs qui l'aident à se développer ne suffisaient plus. À l'âge de soixante-dix ans, Maurice Javillier a compris que sa mission désormais était de convaincre les hommes.

Il ne lui suffit plus d'annoncer et de prouver à tous que la science DOIT être bonne, qu'elle contribue et qu'elle contribuera encore aux progrès de l'humanité, il lui faut informer les hommes de leur puissance et atteindre leur conscience en les plaçant devant leurs responsabilités.

Aux élèves officiers de l'École interarmes de Coëtquidan, en 1947, c'est ce discours qu'il tiendra :

Il me reste à me demander si parler de la guerre des Gaz n'est pas parler d'une chose révolue, une chose qui, n'ayant pas reparu en 39-45, ne se reverra jamais plus. C'est bien possible, les hommes pour imposer à d'autres leurs puissances, hélas, ou défendre leur liberté adaptèrent à leurs fins les plus belles conquêtes de la science et les plus hautes conceptions de l'esprit. Et l'on va, disant que l'on verra, la guerre microbienne, la guerre des épiphytes et, amplifiée, la guerre atomique, guerre de physiciens plutôt que de chimistes. La guerre à proprement parler chimique n'est pas cependant exclue des possibilités de demain. Plus les biochimistes plongent dans les phénomènes de la vie, plus il vient que celle-ci est suspendue au jeu de substances étroitement spécifiques dont l'activité peut-être bloquée par tel ou tel agent chimique. La science qui isole et reproduit les vitamines, les hormones, et les diastases, les transporteurs d'oxygène sait aussi discerner leurs antagonistes. Et il n'est pas dit que cette science qui ne se propose pourtant que des fins utiles à l'homme, ne puisse servir à d'autres desseins. Il n'est pas dit que nous ne puissions avoir quelque jour en main un corps chimique qui, à dose infinitésimale annihilerait tout phénomène. Il faut rester instruits, vigilants, prévoyants.

Et pour terminer cette causerie, peut-être pourrions-nous élever nos âmes vers des régions plus sereines et des espérances plus radieuses. Ce faisant, nous ne trahirons pas notre mission. Si, devenus officiers, vous devez traduire la volonté de la Nation de demeurer libre de ses destins, de résister à toutes oppressions étrangères, de relever toute injure, vous devez être aussi à travers le Monde, les témoins d'une Patrie qui, au cours d'une glorieuse histoire, et malgré les divergences des Partis, met au service des hommes un ardent désir de Fraternité et de Paix, qui répudie les guerres – et celles surtout qui avilissent par l'emploi délibéré de moyens infâmes.

Pour atteindre à ces derniers buts, vous devez collaborer à l'éducation spirituelle de la masse des citoyens et de ceux, dont, Outre-mer, nous sommes les tuteurs, faire comprendre à tous que construire la science, c'est-à-dire la connaissance rationnelle du monde, en déduire des applications qui nous émerveillent, rendent la vie plus facile, large, fructueuse, tout cela n'est rien, si, en même temps, nous détruisons notre âme, éteignons ces aspirations vers le bien, ruinons le progrès véritable qui est lié, non aux techniques, mais aux fins que nous leur imposons[408].

408. M. Javillier, manuscrit de son allocation à Coëtquidan sur la guerre des gaz, doc. cit.

12
Emploi du temps d'un retraité (1946-1952)

Ceci t'aura donné une idée de ce que c'est que la vie d'un homme retraité. En fait l'on ne sait pas ce que c'est. Il est toujours un peu dans l'action – une action polymorphe, polyvalente –. Mais c'est toujours l'action. Vivere hoc est agere, disait Ciceron et si c'est vraiment cela, éh (sic) bien je vis.

M. Javillier.
Lettre à J.-O. Retel du 23 février 1952.

Pour Maurice Javillier, l'après-guerre s'ouvre sur une ultime récompense : la cravate de commandeur de la Légion d'honneur.

Cette reconnaissance, qui nous paraît naturelle après avoir parcouru la vie de Javillier, l'était, semble-t-il, beaucoup moins à une époque où une véritable cohue de « héros » se pressait aux portes de la Grande Chancellerie. Face à la concurrence des actions glorieuses accomplies par les résistants civils comme militaires, et dans une période où inimitiés et jalousies fleurissaient dans beaucoup d'institutions, il n'était pas forcément facile d'obtenir que justice fût rendue pour un homme appartenant à *la masse des citoyens qui accomplirent avec toute leur foi, leur tâche strictement française, afin que la Patrie demeura avec son âme intacte et son génie maintenu*[409].

Mis au courant par quelques bons amis de la modestie de ses exploits comparativement « aux services extraordinaires » réclamés par la notice officielle, le sang bouillant de Javillier s'enflamme et, rentrant chez lui, il exprime d'un trait, au directeur du C.N.A.M., sa fureur devant une attitude qui consiste à

409. Discours de M. Javillier à l'Académie d'Agriculture, le 9 mai 1945.

préférer le fait extraordinaire ponctuel à une fidélité de plus d'un demi-siècle[410]. Si cette lettre, qui retrace avec précision toute sa carrière de professeur et de savant, *n'a rien appris à son interlocuteur, cette expression toute spontanée des pensées qui [l'] ont assailli et qui ne sont sans doute qu'une incitation du démon d'orgueil,* comme il le dit en concluant, a été pour nous un précieux fil conducteur pour retracer sa conduite de Français au service de la Nation en guerre comme en paix.

Une conduite dont le mérite n'échappa pas aux plus hautes instances, puisque le 5 avril 1946, Marcel-Edmont Naegelen, Ministre de l'éducation Nationale, informait le professeur Javillier, que *Monsieur le Président du Gouvernement provisoire de la République Française venait de le nommer Commandeur de l'ordre national de la Légion d'honneur.*

Il ne faudrait cependant pas croire que cette cravate de commandeur – l'une des plus hautes distinctions de la République Française – fût considérée par lui comme un bâton de Maréchal. Alors que le 2 février 1945, il a fêté son soixante-dixième anniversaire, limite d'âge fixée aux universitaires pour faire valoir leurs droits à la retraite, il obtient de garder sa chaire au C.N.A.M. jusqu'au premier novembre, date de la nomination de son successeur Jean Lavollay, et, par un décret spécial du Ministre de l'Éducation nationale, le maintien dans ses fonctions à la Faculté des Sciences durant l'année scolaire 1945-46. *Bien que l'arrêté ministériel ne fasse pas mention des raisons de cette mesure, je puis vous dire, qu'en dehors de certaines d'un caractère personnel, la principale est que je suis attaché à la remise sur place du service de Chimie biologique de la Faculté, transféré de l'Institut Pasteur en 1939 et qu'il a paru conforme à l'intérêt de la faculté que je remplisse mon œuvre jusqu'au bout*[411]. En effet, ce sursis a principalement pour but de le laisser achever une œuvre commencée depuis 1937, date à laquelle M. Javillier a succédé à G. Bertrand dans la chaire de chimie biologique de la faculté des sciences de Paris. Jusqu'à cette date le laboratoire de ce service avait été confondu avec celui de l'Institut Pasteur, mais G. Bertrand ayant pris sa retraite, son successeur eut à installer de nouveaux laboratoires dans un bâtiment

410. M. Javillier, lettre du 1er novembre 1945.
411. Lettre de M. Javillier à M. Ragey, directeur du C.N.A.M., 26 avril 1945.

du boulevard Raspail dont la vétusté ne se prêtait guère à une modernisation indispensable sans de profonds remaniements. La guerre, survenue deux ans à peine après le début du projet, interrompit les travaux, et ce n'est que durant l'année 1945-46 que Javillier parvint à les faire achever avant de quitter la Sorbonne à son tour. Certes pour le professeur qu'il a été avec passion, ce retrait ne se fit pas de gaieté de cœur, mais il ne signifia pas pour autant un renoncement à toute activité, loin de là.

LE DERNIER COURS DE M. JAVILLIER À LA SORBONNE.

Une retraite bien occupée

Vous savez, au reste, qu'être déchargé d'une partie des lourds devoirs d'enseignement que j'ai assumée, ne correspondra pas pour moi à une diminution d'activité. En dehors de mes autres obligations vis-à-vis de l'État et de maintes sociétés savantes, d'autres m'attendent, notamment la rédaction différée depuis longtemps d'un ou même de plusieurs ouvrages scientifiques[412].

412. Lettre de M. Javillier à M. Ragey, directeur du C.N.A.M., 26 avril 1945.

Les émouvants petits carnets qu'il mit à jour scrupuleusement jusqu'à la veille de sa mort, retracent pour nous l'intense activité qui fut celle de Maurice Javillier pendant ses dix dernières années : missions, allocutions, inaugurations, notices nécrologiques et multiples conférences entrelacent la rédaction d'ouvrages beaucoup plus conséquents. Après les articles rédigées dans le feu de la découverte pour prendre date par une publication dans un journal spécialisé ou à l'Académie des Sciences, le temps de la réflexion sur l'ensemble de son œuvre est venu pour ce professeur qui entend laisser l'héritage d'une vie de labeur aux générations futures. En octobre 1943, il remet au Presses Universitaires de France un manuscrit intitulé « *La chimie des êtres vivants* » qui paraît le 5 mai 1944 dans la collection « *Que sais-je ?* » et connaît la première de ses nombreuses rééditions en 1947. À la même période, V. Grignard, G. Dupont et R. Locquin, songent à lui pour rédiger l'important chapitre sur les « Stérols et acides biliaires » qui paraît en 1949 dans le seizième volume de leur *Traité de chimie organique*. Enfin, avec son ami Michel Polonovski, Maurice Javillier entreprend la rédaction d'un *Traité de chimie biologique*, car, expliquent-ils dans la préface de cet ouvrage doublement posthume [413] : *Il leur a semblé que ce serait un service à rendre que de rédiger un ouvrage qui, dans une certaine mesure indépendant des applications, les transcendant en quelque sorte, concentrerait les connaissances de base que doit posséder quiconque veut absorber l'étude de la chimie biologique en vue d'une application donnée ou l'utiliser en vue d'une recherche déterminée*[414].

Les deux auteurs ayant accompagné par leurs travaux et dans leurs cours les premiers pas de cette science naissante, entendent s'adresser non seulement « aux commençants », lecteurs auxquels Lavoisier, accomplissant une démarche similaire en 1789, destinait son *Traité de chimie*, pas plus qu'aux seuls experts, mais à un public beaucoup plus large : *Aussi espérons-nous que des hommes orientés vers des disciplines philosophiques ou vers des études de sciences naturelles trouveront intérêt et utilité à lire ces pages – et même des curieux qui, ne faisant pas de la science l'objet normal de*

413. Puisque ce livre ne paraîtra qu'après la mort de M. Polonowski survenue en 1954 et celle de M. Javillier en 1955.
414. M. Javillier et M. Polonowski, *Traité de chimie biologique*, Masson, préface.

leur activité, ne veulent pas rester éloignés d'un mouvement d'idées marquant si fortement notre époque et préparant l'avenir en tant de domaines, dont l'homme ne saurait se désintéresser[415].

Aussi, loin de se comporter en Harpagon enfouissant la patiente accumulation de son savoir au fond d'écrits savants, veut-il en répandre les trésors, conscient d'être à l'origine d'une longue chaîne de découvertes qui ne fait que commencer.

Pourtant aussi absorbant que soit ce labeur « domestique » – au sens latin du terme – qui le retient de longues heures enfermé dans son bureau, il ne l'empêche pas de continuer à remplir ses engagements auprès des académies et des sociétés savantes dont il est membre.

Élu en 1939 à l'Académie d'Agriculture, il s'en voit offrir la présidence en 1945. « Président de la victoire », comme il se nomme lui-même, il ne peut manquer, le 9 mai 1945 d'exprimer, envers ceux qui furent les artisans de l'armistice, la reconnaissance de sa compagnie : *qu'elle se dirige vers ceux qui des capitales lointaines, rassemblèrent les éléments de la Résistance et en premier lieu vers celui qui ne douta jamais de la Patrie et de son avenir, Monsieur le Général Charles de Gaulle*[416].

À la veille des premières vacances de la liberté, devant le ministre de l'Agriculture venu présider en personne la séance solennelle de cette académie, Maurice Javillier renouvelle son hommage au chef du Gouvernement Provisoire de la République française et fort adroitement puise dans cet éloge le thème de son discours.

Le rôle déterminant du grand chef qui remet la France sur la voie de la noblesse et de la grandeur, m'impose en quelque sorte le propos que je dois tenir devant vous. Ce propos qui ne peut être une savante étude, je l'intitule : la vie organique et la vie administrative, ou les bienfaits de la catalyse[417]. Et la démonstration magistrale de cet étrange rapprochement éclate. Après avoir instruit le ministre du rôle des catalyseurs sans lesquels il n'y saurait y avoir d'organisation entre les cellules des êtres vivants, il passe du sujet qui a fait l'objet de toute sa carrière de chercheur, à une audacieuse comparaison : atteindre le paysage idyllique et l'abondance des

---

415. M. Javillier et M. Polonowski, *Traité de chimie biologique*, Masson, préface.
416. Allocution à la société d'Agriculture, le 9 mai 1945. Archives J.-O. Retel.
417. Allocution à la société d'Agriculture, le 27 juin 1945, p. 2. Archives J.-O. Retel.

récoltes, qu'il vient de proposer, ne serait qu'un jeu grâce aux progrès accomplis par la sciences si les administrations chargées d'organiser l'agriculture française n'étaient entravées par des problèmes voisins de celui que rencontre la vie organique.

La grande difficulté d'organiser une vie agricole conforme à nos desseins, c'est la masse dispersée, insaisissable de nos paysans. Pour orienter un tel groupement d'hommes, il faut dans un organisme comportant des milliers de cellules, une armée de catalyseurs, toujours disposés à entrer en action et inlassables[418].

Cette armée *outillée pour débrouiller les questions difficiles et juger de l'opportunité d'introduire les solutions dans la pratique* peut être aisément trouvée si le ministre veut bien faire appel aux savants agronomes et accepter qu'ils œuvrent, comme les catalyseurs de la vie organique, *en liaison avec les grands commis nourris de science et de technique d'une grande administration*[419]. Autrement dit, à chacun sa spécialité.

Mélange indéniable d'utopie et d'audace, d'idéalisme et de rationalité, ce discours est le reflet fidèle de la personnalité de Javillier et du rôle qu'il entend jouer, sans jamais se dérober à ses devoirs.

Membre du Conseil d'hygiène publique et de salubrité du département de la Seine, en 1949, il doit rendre compte d'un dossier difficile, assez proche de ceux qui mobilisent encore de nos jours écologistes contre économistes, puisqu'il s'agit de l'autorisation demandée par les *Papeteries de la Seine* d'installer un dépôt de trente tonnes de chlore liquide à Nanterre, entre l'avenue de la République et la Seine. Bien évidemment les avis sont partagés. En 1949, la France a besoin de reprendre la place économique qui était la sienne avant la guerre. Or, en proposant de faire de la pâte à papier à partir des pailles abondamment récoltées dans le Bassin parisien, les *Papeteries de la Seine* pourraient aisément reconquérir le marché perdu face aux pays scandinaves grands fournisseurs de pâte à bois, plus onéreuse. Seul inconvénient, la paille pour donner un papier aussi blanc que le bois exige une très grande quantité de chlore. Bien évidemment le ministre du Commerce, sensible à ces arguments a émis un avis

418. Allocution à la société d'Agriculture, le 27 juin 1945, p. 12. Archives J.-O. Retel.
419. *Idem*, p. 13.

favorable au dépôt de Nanterre. Tout aussi évidemment, le maire de cette ville, s'appuyant sur l'enquête *commodo et incommodo,* a émis un avis défavorable, suivi en cela par la plupart des « hygiénistes » présents dans le comité de salubrité de la Seine. Face à ce dilemme, Maurice Javillier raisonne avec une implacable logique, dénuée de tout mouvement impulsif. Fort de ses expériences en 1916, sur le front de Dunkerque, il est plus que tout autre capable de mesurer les dangers que constitue un dépôt de chlore aux portes de Paris, mais il souligne d'une part qu'il s'agit de chlore liquide et que d'autre part, ce chlore importé de Tchécoslovaquie, traverse la France à bord de wagons citernes depuis de nombreuses années, sans avoir provoqué d'accidents, ni même de réticences. En conséquence, *il y aurait un véritable illogisme à admettre une telle circulation des wagons citernes et à ne pas admettre la constitution de dépôts fixes qui, eux-mêmes, offrent moins de danger. Cependant, notre devoir en tant qu'organisme chargé de conseiller la direction de l'hygiène et de la sécurité est de prévoir les événements les moins probables et je comprends parfaitement l'émoi des hygiénistes devant la probabilité – et aussi peu vraisemblable qu'elle soit – de l'émission brusque d'une immense vague de chlore dans la banlieue parisienne*[420].

Aussi propose-t-il, une sorte de jugement de Salomon, limitant l'autorisation à un dépôt de vingt tonnes seulement, puisque cette quantité est celle que contiennent les wagons-citernes qui circulent en France.

Les vacances, cependant, ne semblent pas avoir porté conseil au ministre, puisque le 25 septembre, le dossier est renvoyé devant le Conseil de salubrité avec injonction de donner à titre exceptionnel l'autorisation du dépôt tel que prévu. Que faire d'autre sinon s'incliner tout en émettant *l'opinion qu'il serait préférable, par une répartition judicieuse des industries en France d'éloigner les établissements en question des centres très habités.* Et Javillier de conclure : *J'espère, Messieurs, que ces conclusions et ces conditions d'autorisations, qui ne donnent pas certes apaisement à l'hygiéniste, témoigneront cependant le souci qui est en chacun de nous de concilier, dans la mesure du possible, les devoirs qui sont*

420. Compte-rendu de la séance de juillet 1949 au Conseil d'hygiène et de salubrité du département de la Seine. Archives J.-O. Retel.

essentiellement les nôtres et les intérêts légitimes et impérieux de l'industrie française[421].

Malgré l'ingratitude de ces tâches multiples, la fatigue que l'âge et bientôt la maladie font peser sur lui, Maurice Javillier n'entend pas consacrer ses dernières années à un repos bien mérité. Conscient d'être en possession de toute la puissance de ses facultés intellectuelles et d'avoir acquis par ses travaux une notoriété qui lui commandent de les utiliser pour faire passer, vers les générations futures, les messages qui lui tiennent à cœur, il présente sa candidature à l'Académie de Médecine, en 1949, alors qu'il approche de ses 75 ans. Comme lorsqu'il était candidat à l'Institut, il recommence la campagne d'usage et adresse des courriers à ceux qui sont susceptibles de l'aider. Le 2 octobre, il sollicite l'appui de Camille Guérin, directeur de l'Institut Pasteur :

Mon cher collègue,

Je désire vous faire connaître que j'ai fait acte de candidature à l'Académie de Médecine, section Pharmacie (place vacante par suite du décès d'E. Fourneau).

J'aimerais bien vous faire visite à cette occasion. Un petit mot que vous feriez déposer à l'Institut Pasteur au n° 28, me fixerait sur les jours et les heures où je pourrais aller vous voir sans vous déranger expressément[422].

Cette candidature n'est pas seulement une formalité, son élection lui tient à cœur et il proteste quelques jours plus tard auprès du même interlocuteur :

10 novembre 49

Peut-être savez-vous la présentation de la section de Pharmacie à l'Académie de Médecine ? En première ligne notre collègue Launoy. J'ai une vieille amitié pour Launoy, mais je ne saurais souscrire à l'idée que sa candidature doive primer la mienne. Se trouve-t-elle maintenue pleinement et énergiquement ?

J'ai l'espoir que mes amis attacheront du prix aux cinquante années que j'ai consacrées à l'enseignement, à la profession et à la science, et le diront[423] *!*

---

421. Compte-rendu de la séance de juillet 1949 au Conseil d'hygiène et de salubrité du département de la Seine. Archives J.-O. Retel.
422. Lettre de M. Javilllier à C. Guérin du 2 octobre 1949. Archives de l'Institut Pasteur, carton GE 3, correspondance de pastoriens.
423. Lettre de M. Javilllier à C. Guérin du 10 novembre 1949. Archives de l'Institut Pasteur, carton GE 3, correspondance de pastoriens.

Il est difficile de connaître les motifs d'une telle insistance à briguer une place où Javillier sait pertinemment qu'il ne pourra œuvrer durablement. Est-ce un retour aux sources de sa formation ? Un hommage à son père ? Ou tout simplement un mouvement d'orgueil chez un homme dont la force morale est parvenue à dompter les défauts et que trahit un instant d'abandon ?

Son inquiétude d'ailleurs sera de courte durée, puisque le mois suivant, il sera nommé au fauteuil convoité et presque au même moment, se verra également offrir la place de vice-président de l'Académie des Sciences[424]. Songeant à Javillier pour occuper ce poste pour l'année 1950, les secrétaires perpétuels l'ont contacté dès le mois de novembre 1949. L'heureux candidat – qui à la même époque demande à ce que l'on ajoute dans l'annuaire de l'Institut en préparation « membre de l'Académie de Médecine », montrant combien il est fier de sa nomination, – ne semble pas, par contre, avoir prévu l'honneur qui lui échoit.

Je n'avais pas envisagé que je puisse être appelé à siéger au bureau de l'Académie en 1950. Mais puisque, toutes nos traditions respectées, vous estimez qu'il y a bien lieu de me présenter aux choix de l'Académie, j'aurais mauvaise grâce à ne pas accepter. Je vous remercie de mettre mon nom en avant. Je dois dire que j'apprécie très vivement l'honneur de siéger à votre bureau et que je m'efforcerai de vous apporter un utile et actif concours[425].

Ce plaisir, dont il ne se cache pas, tout comme la combativité dont il vient de faire preuve pour obtenir encore son élection dans la section de pharmacie, ne sauraient être attribués à un besoin insatiable d'honneurs et encore moins à la peur qu'éprouvent certains retraités de se retrouver comme des mouches se heurtant aux vitres du désœuvrement. Pour Javillier, Académies et Sociétés savantes sont les instruments d'un engagement missionnaire, des tribunes d'où il espère atteindre le cœur de tous les humains.

---

424. *L'Académie a un président et un vice-président choisis parmi ses membres. Elle nomme chaque année, dans sa première séance de janvier, et à la majorité absolue, un vice-président pris alternativement dans les sections mathématiques et dans les sections physiques. Il sera président l'année suivante et ne pourra être immédiatement réélu vice-président.* Règlement extérieur pour l'Académie des Sciences, article premier. Archives de l'Académie des Sciences.

425. Lettre de M. Javillier du 29 novembre 1949. Archives de l'Académie des Sciences. Dossier M. Javillier.

Missionnaire de la paix

Au bout d'une vie d'espoirs et d'expériences, Maurice Javillier a rejoint l'opinion de George Sand qui, trois ans avant sa naissance, mettait en garde Ernest Renan et Marcelin Berthelot, trop imbus de leur science et de ses progrès :

Vous dites que l'avenir du monde appartient aux savants, qu'ils sont tout, et nous autres ignorants, rien qui vaille. Vous dites que la démocratie ne peut rien pour le progrès et qu'elle doit le subir, sauf à être exterminés par lui si, ne le comprenant pas, elle y fait obstacle. Nous voici donc lancés dans des guerres atroces, et votre science de destruction augmentant toujours, chaque nouvelle guerre sera plus meurtrière que les autres, jusqu'à ce que vous restiez seuls en face de vos instruments formidables n'ayant d'autres ressources que de faire sauter la planète pour en finir[426].

Ce que George Sand pressentait en véritable pythie, Javillier l'a découvert au fil du temps et des guerres vécues. Et c'est parce qu'il n'a pas encore renoncé à sa foi envers l'humanité qu'il entend s'adresser à ses collègues les savants, à ses élèves qui le deviendront, mais aussi faire appel « aux ignorants », ces gens de Lettres méprisés comme de doux rêveurs et qui ont, pourtant, de tout temps, su prévoir et réfléchir sur les erreurs où conduit le goût de la puissance et de la domination.

Sur son carnet de lycéen, alors qu'il n'était encore qu'un élève de terminale à Nevers, le jeune Maurice avait déjà relevé ces notes : *Montaigne philosophe – Faculté particulière de l'homme – Est-ce la guerre qui sollicite notre orgueil ? De même les bêtes... La cause n'est pas plus élevée – Si la guerre n'est pas faite par notre orgueil, la science est une preuve de notre ignorance. C'est le sublime effet de l'intelligence, mais elle est sans but*[427].

Lui qui, jadis, brillait avec une même ardeur dans les Lettres et dans les Sciences, se sent naturellement investi de la démarche salvatrice qui doit empêcher notre monde de sombrer dans l'apocalypse entrevue par la bonne dame de Nohant.

426. G. Sand, article sur « Les Dialogues et fragments philosophiques », d'E. Renan, *Le Temps*, 16 juin 1872.
427. Notes manuscrites de M. Javillier recueillies sur un petit carnet noir au cours de l'année scolaire 1890-1991. Archives J.-S. Retel.

Déjà, au seuil de l'année 1945, alors que la retraite des troupes allemandes devant les alliés laissait augurer la fin du drame supporté pendant cinq ans et que la conférence de Yalta, prévue pour février, semblait l'annonciatrice d'une paix durable, Maurice Javillier exigeait déjà une libération qui *ne sera parachevée que lorsque ne pèsera plus sur l'Europe la menace de quelque oppressive hégémonie et que les terres lointaines, fidèles à notre drapeau, auront récupéré la libre disposition de leur amitié.* Il terminait son allocution par une prière : *Puissent les peuples épris de liberté et d'ordre s'unir, condamner et bannir tous les égoïsmes de nations, de classes, d'individus et rendre la vie possible à tous, dans un monde s'inclinant vers plus de justice et de fraternité*[428].

Quelques mois plus tard, alors que l'Allemagne n'a pas encore déposé les armes, la mort brutale du président des États-Unis, Franklin Roosevelt, lui donne l'occasion d'une variante sur le même thème, en évoquant *ce grand citoyen du monde. Grand par la puissante impulsion qu'il sut donner à un peuple immense en vue d'une noble tâche, grand parce qu'aux yeux de l'humanité, il personnifiait mieux que tout autre, la liberté des individus et des peuples, le respect du faible par le fort, la prééminence du droit sur l'injustice*[429].

En vain. L'armistice du 8 mai 1945 ne signifie pas la fin totale des hostilités. Pour mettre un terme à la guerre contre le Japon, le successeur de F. Roosevelt à la Maison Blanche fait appel à la science de destruction la plus moderne et la plus meurtrière : l'énergie atomique. Les 6 et 9 août 1945, les bombes atomiques lancées sur Hiroshima et Nagasaki portent la puissance exterminatrice de la science à des sommets jamais atteints.

Désormais partout où il va, partout où il prend la parole, Maurice Javillier tente de s'opposer à l'escalade qu'il pressent. Avec l'acharnement d'un désespéré, il sonde le fond des cœurs et des esprits de ses interlocuteurs pour les engager à retrouver en eux la plus petite lumière d'un « idéal humain ». Alors qu'ils attendaient d'être instruits sur les armes chimiques, les élèves

---

428. M. Javillier, Allocution à l'Académie d'Agriculture, 10 janvier 1945. Archives J.-O. Retel.

429. M. Javillier, Allocution à l'Académie d'Agriculture, Avril 1945. Archives J.-O. Retel.

officiers de Coëtquidan – et parmi eux le futur époux de sa petite-fille Nicole – s'entendent interpellés par Maurice Javillier alors qu'il termine sa causerie par ses étranges paroles de paix :

Vous contribuerez à remettre en leur place les grandes disciplines de l'esprit, au premier rang la philosophie, science de la Sagesse, qui, selon le mot d'un philosophe contemporain est « la gardienne de la cité ». La philosophie dont les cheminements doivent se rencontrer avec ceux de la science. Car la vérité est Une et se sont nos ignorances qui les fragmentent et créent d'apparentes oppositions.

Puisque, par vocation, vous êtes, mes jeunes amis, « les gardiens de la Cité », je ne saurais transmettre ce message à plus qualifiés que vous[430].

Mais que peuvent les militaires, quand des hommes politiques demeurent sourds à toute philosophie, n'écoutent que leur soif de domination et la haine de leur voisin. Cinq ans à peine après avoir salué l'armistice, dans les villes de France en liesse, comme le retour de la paix, force est de constater que cette paix n'existe pas. Partout dans le Monde des foyers de guerre subsistent. Le Japon soumis, c'est le Vietnam et le Cambodge qui se sont enflammés, et la guerre d'Indochine prélude à la flambée des guerres de libérations nationalistes qui gagnera tour à tour *les terres lointaines qui devaient récupérer la libre disposition de leur amitié.* La création de l'État d'Israël, après l'expiration du mandat britannique sur la Palestine en 1948, a mis le feu au Proche Orient dans un premier conflit Israélo-arabe. Tandis que, divisée en deux blocs dépendant officiellement de l'U.R.S.S. pour les pays de l'Est, et officieusement sous l'influence des U.S.A. pour ceux de l'Ouest, l'Europe est devenue un véritable champ de mines prêt à exploser. Le nom de « guerre froide » recouvre les braises du premier conflit d'ordre idéologique. Face à Staline qui étend son hégémonie sur toute l'Europe de l'Est et du Nord Est et vient de couper l'Allemagne en deux, le général Mac Arthur pense contrer l'extension de la puissance communiste en étendant la guerre de Corée vers la Chine. La troisième guerre mondiale est en marche !

Dès avril 1944, Joliot-Curie a réuni à Paris les partisans du *Mouvement de la Paix* pour s'opposer au Pacte Atlantique qui, en unissant le sort de la France à celui des États-Unis, risque de

430. M. Javillier, conférence de Coëtquidan, *op. cit.*

l'entraîner dans un nouveau conflit. L'obédience communiste à laquelle appartient Joliot-Curie donne très vite une dimension internationale au Mouvement qui, le 18 mars 1950, se réunit à Honolulu. Un an plus tard, alors qu'Harry Truman en désavouant le projet du général Mac Arthur, a désamorcé la menace d'une guerre immédiate sans pour autant mettre fin ni aux autres conflits ni à la « guerre froide », Maurice Javillier engage sa notoriété de président de l'Académie des Sciences aux côtés d'un mouvement dont il partage l'objectif pacifiste tout en préservant ses choix politiques.

C'est à Tours, le 16 novembre 1951, dans un des amphithéâtres où a débuté sa carrière professorale que, devant les élèves de l'École de plein exercice de Médecine et de Pharmacie, il prononce son premier et vibrant appel à la paix :

Nous vivons vraiment une époque admirable par le développement de la connaissance. Aussi sentons-nous puissamment que, si les hommes le veulent, une page de l'histoire du Monde pourrait être tournée, qu'avec les progrès faits, en tous pays, par la Science et la Technique, il ne devrait plus y avoir place pour les préventions, les mésententes entre les nations, la misère et le mal, les conflits et la guerre.

Il faut faire un effort général commun, voulu, concerté, afin d'instituer une humanité où régnerait charité et amour, tolérance et prévoyance, liberté et paix, harmonie et bonheur. Idéal lointain, inaccessible peut-être aux pauvres humains insuffisamment évolués que nous sommes. Mais c'est une raison de plus – même dans les heures obscures où nous vivons – pour y travailler tous, chacun en notre place, sans délai, d'un cœur ardent et généreux, l'esprit pénétré d'un grand idéal humain[431].

Le 5 janvier 1952, c'est à ses confrères de l'Académie des Sciences qu'il adresse le même message, pour tenter de promouvoir cette paix du monde que le bon sens et la morale réclament.

Le 7 mai, le *Séminaire des Intellectuels catholiques* lui fournit un nouveau type d'auditeurs.

Pour que cesse ou s'atténue cet état de choses – l'orientation de certaines études scientifiques vers des fins susceptibles de servir l'appétit de puissance et d'hégémonie – douloureuses pour qui aime la

431. M. Javillier, Séance de rentrée de l'École de Tours, *op. cit.*

science, pour qui ne voit dans ses conquêtes que l'assurance d'une plus grande intelligence du Monde, de plus de bien-être et de bonheur pour tous, il n'y a, semble-t-il, qu'une ressource : agir en faveur de la paix entre les hommes par les voies que suggèrent notamment le Mouvement Pax Christi, en y comprenant l'intervention mesurée réfléchie, et, quand il le faut, directe, dans les gestes qui la peuvent tout au moins préparer : chercher ce qui rapproche, faire tomber les suspicions, énoncer certains principes moraux, s'efforcer d'établir vraiment une famille humaine secourable et fraternelle[432].

Enfin le 15 mai de la même année, c'est à l'*Institut des Études Américaines* qu'il distribue son message de paix.

Quand on mesure tout ce que la science apporte aux hommes : d'abord les joies de l'esprit, qui s'éveille à une connaissance de plus en plus intime de l'Univers..., puis les possibilités de vie meilleure (vie physiologique mieux assurée, prélude à une vie plus haute de l'esprit ; protection contre la maladie de plus en plus efficiente...), l'on est déconcerté de voir toutes ces certitudes d'élévation spirituelles et de mieux être matériel, freinées, contrariées, compromises, détruites peut-être un jour, par les incompréhensions, les suspicions, les antagonismes et ce qui hélas les couronne : la guerre. Aussi ne saurions-nous nous séparer sans nous promettre de travailler, chacun en notre sphère, avec les arguments que nous sentons le plus profondément – ceux de l'homme de science ou du politique, de l'économiste ou de l'homme d'affaire, du moraliste ou de l'homme de foi – en faveur de cette paix, dont nous sentons la fragilité, par un effort de compréhension mutuelle, le rejet de suspicions trop vite conçues, l'atténuation d'antagonismes, réels certes, mais certains plus apparents que réels. L'avenir est toujours à ceux qui savent espérer contre toute espérance. Je suis heureux de le dire en cette maison France-Amérique qui, en ces mots joints, exprime une ancienne, glorieuse et durable amitié[433].

La diversité même de ses auditeurs suffit aisément à prouver que ce n'est ni par sympathie pour les engagements communistes de son confrère Joliot-Curie, ni par naïveté que Maurice Javillier a accepté des fonctions dans le *Mouvement de la Paix*, mais bien parce qu'ayant mesuré le gouffre au bord duquel les tensions

432. M. Javillier, Séance de rentrée de l'École de Tours, *op. cit.*
433. *Ibidem.*

idéologiques et un détournement de l'objectif de la Science ont conduit le genre humain, il veut à tout prix, par tous les moyens et à tous les humains, faire entendre la voix de la raison. Au Congrès du Mouvement de la Paix de Paris, le 23 novembre 1952, qui prépare le Congrès de Vienne où doit être présentée une « mention d'attachement à la paix », il ne cache pas, l'impulsion qui le guide vers le pacifisme :

Vous êtes venus, Mesdames et Messieurs, pour, avant tout, proclamer à la face du Monde votre attachement à la paix, quelles que soient vos opinions politiques, vos tendances philosophiques et sociales, vos convictions religieuses. Car l'attachement à la Paix domine, transcende en cette heure toute autre préoccupation. En ce temps où le développement de la connaissance met à la disposition des hommes des moyens de destruction sans précédents, il n'est personne – chrétiens comme moi-même ou non chrétiens – qui puisse, sans trouble de conscience, songer à ce que serait un conflit mondial, à quelles ruines irréparables il conduirait. Aussi tous les hommes de cœur ne sauraient hésiter à s'associer à une tentative d'établir la paix, une vraie paix, basée sur l'esprit de négociations et le bon vouloir. Car on ne saurait établir la paix – surtout la paix du Christ – sur un Monde de cadavres[434].

Comment pourrait-on douter, en lisant ce texte, des engagements de Maurice Javillier hautement et publiquement proclamés ? Alors qu'il aborde la fin de sa vie, des années d'intense souffrance, le rationaliste incroyant qu'il avait été tout au long de sa carrière a rencontré Dieu. Beaucoup plus que la crainte de l'apocalypse qu'il cherche à éviter, cette foi tardive est l'aboutissement d'un long cheminement accompli par un savant qui, toute sa vie, s'est attaché à comprendre le fonctionnement de la vie et dont la conclusion de son discours de président à la rentrée solennelle de l'Académie des Sciences, porte le témoignage :

Qu'il me suffise d'avoir tenté de montrer que la chimie a sa façon de comprendre le vivant, qu'elle peut l'expliquer sans emprunter termes et points de vue, ou à d'autres sciences, ou à la philosophie ou à la foi [...] *La vie est cependant autre chose que principes et réactions chimiques. « La vie, a-t-on dit, c'est une activité qui endure,*

---

434. Texte manuscrit du discours de M. Javillier au Congrès de Paris du 23 novembre 1952. Archives J.-S. Retel.

s'insurge, grandit, se multiplie, se développe, enregistre, évolue. » Sans doute. Aussi chacun voudra-t-il ajouter à notre schéma, volontairement maintenu dans le cadre de la chimie, bien d'autres notions dont je vous laisse le soin de rechercher celles qui vous paraîtront les plus marquées de sens et de vérité[435].

Sans doute est-ce également la quête de cet « Idéal humain » leitmotiv de toutes ses interventions durant les dix dernières années de son existence, qui a fait surgir en lui des interrogations dont il a trouvé un écho chez plusieurs de ses amis. Comment aurait-il pu être insensible à ce billet que lui adresse un jour, Louis Leprince-Ringuet : *L'on ne peut aimer et comprendre une époque, si l'on court derrière elle, essoufflé, poussif. Le chrétien du* XXe *siècle doit s'engager hardiment dans l'activité scientifique pour participer à la construction du monde moderne*[436].

Pour participer à cette construction d'un monde meilleur Maurice Javillier va suivre son collègue et ami Michel Polonovski, *profondément attaché aux valeurs spirituelles et fortement croyant en l'essence divine de la dignité humaine*[437] et avec lui il interviendra à plusieurs reprises lors des semaines des intellectuels catholiques et, sur le thème de *l'église, la science et la liberté*, en 1952 et 1953 dans une tournée en Hollande.

Conforté par *le témoignage qu'apportait Janine Masson, sa fille, chrétienne, indubitablement épanouie à en juger par son courage et cette allégresse qui l'habitait*[438]. Maurice Javillier met à vivre sa foi l'ardeur et la rigueur qui ont toujours été siennes. C'est désormais entre les deux pôles de la rue Dutot, constitués par l'Institut Pasteur où il travaille toujours dans son bureau situé au deuxième étage du bâtiment de chimie biologie, et par la petite église Saint François de Sales où il se rend le dimanche pour entendre la messe, qu'il partage sa vie. Jusqu'au bout, il demeurera fidèle à lui-même : l'esprit vif et critique.

La foi aveugle n'était pas son genre? Je me souviens qu'un dimanche, en sortant de la messe paroissiale, il me confia combien il était choqué de l'ignorance du clergé en matière scientifique. Le ser-

---

435. Comptes-rendus de l'Académie des Sciences, 1951, p. 1520.
436. Billet de Louis Leprince-Ringuet, sans date. Archives J.-S. Retel.
437. Nécrologie de M. Polonovski, *Bulletin de l'Académie de Médecine*, 1954, pp. 347-48.
438. Lettre de J.-O. Retel, février 2004.

mon avait en effet comporté une allusion à l'électricité d'une façon malencontreuse[439].

L'art d'être grand-père

Même très active, la retraite demeure un moment privilégié pour consacrer un peu plus de temps à ses proches et surtout pour pratiquer ce que Victor Hugo appelle si joliment « l'Art d'être grand-père ».

Ces instants d'intimité n'ont, bien sûr, pas laissé de traces officielles, ni fait l'objet de publications. C'est donc à travers les souvenirs de ses petits-enfants que nous avons dû chercher nos sources.

Ils sont cinq, les deux garçons et les trois filles de Jacqueline, la fille aînée des Javillier, et de René Retel, échelonnés sur presque vingt ans. Les deux aînés, Nicole et Jacques nés en 1925 et 1927, Françoise en 1930, Jean-Stanislas en 1935 et Sylvie, la benjamine, en 1943. Il va sans dire que la mémoire – sélective par définition – se pare, pour chacun, de couleurs variées selon l'époque ou les instants vécus auprès de Maurice Javillier. Mais cette sélection, par sa diversité même, permet de mieux faire surgir un homme, tendre, attentif à sa famille, bien différent du personnage un peu sévère et tendu vers ses objectifs par une volonté d'acier, que nous avons rencontré jusqu'ici.

La guerre de 39-45 représente naturellement une rupture importante dans le kaléidoscope des souvenirs communs. « D'avant la guerre », seuls les deux aînés ont gardé des images précises des moments de détente qu'ils venaient passer auprès de leurs grands-parents maternels ; pour Françoise, qui était encore en 1939, une fillette de neuf ans « rondouillette et grognon », selon ses propres dires, et pour le petit Jean que l'on promenait en brouette dans le jardin de Lormes, les souvenirs se situent principalement après la Libération, à un moment où Nicole et Jacques avaient déjà quitté le nid familial pour vivre leur destin de jeunes adultes.

Cependant, malgré cette disparité des angles d'observation, la mémoire collective de la famille s'est ancrée autour de deux

439. Lettre de J.-O. Retel, février 2004.

pôles, l'un spatial et l'autre temporel : l'appartement de la rue Renan et le temps des vacances.

Plus encore que le lieu d'habitation de leurs grands-parents à Paris, ces sept pièces et cuisine reliées par d'immenses couloirs et des vestibules ornés de beaux meubles et de bibelots précieux, sont le symbole d'un berceau familial, puisque Jacques y est né, qu'à l'étage supérieur vivait l'oncle de René Retel et que la grand-mère Champenois, mère d'Anna, habite dans la même rue. La taille spacieuse de l'appartement des époux Javillier, occupé seulement par deux personnes, explique l'attrait, voire la fascination, qu'éprouvèrent les cinq petits-enfants.

Il faut dire aussi que leurs grands-parents ne manquèrent jamais de les y accueillir et même de les y recueillir, chaque fois que cela pouvait rendre service à leur fille.

J'y ai fait de très nombreux séjours avec ma sœur Nicole, nous dit Jacques Retel, *car ma grand-mère aidait ainsi sa fille accaparée par les tâches ménagères. Il ne faut pas oublier que si, à cette époque avant la guerre de 39-45, on trouvait devant sa porte chaque matin le pain et le lait, il n'y avait ni machine à laver, ni frigidaire, rien de ce qui facilite tellement la vie aujourd'hui*[440].

Dans les années 1950, c'est le retour de Nicole tombée gravement malade au Sénégal où son mari, militaire de carrière, était en mission, qui obligea Jean-Stanislas à émigrer rue Renan pour laisser la place à « la grande sœur » et à ses trois enfants. Pour cet adolescent plein de curiosité et de fantaisie, le séjour fut un enchantement débordant de gaieté et de péripéties joyeuses. Est-ce le bonheur qu'il en éprouva qui teinte ses souvenirs, ou bien, l'âge de la retraite venu fit-il tomber le masque sévère qui inspirait à Jacques « un grand respect », pour laisser place à un homme habité par la joie du travail, mais peut-être aussi, illuminé par la Foi ?

Dans ce havre de tendresse, chacun des deux grands-parents avait une pièce à son image. Pour Papé – c'est ainsi que M. Javillier signait les lettres adressées à ses petits-enfants – son bureau servait de cadre à sa vie. Nous devrions dire « ses » bureaux, car il en avait partout où l'appelaient ses fonctions, et, même dans sa vie privée, il en avait fait construire un à Lormes, juste avant la

440. Lettre de J.-O. Retel, février 2004.

guerre, en plus de celui de Paris. Au moment de sa retraite, il eut encore celui de l'Institut Pasteur près de Gabriel Bertrand et de Michel Machebœuf[441], dont Jean-Stanislas se souvient très bien, mais c'est évidemment celui de la rue Renan qui a, le plus, marqué la mémoire de ses deux petits-fils.

Mon grand-père avait aménagé un territoire réservé : son bureau. Parfois il me laissait y pénétrer pour bavarder, ou, lorsque je fus adolescent, y emprunter un livre de la bibliothèque bien pourvue en toutes sortes de matières y compris la littérature classique[442].

Parlant de la fin de la guerre, au moment où son père l'envoya se réfugier à Paris, Jacques reconnaît encore : *J'ai largement profité des avantages que m'offrait mon séjour chez mes grands-parents durant cette période. En particulier en puisant dans les ressources de la bibliothèque. Je me souviens d'un remarquable traité de géologie que j'ai soigneusement étudié, ainsi que de la découverte des poètes dans les éditions Lemerre. J'ai aussi profité des ouvrages de Charcot que mon grand-père empruntait à la Mazarine – J'étais fasciné à ce moment-là par les expéditions polaires*[443].

Cette superbe bibliothèque faillit bien disparaître dans un incendie un jour qu'Anna Javillier était sortie en laissant *le fer à repasser, si j'ose dire, sans surveillance et en activité. Le retour précipité dans la fumée ambiante évita l'irréparable mais laissa des traces notamment sur des couvertures de livres*[444].

Du bureau de son grand-père, le cadet de ses petits-fils se souvient dans les moindres détails : au fond, derrière le grand bureau toujours impeccablement rangé, la pendule rapportée de Nuits, sur la cheminée, se reflétait dans un miroir ; à droite, entre la cheminée et la fenêtre, un paysage peint par Tahi, le mari de sa fille Niné ; enfin, près de l'entrée, un meuble de style Empire pour ses dossiers et dans le couloir un médaillier, où Javillier rangeait les médailles reçues, avouait sa méticulosité. Ainsi, dans ce lieu d'inspiration et de méditation, il vivait entouré des symboles de moments heureux : la pendule de son grand-père évocatrice de son enfance en Bourgogne et toute la poésie de la nature si

441. Il n'eut d'ailleurs jamais de véritable bureau, puisque G. Bertrand continua à venir travailler dans le sien jusqu'à sa mort.
442. Lettre de J.-O. Retel, février 2004.
443. *Idem.*
444. Lettre de J.-S. Retel, 4 décembre 2003.

merveilleusement rendue par son gendre et sans laquelle il ne pouvait vivre. Dans ce bureau, situé au fond de l'appartement et éclairé par la dernière fenêtre donnant sur la rue, il aimait écrire à ses proches, dès l'aube naissante :

Un soleil prudent, circonspect, mais qui est tout de même une honnête petite étoile, envoie quelques rayons qui éclairent la maison d'en face. Cette incidence de la lumière te suggère d'emblée que c'est au matin que je t'écris, avant même d'établir le programme de la journée[445].

Le soir, pour se recueillir, il fermait la porte à deux battants qui donnait sur le salon et, sans doute, il priait.

La vivacité d'Anna Javillier occupait toutes les autres pièces, mais c'est dans un petit salon, près de l'escalier, qu'elle recevait ses intimes. Toujours aussi grande et belle, avec ses yeux clairs et ses cheveux, jadis bruns, relevés en chignon « Mémé » avait gardé pour les plaisirs mondains le goût de sa jeunesse. Si elle ne dansait plus toute la nuit au bal de la préfecture comme elle l'avait fait à Nevers, malgré une phlébite et en inquiétant terriblement son jeune mari, elle ne manquait pas une exposition. Dès leur plus jeune âge, Nicole et Jacques avec leur Mémé ont fréquenté les musées parisiens et, accompagnés cette fois de leur « Papé » se sont étonnés du plaisir que ce sérieux professeur partageait avec eux devant les spectacles du cirque. Sans doute, la vocation manquée du trapéziste qui fréquentait à Nevers le Manège Bertrand[446], n'était-elle pas encore tout à fait éteinte dans le cœur de ce vénérable académicien.

La guerre ne pouvait éteindre la passion qu'Anna Javillier – qui peignait elle-même des miniatures et des huiles sur bois – éprouvait pour les expositions de peinture et pour les mondanités des vernissages.

– Viens, petit, disait-elle en entraînant Jean-Stanislas, nous allons faire la tournée des omoplates.

Les hautes fonctions de Maurice Javillier attiraient rue Renan des invitations à toutes sortes de spectacles, qu'il distribuait largement aux membres de sa famille. C'est ainsi qu'un soir d'hiver, alors que tout fier Jean-Stanislas s'apprêtait à accompagner sa

445. Lettre de M. Javillier à J.-O. Retel, 13 mars 1953. Archives J.-O. Retel.
446. Inscrit dans le petit carnet que tenait Javillier pendant sa scolarité au lycée de Nevers. Archives J.-S. Retel.

grand-mère à un concert, Javillier s'inquiéta de le voir partir sans manteau et lui proposa son propre pardessus. Ce n'est qu'en rentrant rue Renan que l'adolescent comprit la raison des regards tantôt étonnés, tantôt courroucés dont il avait été l'objet au cours de la soirée : à la boutonnière du pardessus de son grand-père la rosette de commandeur de la Légion d'honneur avait décoré ce jeune homme, à peine âgé de dix-sept ans, de cette haute distinction française.

Pourvu du charme romantique d'un Gérard Philipe, charmant de fantaisie et de dilettantisme, Jean-Stanislas était très certainement la coqueluche des dames qu'Anna Javillier réunissait chaque mercredi dans son salon, pour prendre le thé. Mais si, en enfant de la maison, son petit-fils y surgissait avec une certaine désinvolture par la porte de service dont il avait la clef, ses sœurs n'avaient pas forcément la même décontraction. Autant Nicole, déjà parfaite maîtresse de maison, servait le thé avec grâce et adresse, autant Françoise, dite Fanfan, avec ses gestes brusques de garçon manqué, redoutait l'épreuve et craignait surtout d'irriter sa grand-mère par sa maladresse. Cela ne l'empêchait pourtant pas d'éprouver un certain plaisir à écouter, et à croquer mentalement les « petites amies d'Anna », au point de s'en souvenir parfaitement aujourd'hui. Il y avait Jane de New York, une Russe qui vendait des produits de beauté et donnait des recettes de cuisine à Nicole et qui, après s'être cachée pendant toute la guerre, finit par rentrer en U.R.S.S., parée comme une chasse de tous ses bijoux et engoncée dans tous ses manteaux de fourrures. Les amies de pension d'Anna Champenois-Javillier étaient les plus fidèles. Outre Tatabé Morin et son mari Toutou, venait aussi, une fois l'an, Reine Mimille qui habitait Niort. La vogue des surnoms et des diminutifs dont Anna Javillier usait et abusait, avait valu au docteur Justin Besançon d'être nommé Tintin et à Jean-Stanislas de se voir appelé tendrement « le grand veau », tandis que son père appréciait fort peu son surnom « de grand daim ».

La troisième pièce, située entre le grand salon et la chambre à coucher, servait de cadre à un autre style de cérémonie : les grands repas de famille. Une famille qui selon les époques réunit autour de la table de dix à seize personnes avec les deux couples Retel et Masson et quatre enfants avant la guerre,

Nicole, Françoise et leurs maris, Sylvie et les trois arrières petits-enfants dans les années 1950. Car les enfants, dès qu'ils étaient en âge de se tenir à table, assistaient aux repas, mais sans avoir le droit de parler avant le dessert. Ce silence obligé, en leur permettant d'écouter et de comprendre comme ils le pouvaient les discussions des grandes personnes, développait aussi leur attention vers des détails insolites, comme la salière et la poivrière représentant un lapin et une grenouille étrangement présentes au milieu des porcelaines fines, de l'argenterie et des cristaux de prix qui ornaient la table, ou encore, le moment où Maurice Javillier découpait la viande avec un couteau à cran d'arrêt, que Jacques percevait comme « une incongruité fascinante ».

L'après-midi des dimanches ordinaires se déroulait selon un rituel immuable où grands-parents et petits-enfants s'en allaient mettre le courrier, que Maurice Javillier avait écrit dans son bureau, durant toute la matinée, à la poste du Louvre, des Invalides ou du Luxembourg ! Le grand et infatigable marcheur qu'était Javillier traversait ainsi tout Paris depuis la rue Renan, derrière l'Institut Pasteur pour aller poster ses lettres de l'autre côté de la Seine. Si la traversée des jeux du Jardin du Luxembourg, incluse quelquefois dans ces promenades, ravissait les enfants, ils s'ennuyaient ferme dans l'interminable rue de Vaugirard, complètement dépourvue de commerce à cette époque.

Mais c'est bien évidemment pendant les grandes vacances que ces « marcheurs émérites » qu'étaient Anna et Maurice Javillier s'adonnaient à leur sport favori avec le plus de joie.

Pour les vacances, encore plus que pour la vie courante, la rupture de la guerre fut déterminante. Avant juin 40, c'est à Lormes que chaque été, les grands-parents passaient les mois de juillet et d'août, rejoints par Julien et Taleine Champenois et par les petits Retel au mois d'août. Celui de juillet étant consacré le plus souvent à des séjours à la mer avec leurs parents. Le départ des Javillier pour le Morvan se faisait en voiture, dans une Peugeot baptisée Zoé et dont Maurice Javillier tenait le journal de bord avec le même soin méticuleux que celui qu'il mettait à vérifier chaque semaine les comptes du ménage. Malheureusement, ayant passé son permis tardivement, il n'avait pas une conduite propre à rassurer sa femme quand il était au volant et celle-ci ne tardait pas à lui faire des remarques, provoquant de bruyantes altercations dans le ménage. Si bien que Zoé fut vendue et qu'après la guerre, les Javillier n'utilisèrent plus que les transports en communs pour partir en vacances. Une page était également tournée avec la mort de Julien et la vente de la maison de Lormes.

Cela fut pour Maurice Javillier l'occasion de découvrir et d'apprécier d'autres régions de France, plus proches de Paris. Déjà la ligne de démarcation pendant la guerre avait conduit ses regards d'agronome à une première exploration :

En août et septembre dernier, écrit-il en 1942, j'ai passé quelques semaines dans une petite commune du Maine. Pour un homme que bien des vacances ont ramené en deux pays où dominaient dans l'un la vigne et dans l'autre la forêt, quelle aubaine pensais-je de vivre quelques temps en un pays de cultures variées et d'élevage[447].

Quelle que soit la campagne qu'il arpente, il se sent en communion avec la nature et veut en surprendre les secrets pour les faire découvrir à ses petits-enfants. Françoise, pas plus que Jacques, n'a oublié ses leçons. Si la méfiance du pastorien empêchait la petite-fille de manger des glaces par crainte des bactéries, elle pardonnait aisément à ce grand-père que la même hantise avait poussé à demander, lorsqu'il était au Conseil d'hygiène de la Seine, la suppression des banquettes en bois du métro « véritables nids à microbes », car le botaniste, qu'il était également, lui apprenait à distinguer les plantes dangereuses et les espèces protégées de celles dont on pouvait à loisir faire des bouquets. L'enchantement de ces promenades finit même par éveiller en elle un véritable amour pour les sciences naturelles, au point que son « Papé Maurice », en pleine guerre, bravant la censure et faisant fi des courriers stéréotypés, lui adressa des félicitations pour l'excellence des notes qu'elle avait obtenues à l'école.

Ma petite-fille chérie, j'ai bien reçu ta bonne carte qui nous a remplis d'aise ta mémé et moi. Te voilà lancée sur le bon chemin pour l'étude des Sciences Naturelles. J'espère que tu vas maintenir ton rang, recevoir une récompense à la fin de l'année scolaire et aussi garder en toi ce goût de la connaissance des choses de la Nature. Oui, les gens de ton pays ont raison. Il faut de l'eau pour faire pousser les plantes.

447. M. Javillier, *Labourage et pâturage.* Archives J. Retel.

L'on calcule que pour faire un gr. de matière végétale sèche (soit environ 7 à 10 gr. de matière fraîche) il faut que 300 gr. d'eau, ou à peu près, traversent la plante. Calcule un peu ce que cela peut faire pour 1 hectare de blé ou de forêt... [448]

Aucun de ses petits-enfants n'échappe à ces moments d'enthousiasme qui soulèvent Javillier chaque fois qu'il foule le sol des campagnes.

En 1946, écrit Jacques, *je rejoignis mes grands-parents [qui] se reposaient dans un hôtel situé dans la vallée de la Sioule. Le lendemain de mon arrivée, ayant bien dormi, nous sommes partis faire une ballade pour profiter de ce magnifique pays. Au cours de celle-ci nous avons pu cueillir des groseilles et je me suis aperçu que mon grand-père ne voyait pas facilement les grappes rouges. C'est ainsi que j'ai découvert le daltonisme dont souffrait mon grand-père. Il me confia qu'il devait avoir recours à son voisin pour reconnaître la couleur de l'hélianthine. Le soir, je me sentis fatigué, et cela m'intrigua car j'étais entraîné. J'ai donc consulté une carte et j'ai constaté que nous avions parcouru une vingtaine de kilomètres en terrain accidenté*[449] *!*

De ces marches où le masque officiel tombé, se révèle sa nature profonde et secrète, Javillier éprouve un besoin vital. Et ce n'est pas un hasard si les paysages peints par son gendre, comme lui en étroite communion avec la nature, décorent son bureau ou son stand à l'exposition de 1937. Comme le mari de Niné, il lui faut vivre constamment en osmose avec la campagne pour se sentir inspiré et retrouver la plume qui lui valut, tant de fois, le premier prix de dissertation française au Lycée de Nevers. En vacances au Moulin d'Ivry en 1951, il prend plaisir à peindre avec les mots, dans un mélange de poésie et de réalisme, ce joli coin de l'Eure :

Citoyens d'Ivry ! Pourquoi ne le resterions-nous pas ? La nature est plantureuse. Sur les plateaux qui sont bien à 100 - 150 mètres au-dessus du niveau de la rivière, les champs s'étendent à perte de vue. De la vallée, telle que l'Eure la dessine, une terre médiocre, mais bien irriguée, dessine des prés où vivent vaches, moutons et biques. [...] *Le calme et la paix enveloppent tout cela et rien n'y subsisterait de la malice du monde, s'il n'y avait quelques nuées de bêtes volantes et piquantes*[450].

---

448. Lettre de M. Javillier à F. Retel en mai 1942 in F. Retel, *op. cit.*
449. Lettre de J.-O. Retel, février 2004.
450. Lettre de M. Javillier à Jacques Retel, 5 août 1951. Archives J.-O. Retel.

La proximité même d'Ivry-la-Bataille permet à Maurice Javillier de s'évader de Paris en s'y rendant par le car Citroën. C'est avec joie que les plus jeunes de ses petits-enfants l'accompagnent et s'égaient dans les places libres, jusqu'au moment où, arrivant à destination, le traditionnel cri de ralliement de Papé : « Pouloute, pouloute ! » groupe tout le monde autour de lui.

Pendant le mois qui rassemble la famille Retel à Saint Gervais ou fait vivre à Jacques sa première expérience de vacances laborieuses dans une station balnéaire normande, Maurice Javillier garde un contact permanent avec ses petits-fils par des lettres appropriées à l'âge de chacun.

À l'étudiant décontenancé par la découverte de la clientèle et du personnel des grands hôtels de Deauville, il sait prodiguer encouragements et conseils :

Nous aussi nous pensons à toi et au milieu en lequel tu vis. Un milieu pourvu sans doute de quelque argent mais de peu d'âme, ambitieux de fortune et de bonnes fortunes, mais ayant perdu toute raison de vivre. Il n'est pas mauvais de savoir – même et surtout quand on suit ta carrière – qu'un tel milieu existe, quelles en sont la faune et la flore, combien nombreux les marécages et rares les plateaux battus d'un vent pur. [...] *Puisse ton séjour dans une ville brillante et cosmopolite t'apprendre beaucoup de choses, te faire sentir toute la distance entre l'artificiel et le profond*[451].

Avec le cadet, qui vient tout juste d'atteindre ses seize ans, il badine avec un tendre humour :

Ils sont comme çà les académiciens, pas du tout encerclés par ce règlement sévère dont tu parles, mon Jean, ni adonnés à une sévérité polie. Ils vivent. Ils émigrent parfois de la Coupole aux rives de l'Eure, et loin de fouler seulement l'herbe rare des cours du Collège des Quatre-Nations, ils se perdent parfois dans de plantureuses prairies normandes à l'herbe drue, aux fleurs multicolores. Loin que de fréquenter que des immortels indésirables, ils fréquentent « des vaches qui rient » à la seule pensée des fromages en puissance qu'elles portent en elles[452].

Mais la plaisanterie cache mal l'inquiétude qui est la sienne, pour la santé de la grande sœur. *Ce qu'il y a de plus sacré pour*

451. Lettre de M. Javillier à Jacques Retel, 5 août 1951. Archives J.-O. Retel.
452. Lettre de M. Javillier à J.-S. Retel, 7 juillet 1951. Archives J.-S. Retel.

l'instant, c'est ramener la grande sœur à la santé. La marche est excellente. Le succès définitif est au bout de l'effort[453]. Son cœur d'époux comblé par cinquante ans de mariage qui n'a jamais connu un instant de séparation, s'émeut sur le sort de Nicole, si jeune mariée et déjà mère de « trois moustiques », obligée de vivre à Paris pendant que son mari poursuit sa carrière à Thiès.

Louis est auprès de sa femme pour quinze jours déjà fortement écornés. Notre Nicole me paraît bien mais ne se remplume guère : elle va se faire réexaminer au début de mars[454].

Pas un instant il n'oublie que si l'art d'être grand-père consiste à aimer, à distraire et à suivre par la pensée, les faits et gestes de ses petits-enfants, il faut aussi ouvrir leur âme et leur apprendre à vivre auprès de leur prochain avec cet esprit de tolérance sans lequel la Paix, pour laquelle il se bat, ne sera pas possible. Un voyage à l'étranger que Jean-Stanislas vient de faire, est prétexte à lui écrire :

Nous nous réjouissons que tu aies fait ce voyage. Il t'a appris beaucoup de choses ; il t'a ouvert les yeux sur certains des nôtres et sur maints de nos voisins. Il t'a rendu à la fois plus amoureux de ton pays et donc compréhensif des autres. Ce sont là des acquisitions qui comptent. Tu auras, au reste, occasion de les élargir, de les compléter[455].

Importants conseils donnés à un adolescent en plein épanouissement mais qui deviennent un échange profond quand il s'adresse au « grand frère », qui, après deux ans de formation au séminaire de la *Mission de France* à Lisieux, est arrivé dans le Limousin pour y vivre sa première expérience sociologique en milieu industriel.

Alors te voici au travail ? Tu vas regarder vivre les Limousins et les Limousines et la façon dont ils s'y prennent pour donner à leur cité le faciès qui lui est propre. Car il y a le général et le particulier. Le général c'est ce qui se fait partout [...], le particulier c'est l'esprit dans lequel on fait tout cela [...] *Et il y a la vie morale et le prix qu'on y attache, la fréquentation des lieux de prière ou l'indifférence qu'on affiche à leur égard. Et la vie politique avec ses remous, ses colères ou le sens de la concorde. Enfin il y a tellement de choses et d'aspects à*

453. Lettre de M. Javillier à J.-S. Retel, 7 juillet 1951. Archives J.-S. Retel.
454. Lettre de M. Javillier à Jacques Retel, 23 février 1952. Archives J.-O. Retel.
455. Lettre de M. Javillier à J.-S. Retel, 12 août 1952. Archives J.-S. Retel.

envisager que c'est sans doute là la difficulté de ta tâche. Il faudra peut-être faire un choix, prendre un milieu donné à fond plutôt que toute une société superficiellement. Je te laisse à tes réflexions[456].

Entre l'octogénaire qui au bout du chemin a découvert la joie de la foi chrétienne et le jeune homme qui cherche encore la voie qu'il prendra pour la vivre, la connivence est grande.

Nous sommes toi et moi engagés dans deux modes de vie assez différents : moi dans l'action continue, dans les responsabilités perpétuellement engagées ; toi dans l'attitude méditative. Mais, en réalité, mon action a sa source dans mes études et mes méditations passées, et pour toi, il faudra bien qu'un jour, tes réflexions et ton pur travail de pensée se transportent dans le réel, dans l'humanité, dans un élan de charité. Et ainsi nous serons à parité[457].

Tous ces échanges entre celui qui signe « Papé » et ses petits-enfants sont autant de messages, qu'arrivé au bout d'une vie conduite avec droiture et volonté, Maurice Javillier laisse à sa famille, mais aussi à notre monde pour qu'il retrouve, un jour peut-être, le chemin d'un idéal porteur d'humanité.

Jusqu'à son dernier souffle

Avec les années cinquante commencent pour Maurice Javillier le temps de la souffrance et du dialogue avec la mort. Un dialogue qui n'est pas l'abandon d'un homme ayant achevé sa tâche, mais la lutte prométhéenne d'un être qui veut sauver le Monde malgré lui. Élu à l'Académie de Médecine et appelé à présider l'Académie des Sciences à la fin de 1949, il se refuse à abandonner son poste. Malgré une première opération en janvier 1950, il garde fermement l'espoir de travailler encore.

J'inaugure très mal la vice-présidence de votre compagnie, écrit-il aux secrétaires perpétuels, le 28 décembre 1949. J'ai dû être transporté d'urgence, jeudi dernier, à la clinique Velpeau où je suis dans l'attente d'une opération chirurgicale. La chose se présente d'ailleurs favorablement et j'espère que mon intervention se terminera bien et que l'avenir sera assuré[458].

---

456. Lettre de M. Javillier à Jacques Retel, 13 mars 1953. Archives J.-O. Retel.
457. Lettre de M. Javillier à Jacques Retel, 12 novembre1951. Archives J.-O. Retel.
458. Lettre de M. Javillier aux secrétaires perpétuels de l'Académie des Sciences, 29 décembre 1949. Dossier M. Javillier. Archives de l'Académie des Sciences.

La convalescence est cependant plus longue que prévue et le 18 février, il doit s'excuser auprès de ses confrères de l'Académie de Médecine :

Mon regret est de ne pouvoir, dès maintenant, participer aux travaux de l'Académie, mais j'espère que cette abstention sera de courte durée. En convalescence à Paris, je récupère mes forces progressivement et je serai, dans quelques semaines, en l'état de reprendre mes activités[459].

Malgré une volonté énergique de se sortir de ce mauvais pas, le corps refuse ce que veut l'esprit. Le 3 mars, il est obligé de reconnaître.

Le vice-président très inassidu que je suis désire faire connaître d'abord que la convalescence évolue favorablement. Se sentir pleinement normal n'arrive pas cependant aussi vite qu'on l'imagine ou qu'on le souhaite[460].

Le mois suivant, Javillier peut enfin croire l'épreuve terminée. Aussitôt il s'empresse de rattraper le temps perdu et accepte une mission au Proche-Orient et en Grèce pour la direction des affaires culturelles du Ministère des Affaires étrangères. L'enjeu est double : d'une part, une prise de contact avec les milieux scientifiques libanais, syriens et grecs ; d'autre part, un effort de connaissance et d'appréciation des milieux scientifiques de ces pays. Du 20 avril au 24 mai, il prononce cinq conférences à Beyrouth, deux seulement à Damas et cinq à Athènes et s'empresse, au retour, de résumer ses impressions, satisfaisantes en général tant pour l'accueil reçu que pour les qualités des institutions visitées. Il ne manque pas cependant de souligner l'émergence d'une forte et dangereuse concurrence américaine qui, à plus ou moins long terme, pourrait éliminer l'influence française. À Beyrouth, il remarque : *Les relations entre la faculté française et l'université américaine m'ont paru bonnes, courtoises, mais peu intimes. Je ne sais si les maîtres ou les élèves de l'Université américaine ont assisté à mes exposés ; aucun d'entre eux ne s'est manifesté*[461].

459. Lettre de M. Javillier du 18 février 1950. Dossier M. Javillier. Archives de l'Académie de Médecine.
460. Lettre de M. Javillier aux secrétaires perpétuels de l'Académie des Sciences, 3 mars 1950, Dossier M. Javillier. Archives de l'Académie des Sciences.
461. M. Javillier, Rapport au Général Joxe sur sa mission au Proche Orient et à Athènes. Archives J.-O. Retel.

À Athènes, la rivalité s'affirme sur un plan où la France n'est guère en mesure de lutter : *J'ai visité les laboratoires universitaires. L'on est frappé de l'effort de rajeunissement, dû d'ailleurs à l'aide américaine. Certains laboratoires (comme celui de chimie organique) sont pourvus d'appareils qu'envieraient bien des laboratoires français*[462].

De ce voyage, le militant engagé qu'est désormais Maurice Javillier tire aussi une source de réflexions dont il émaille son discours en prenant la présidence de l'Académie des Sciences le 3 janvier 1951.

Notre science doit rester humaine. Qu'elle progresse dans la connaissance de la structure des choses [...] *Qu'elle rompe les atomes, qu'elle dose tous les éléments qui conditionnent la vie* [...] *C'est bien. Par là, elle ouvre à tous de nouveaux et lumineux horizons sur le Monde. Mais puisse-t-elle aussi utiliser les énergies qu'elle libère, pour des fins humaines.* [...] *Et c'est cette même leçon que je recevais, il y a peu de mois, quand au cours d'un voyage d'études et d'enseignement dans le Proche-Orient et la Grèce, je rencontrai du Mont Moriah de Jérusalem à l'Acropole d'Athènes, certains de ces lieux « signifiants pour l'âme », où notre confrère M. André Siegfried invitait récemment les Occidentaux à prendre conscience d'eux-mêmes et de leurs missions*[463].

Cette fois la santé semble être revenue et c'est sans ménagement qu'il remplit sa tâche de président. Les discours succèdent aux discours qu'il s'agissent d'inaugurations, de commémorations, comme le monument, érigé boulevard Saint-Michel, à l'angle de la rue de l'Abbé de l'Épée, rappelant la découverte de la quinine par Pelletier et Caventou, ou de notices nécrologiques pour lesquelles M. Javillier doit se documenter à la hâte sur les travaux du défunt afin de les commenter à la séance hebdomadaire de l'Académie. Cette séance ayant lieu chaque lundi après-midi, on peut imaginer les difficultés qu'engendre un décès, non prévu, survenant un vendredi ou un samedi, alors que tous les lieux de recherches documentaires sont fermés. Chaque fois, pourtant, avec la même application, Maurice Javillier rédige le texte de sa fine écriture sur des petits feuillets

462. M. Javillier, Rapport au Général Joxe sur sa mission au Proche Orient et à Athènes. Archives J.-O. Retel.
463. M. Javillier, Discours du président à la séance de l'Académie des Sciences du 3 janvier 1951. Archives J.-O. Retel.

volants, mais soigneusement numérotés et abondamment raturés. La seconde version, tapée à la machine, est de même impitoyablement retouchée jusqu'à ce que le mot juste, l'expression convaincante ou la ponctuation nécessaire au souffle du discours, le satisfassent pleinement.

À ce travail intellectuel et silencieux s'ajoute, pour un président, le devoir de paraître partout où sa présence est souhaitée en répondant aux invitations les plus modestes comme les plus prestigieuses. Ainsi, le 14 février 1951, le professeur Javillier et son épouse se préparent-ils à se rendre au dîner organisé « en l'honneur des organismes internationaux et des corps constitués », par le Président de la République. Ne conduisant plus depuis la vente de Zoé avant la guerre, M. Javillier, en grande tenue d'Académicien, hésite entre prendre un taxi ou tout simplement le métro. L'incongruité d'une telle idée incite son gendre, René Retel, à proposer de les conduire. Mais voilà qu'ayant déposé ses beaux-parents devant le perron de l'Élysée, la voiture cale et refuse de repartir. Et l'ingénieur Retel qui avait conçu une voiture à alcool pendant la guerre [464] et avait avec elle gagné un rallye, doit subir l'humiliation de se faire pousser par des majordomes en gants blancs, pour laisser la place aux autres invités.

La longue suite des mets – potages, poissons, viandes, volailles, dessert et petits fours – arrosés des meilleurs crus, trop souvent répétée au cours des missions officielles est non seulement un paradoxe pour tout académicien obligé de faire honneur aux plats sans changer de silhouette afin de pouvoir entrer dans un habit dont le coût prohibitif l'empêche d'envisager l'achat d'une taille supérieure, mais présente également un danger pour la santé d'un homme en proie à de graves problèmes digestifs. Sans doute est-ce pour se purifier de ces excès, que le couple Javillier part à Ivry-la-Bataille dès le début du mois de juillet pour un long mois de vacances.

Notre hôtel est parfait, écrit Javillier à son petit-fils. Surtout il n'a pas l'air d'un hôtel. Il n'y a pas d'argentier. Il n'y a même pas de caissier. Notre hôtel est comme une maison particulière qui accueil-

---

464. Cf. Le mémoire R. Retel (1941) « Sur l'emploi de l'alcool éthylique dans les moteurs à injection directe avec allumage commandé », Comptes rendus de l'Académie des Sciences, tome 213, p. 685.

lerait beaucoup de gens. Le jardin est familier. L'on vit parmi les troènes et les rosiers, les marguerites et les buttlagas ; l'on demande l'ombre aux pommiers, aux marronniers, aux saules[465].

C'est donc à regret que le 6 août, il quitte cette retraite bucolique pour rentrer à Paris. Dix jours plus tard, il faut le transporter d'urgence à la clinique pour une nouvelle opération, qu'il subit le 19 août. Cette brutale rechute n'est pas sans inquiéter les membres de sa famille alors en vacances à Saint-Gervais. De son lit d'hôpital et d'une écriture tremblée, Javillier prend la peine de répondre à Jean-Stanislas, par retour du courrier, à la lettre que celui-ci lui a tout de suite adressée.

J'ai sous les yeux ta lettre d'hier – vite venue jusqu'à moi –. C'est une lettre que tu portais dans ton cœur depuis toujours, c'est pourquoi elle donne l'impression d'être spontanée, si profonde, si vraie. Elle m'a mis dans une grande joie et une grande émotion. Je t'ai senti, mon chéri, si près de moi, par toutes tes pensées, par toutes les vibrations de ton cœur. C'est une grande minute, dans notre courte vie, que celle où l'on ressent ces choses-là avec une plénitude, une acuité qui ne saurait tromper[466].

Bien qu'une fois encore, il se montre rassurant et envisage une prompte reprise de ses activités, fin septembre, il doit à nouveau s'excuser auprès de ses confrères.

La prochaine reprise des séances de l'Académie de Médecine me donne l'occasion de vous faire connaître que ces deux derniers mois ont été pour moi semés de soucis de santé. J'ai fait une nouvelle occlusion intestinale, portant cette fois sur le grêle [...] *Je vais bien, mais j'ai tout de même besoin de remonter la côte, physiquement tout au moins, car le moral est bon*[467].

Le moral est d'autant meilleur que le mois de novembre 1951 est celui de ses noces d'or. Le 11 novembre en même tant que l'armistice de la guerre de 14-18, il fête en famille ce grand événement dont il parle avec émotion et humour.

Cinquante ans pour un ménage, c'est un peu comme un millénaire pour une ville [...] *Nous conformant donc aux habitudes et aux traditions, nous avons fêté le cinquantième anniversaire de l'union*

---

465. Lettre de M. Javillier à Jacques Retel, 5 août 1951. Archives J.-O. Retel.
466. Lettre de M. Javillier à J.-S. Retel, 4 septembre 1951. Archives J.-S. Retel.
467. Lettre de M. Javillier du 29 septembre 1951. Dossier M. Javillier. Archives de l'Académie de Médecine.

d'une certaine Anna, héritière du prénom de la mère de Marie, et d'un certain Maurice, protégé d'un centurion romain canonisé[468].

Mais la fête ne s'est pas arrêtée là. Elle a recommencé à Tours. Comme le dit, M. Javillier, s'il a été invité à la rentrée solennelle de l'École de Médecine et Pharmacie, c'est sans doute parce que *le directeur de l'école n'était pas sans trouver fort honorable d'avoir pour président de sa séance de 1951, le président de l'Académie des Sciences*[469]. Lui-même a vu dans cette rentrée la commémoration de son entrée dans l'enseignement universitaire en 1901. C'est donc dans la joie et avec une jeunesse presque retrouvée que s'achève pour lui l'année 1951 et son mandat de président à l'Académie des Sciences.

Aussitôt, il met à profit, la santé et le temps dégagé pour penser à la rédaction de nouveaux ouvrages et se lancer à corps perdu dans sa mission pour la paix. Cependant, rendu probablement un peu plus raisonnable, il part, dès le début du mois de juillet, en vacances dans le Jura. La région est de nouveau pour lui source de plaisirs poétiques et d'interminables randonnées dont il partage le secret avec son petit-fils.

De notre chambre – et c'est de ma fenêtre que je t'écris – nous voyons un résumé des pays : la montagne borne mon horizon, nous entrevoyons la rivière, nous voyons arbres et toitures ; une chapelle (N.D. du Mont) détache un clocher aigu sur un fond sylvestre. Le temps est magnifique. Le ciel aujourd'hui est pur. Il ne pleut pas assez. Le touriste lui-même se plaint. Il fait trop chaud et les promenades sont parfois, de ce fait, un peu rudes. Nous n'hésitons cependant pas à aller commander une carpe frite à 7 kilomètres d'ici – à pied naturellement –. L'appétit est bon quand on arrive[470].

À peine est-il de retour à Paris qu'il préside le Congrès de la Paix et, s'il se contente d'écrire ses desiderata pour celui de Vienne sans s'y rendre, il accepte d'aller en Hollande, en 1953, pour y donner une série de conférences. La suite ne se fait pas attendre. Malgré un nouveau séjour dans le Jura, sa santé se détériore à tel point que le moral, cette fois, est atteint. Sa fille Jacqueline doit venir *chaque jour passer un petit moment [avec lui] pour chasser les idées noires qui [lui] paraissent pour le moment être*

---

468. Lettre de M. Javillier à Jacques Retel, 12 novembre1951. Archives J.-O. Retel.
469. *Idem.*
470. Lettre de M. Javillier à J.-S. Retel, 18 août 1952. Archives J.-S. Retel.

le plus gros ennui. Papé, écrit-elle à son plus jeune fils en vacances à Lisbonne, *est naturellement assez fatigué et se retrouvant dans son cadre habituel, ressent plus vivement qu'à la maison de santé l'ennui de ne pouvoir faire ni efforts physiques, ni travail intellectuel*[471].

Mais, cette fois, même le repos dans une maison amie du Poitou où il avait recouvré ses forces lors de sa première convalescence, ne parvient pas à chasser les idées noires. Au contraire, le destin se charge de l'attrister davantage, car c'est là qu'il apprend la mort de son élève d'adoption, Michel Machebœuf. Cet être si brillant intellectuellement, si fort physiquement et si courageux en toute chose, a succombé à la tuberculose qu'il avait contractée quand il était chef de travaux dans le service de Calmette et Guérin. Pour Maurice Javillier, cette rencontre directe avec la mort d'un ami proche, plus jeune que lui, est une nouvelle étape sur le chemin du renoncement et de la foi. *Le 20 août dernier, à 53 ans Michel Machebœuf est mort en pleine conscience, en pleine sérénité, comme un homme en le cœur de qui demeure une espérance*[472].

Pendant les mois qui lui restent à vivre, Maurice Javillier mettra toute son énergie à acquérir la même sérénité, prenant soin de cueillir et de recueillir les brèves joies qui passent encore à sa portée.

Pour ce qui est de nous-mêmes, nous tenons de notre mieux, écrit-il à Jacques Retel en février 1954. *J'ai franchi le seuil de ma 80e année. Je n'ai pas l'habitude de m'émouvoir particulièrement de ces changements dans les dizaines d'âge. C'est tellement peu de chose vis-à-vis de l'Éternité. Mais j'ai pourtant prêté à l'événement plus d'attention qu'aux changements analogues de 1 à 7*[473].

Depuis ses noces d'or, il prend en effet plaisir à marquer les anniversaires. En 1953, il a également fêté son 52e anniversaire de mariage en notant : « C'est quelque chose cela, surtout quand 52 ans écoulés ont maintenu, fortifié la confiance, l'amitié et l'amour[474]. » Mais la confiance, l'amitié et l'amour suscitent chez Anna une constante inquiétude pour la santé de son mari, qui

471. Lettre de Jacqueline Retel à son fils J.-S. Retel, le 17 juillet 1953. Archives J.-S. Retel.
472. M. Javillier, Notice nécrologique de M. Machebœuf. Archives de l'Institut Pasteur, carton MCH 1.
473. Lettre de M. Javillier à Jacques Retel, 26 février 1954. Archives J.-O. Retel.
474. Lettre de M. Javillier à Jacques Retel, 12 mai 1953. Archives J.-O. Retel.

l'épuise aussi et, à son tour, elle tombe malade, atteinte de névralgies qui se révèlent être un zona. Le couple passe le mois de mai 54 dans le Maine et Loire, sans que Javillier renonce pour autant à ses activités d'académicien. C'est par correspondance qu'il suit les séances où il ne peut plus assister. Bien que repris *par une certaine névrite fort douloureuse* il estime avoir *tout de même le devoir de penser aux commissions des prix auxquelles [il] appartient et communique ses propositions.* À plusieurs reprises, et malgré les souffrances et une fracture du fémur qui l'oblige à différer sans cesse son retour à l'Académie, il continue à insister pour que Paul Meunier soit récompensé par un prix. Mais le 26 mai, la mort une nouvelle fois lui ravit cet élève dans lequel il mettait tant d'espoir, et c'est auprès de la Société des Amis des Arts qu'il sollicite une aide pour la veuve de ce jeune biologiste sans fortune et trop tôt disparu.

Quelques jours plus tard, ses amis Michel Polonovski et sa femme sont tués accidentellement le 8 juin 1954, sur la route de Douai, alors que passagers d'une voiture, ils se rendaient à un congrès. Bouleversé, le 10 juin, Maurice Javillier écrit au président de l'Académie de Médecine :

Comment pourrais-je ne point vous exprimer l'émotion qui m'étreint devant la mort tragique de Michel Polonovski. Nous nous aimions sincèrement et profondément[475].

Plus qu'un collègue très cher avec lequel il était en train d'achever un *Traité de chimie biologique,* M. Polonovski était, pour lui, presque un *alter ego* dont il appréciait et partageait l'immense culture[476] et jusqu'à ses goûts pour le jeu de croquet. Sans doute est-ce à ce champion, inscrit dans plusieurs clubs pratiquant cet art, que Maurice Javillier devait *la maestria avec laquelle il tenait son rôle de corsaire, faisant gagner ou perdre qui il voulait, en envoyant au diable avec délectation les boules adverses*[477], à la grande joie de ses petits-enfants.

---

475. Lettre de M. Javillier au président de l'Académie de Médecine, 10 juin 1954. Archives de l'Académie de Médecine. Dossier M. Javillier.
476. « La culture n'est pas un vernis destiné à boucher les fissures d'une surface rude ou rugueuse, moins encore une teinture pour colorer superficiellement l'expression de nos connaissances, c'est une formation en profondeur qui doit harmoniser nos possibilités intellectuelles et morales, former autant le caractère que servir de cadre à des acquisitions judicieusement ordonnées ». M. Polonovski, semaine des intellectuels catholiques, cité dans sa nécrologie, *Bulletin de l'Académie de Médecine, op. cit.*
477. Lettre de J.-O. Retel, février 2004.

Le surlendemain, il s'abandonne jusqu'à confier son désespoir à son petit-fils, devant toutes les vicissitudes qui le frappent.

Le 27 avril, ta Mémé étant sortie de ses embêtements zonatiques, mais restant plus ou moins déprimée et asthénique, nous partons en Anjou, en vue de récupérer tout ce qui était égaré. « Les Poiriers », séjour agréable, sans prétention ; nos hôtes très braves gens ; l'horizon, charmant : prés forêt, verger, potager ; la campagne, aimable et fleurie. Nous profitons de tout cela quelques jours [...] *Le 13 mai, je fais un zona, à mon tour, un zona odieux, marqué par une éruption abondante. 18 jours de ce régime.*

Enfin le mieux survenu, l'on se dit : l'on va respirer, vivre, regarder les aubépines et les chèvrefeuilles... À ma première sortie, je fais une chute, si modeste, qu'elle eut pu rester sans conséquence ; elle se traduit par une fracture du col de mon fémur droit. Désastre. Médecin. Chirurgien. Radio. Immobilité. Nous sommes là. Depuis le dimanche 30 mai nous attendons et espérons la guérison spontanée, à laquelle il n'est pas vain de croire, même après 80 ans. Et comme si nos malheurs en appelaient de plus grands, voici que nous apprenons la mort tragique, en un accident d'automobile, près de Douai, de nos excellents amis, le Prof. et Mad. Polonovski. Un bon moral aide le physique, mais comment le moral peut-il être équilibré quand on est touché par un si douloureux événement qui décapite une famille, atteint la science, ruine ses applications. Tel est notre bilan. Nous attendons Niné ce soir ; ce sera un peu de lumière et de joie[478].

Une lumière et une joie qui sont tout ce qui lui reste au milieu des crises de plus en plus douloureuses et de plus en plus fréquentes qui l'assaillent au point qu'il ne se retient plus d'en parler à ses confrères de l'Académie des Sciences :

Je souffre de névralgies abdominales. C'est le diagnostic affirmé, mais l'on n'est pas bien armé pour lutter contre cet état de chose. Le strict repos et, parmi les médicaments, la butazolidine sont ce qu'il y a de mieux. Mais la guérison (si elle doit venir) n'est pas, semble-t-il, pour demain[479].

Si moralement il a accepté l'issue qu'il pressent, il ne parvient pas à s'adonner au repos strict qui lui est prescrit. Au contraire même, il met toute son énergie à faire nommer René Favre à la

478. Lettre de M. Javillier à Jacques Retel, 12 juin 1954. Archives J.-O. Retel.
479. Lettre de M. Javillier aux secrétaires perpétuels de l'Académie des Sciences, 26 janvier 1955. Dossier M. Javillier. Archives de l'Académie des Sciences.

place qui se trouve vacante à la section d'économie rurale. Par quatre fois, il a été le rapporteur de ce candidat malheureux et veut cette fois emporter la partie en multipliant les courriers et en demandant chaque fois de différer la séance, espérant pouvoir assister à la discussion. Le 24 février, il réunit à la maison – à titre purement officieux et amical – [ses] confrères de la section d'économie rurale [480]. Et le 10 mars, il ose encore demander un délai pour cette élection :

C'est pour des raisons tout à fait valables que nos collègues ont jugé opportun de retarder d'un mois environ l'élection du successeur de M. Demolon en la section d'Économie rurale. Je ne puis donc qu'être d'accord avec l'Académie sur le choix des 16 et 23 mai. Je souhaite vivement participer à cette élection. Le pourrais-je ? Ceci demeure enveloppé d'obscurité [...] *La frontière est facile à franchir entre l'être et le non-être*[481].

L'élection aura lieu aux dates prévues sans que Maurice Javillier ait pu s'y rendre, ni avoir la joie d'annoncer, en tant que doyen, la position en première ligne de son favori, ni d'assister à son élection finale. Une nouvelle fois, il est entré à la clinique Velpeau, rue de la Chaise. Sylvie, la benjamine de ses petites-filles, n'a pas oublié cette somptueuse demeure, ancien hôtel particulier d'Élisa Bonaparte grande duchesse de Toscane, qui ressemblait si peu à une clinique et où elle rendit visite à son grand-père pour la dernière fois.

Moins d'un mois plus tard, le 15 juin 1955, il franchissait la frontière entre l'être et le non être avec la même sérénité que Michel Machebœuf deux ans plus tôt. Ses deux filles, Jacqueline et Jeannine, avaient veillé à ce que nul ne dérangeât, par quelques traitements inutiles, son dernier recueillement.

480. Lettre de M. Javillier aux secrétaires perpétuels de l'Académie des Sciences, 27 février 1955. Dossier M. Javillier. Archives de l'Académie des Sciences.
481. Lettre de M. Javillier aux secrétaires perpétuels de l'Académie des Sciences, 10 mars 1955. Dossier M. Javillier. Archives de l'Académie des Sciences.

Épilogue

On meurt un peu de tout ce qui s'achève
et de l'inachevé
qui restera comme un reproche
On meurt de froid
comme la roche
se désagrège
on meurt lapidé
sous l'avalanche grain à grain
qui s'écoule du sablier
Asymptote au signe jamais atteint
de la croix
on meurt d'être né
dans un élan d'éternité.

Poème de Jacqueline Retel, *Paysage.*

Sources et bibliographie

Archives

La bibliographie de Maurice Javillier a été principalement écrite à partir des sources précieuses et inédites que les petits-enfants de ce savant ont mis à ma disposition. Nous avons tenu à distinguer leur provenance en faisant figurer les initiales de chacun d'eux auprès des documents. Soit J.-O. Retel : Jacques-Olivier Retel, J.-S. Retel : Jean-Stanislas Retel, F. Retel : Françoise Retel et D. Dubois : Dominique Dubois, son arrière petite-fille.

Archives de l'Académie des Sciences

- Dossiers biographiques
  - Dossier A. Béhal
  - Dossier G. Bertrand
  - Dossier E. Bourquelot
  - Dossier A. Calmette
  - Dossier É. Duclaux
  - Dossier Y. Delage
  - Dossier L. Guignard
  - Dossier M. Javillier
  - Dossier H. Lacaze
  - Dossier L. Lapicque
  - Dossier J. Lavollay
  - Dossier G. Moussu
  - Dossier É. Roux
  - Dossier É. Schribaux
  - Dossier P. Viala
- Comités secrets

Archives de l'Institut Pasteur

Fonds Bertrand
Fonds Duclaux
Fonds Javillier

- Registres des comptes-rendus des séances
- Dossiers des directeurs

Archives de l'Académie de Médecine

Dossier Javillier

Archives du Conservatoire National des Arts et Métiers

Dossier personnel de Javillier

Sources manuscrites

• Javillier, M. *Qu'est-ce qu'un savant*? Manuscrit d'une conférence donnée au Centre universitaire vers 1925-26.
• Javillier, M. Allocution prononcée à l'Académie d'Agriculture, le 10 janvier 1945.
• Manuscrit du discours de M. Javillier prononcé le 8 novembre 1944.
• Javillier, M. Manuscrit de son allocution à Coëtquidan sur la guerre des gaz.
• Compte-rendu de la séance de juillet 1949 au Conseil d'hygiène et de salubrité du département de la Seine.
• Javillier, M. Manuscrit intitulé *Paroles de Paix.*
• Texte manuscrit du discours de M. Javillier au Congrès de Paris du 23 novembre 1952.
• Javillier, M. Rapport au Général Joxe sur sa mission au Proche-Orient et à Athènes.
• Javillier, M. Discours du président à la séance de l'Académie des Sciences du 3 janvier 1951.
• Retel, F. *Kaléidoscope de la mémoire,* 2003.

Sources imprimées

Archives de l'Académie des Sciences

• Discours de M. Bouley, vice-président de l'Académie aux funérailles de M. le Baron Thenard, décédé au château de Talmay, le 8 août 1884.

Archives de l'Institut Pasteur

• Bertrand, G. « Arsenic et erreur judiciaire », *Conférences du Palais de la découverte,* séance du 20 juin 1945.
• Chassaigne, L. « Les Leçons de la guerre sont-elles oubliées ? » *Le Journal,* 22 juillet, 1921.
• Gautier, E. « Chronique documentaire sur le zinc », *Le Journal,* 14 septembre 1908.
• Javillier, M. *Recherches sur la présence et le rôle du zinc chez les végétaux,* Thèse de doctorat en sciences naturelles, soutenue en 1908. Introduction.

Tirés à part Archives familiales

• Javillier, M. 1903.
• Javillier, M. Conférence sur la composition élémentaire des aliments, 10 février 1918.
• Javillier, M. « Le laboratoire de chimie du centre de recherche sur l'alimentation de la société d'hygiène alimentaire annexe de l'Institut des recherches agronomiques », *Bulletin de la société scientifiques d'hygiène alimentaire,* tome XVI, 1928.

• Javillier, M. « A.-T. Schloesing et son œuvre. La biologie et ses relations avec la chimie agricole ». Leçon inaugurale de son entrée au C.N.A.M. *Bulletin des sciences pharmaceutiques,* tome XXXVIII, 1931, pp. 643-662.
• Javillier, M. Allocution au banquet de l'association confraternelle des internes en pharmacie des hôpitaux et des hospices civiles de Paris, 11 mai1937, *Bulletin des sciences pharmaceutiques,* tome XLIV.
• Javillier, M. Allocution à la séance annuelle de la société de pharmacie du 7 janvier 1942, *Journal de Pharmacie et de chimie,* 9e série, tome II, 1942.
• Javillier, M. « Les besoins alimentaires des végétaux cultivés et les engrais chimiques », *Bulletin de l'Association des chimistes,* mars-avril 1944.
• Javillier, M. Discours prononcé à la société d'agriculture le 10 janvier 1945.
• Javillier, M. Allocution à la présidence de l'Académie des Sciences, 1951.
• Javillier, M. Allocution à l'École de Tours, *l'Ouest Médical,* 1952.
J.-C.-L. *Pierre Masson (1880-1959),* Annales de l'Institut Pasteur, tome 97, septembre 1959, pp. 277-280.
• Mayron, C. *Rétrospective H.-J. Masson,* Galerie d'art de la Place Beauveau, Paris, 1984.

Articles

• Béatrice de Andia, *Le Conservatoire national des arts et métiers au cœur de Paris,* délégation à l'action artistique de la ville de Paris, 1994, Introduction.
• Bertrand, G. « Recherches sur la laccase nouveau ferment soluble à propriétés oxydantes », *Annales de chimie et de physique,* 7e série, tome XII, 1897, pp. 115-140.
• Bertrand, G. et Mallevre, A. « Nouvelle recherche sur la pectase et sur la fermentation pectique », *Comptes-rendus de l'Académie des Sciences,* tome 120, 1895.
• Bertrand, G. « Étude biochimique sur la bactérie du sorbose », *Annales de physiques et de chimie,* 8e série, tome 3.
• Bertrand G. et Javillier, M. « Sur une méthode très sensible de précipitation du zinc », *Comptes-rendus de l'Académie des Sciences,* 1906.
• « La chimie et l'Alsace », *Bulletin de la Société industrielle de Mulhouse,* décembre 1994.
• Déré, A.-C., Javillier, M., Fontanon, C. et Grelon, A. (dir.) *Dictionnaire des professeurs du Conservatoire national des Arts et métiers,* tome 1, C.N.A.M. 1994.
• Déré, A.-C., Rosensthiel, D.-A., Fontanon, C. et Grelon, A. (dir.),

Dictionnaire des professeurs du Conservatoire national des Arts et métiers, tome 2, C.N.A.M. 1994.
• Déré, A.-C. « Deux pastoriens en guerre » in P. Bret (dir.) *Le sabre et l'éprouvette – l'invention d'une science de guerre, 1914-1939*. Édition Agnès Vienot, 2003, pp. 75-81.
• Douyère-Demeulenaere, C. « L'Académie des sciences des origines au milieu du XXe siècle », *Histoire des cinq Académies*. Éditions Perrin, 1995.
• Druon, M. « Présentation » [de l'Académie française], *Histoire des cinq Académies*. Éditions Perrin, 1995.
• Flahaut, J. « Cent ans de recherche à la faculté de pharmacie », *La faculté de pharmacie*, 1882-1982. Éditions Comarco, 1982.
• Germain, P. « Une Académie des sciences en France à l'aube du XXIe siècle. Pour quoi faire ? » *Histoire des cinq Académies*. Éditions Perrin, 1995.
• Heine, H. *La Revue des deux Mondes*, 1934.
• Javillier, M. « Note sur l'huile de croton tiglium », *Journal de physique et de chimie*, 6e série, tome VII, 1898.
• Javillier, M. « Leçon inaugurale : A.-T. Schloesing et son œuvre : la chimie biologie et ses relations avec la chimie agricole », *Bulletin des sciences pharmacologiques*, tome 38, pp. 53-54.
• Jonhson, J.-A. « La Mobilisation de la recherche industrielle allemande au service de la guerre chimique 1914-1916 » in P. Bret (dir.) *Le sabre et l'éprouvette – l'invention d'une science de guerre, 1914-1939*. Édition Agnès Vienot, 2003, pp. 89-103.
• Leclant, J. « Histoire de l'Académie des Inscriptions et Belles-Lettres », *Histoire des cinq Académies*. Éditions Perrin, 1995.
• Mentzger, C. « La chimie dans le cadre et la tradition du Muséum national d'histoire naturelle », *Leçon inaugurale du cours de chimie appliquée aux corps organisés, prononcé le 4 avril 1959*, pp. 195-208. Bibliothèque centrale du M.N.H.N.
• Nécrologie de M. Polonovski, *Bulletin de l'Académie de Médecine*, 1954, pp. 347-48.
• Polonovski, J. « Notice sur Maurice Javillier (1875-1955) », *Annales de l'Institut Pasteur,* tome 91, 1956, pp. 260-262.
• Raoul, Y. Allocution du 16 février 1956, in *Maurice Javillier 1875-1955*, Imprimerie Maurice Declume, Lons-Le-Saulnier, 1956.
• Renan, E. « La guerre entre la France et l'Allemagne », *La Revue des deux mondes*, 15 septembre 1870.
• Retel, R. « Sur l'emploi de l'alcool éthylique dans les moteurs à injection directe avec allumage commandé », *Comptes-rendus de l'Académie des Sciences*, 1941, tome 213, p. 685.
• Rossignol, P. « Les aménagements et la vie quotidienne à l'École supérieure de pharmacie à la fin du XIXe siècle », *La faculté de pharmacie,* 1882-1982. Éditions Comarco, 1982.

• Sand, G. Article sur « Les Dialogues et fragments philosophiques » d'E. Renan, *Le Temps,* 16 juin 1872.

Bibliographie

• *La faculté de pharmacie* - 1882-1982. Éditions Comarco, 1982.
• Clarté, C. *M. Javillier.* Thèse d'exercice en pharmacie, Tours, soutenue le 23 novembre 1988.
• Debré, P. *Louis Pasteur.* Flammarion, 1994.
• Delaunay, A. *L'institut Pasteur.* France Empire, 1962.
• Déré, A.-C. et Emptoz, G. *Autour de Louis-Jacques Thenard : Saga d'une famille de notables de la Révolution à la Monarchie de Juillet.* Éditions du C.T.H.S. (À paraître, 2007).
• Duclaux, É. *Pasteur, Histoire d'un esprit.* Paris, 1896.
• Gauja, P. *L'Académie des Sciences de l'Institut de France.* Paris :
• Gauthiers-Villars, 1934.
• Institut de France, *Index biographique de l'Académie des Sciences 1666-1978.* Paris : Gauthier-Villars, 1979.
• Jacques, J. *L'imprévu ou la science des objets trouvés.* Éditions Odile Jacob, 1990.
• Javillier, M. *Les éléments chimiques et le monde vivant.* Flammarion, 1952.
• Javillier, M. et Polonowski, M. *Traité de chimie biologique.* Masson.
• Joanne, A. *De Paris à Lyon.* Paris : Hachette, 1866.
• Lepick, O. *La Grande Guerre chimique 1914-1918.* Paris : P.U.F. 1998.
• Loeb, J. *La dynamique des phénomènes de la vie.* Paris : Felix Alcan éditeur, traduit de l'allemand par H. Daudin et G. Schæffer, 1908.
• Moureu, C. *La chimie et la guerre. Science et avenir.* Masson, 1922.
• « Origine, naissance et réforme de l'Ordre », *Bulletin de l'Ordre des pharmaciens,* n° XVIII, mars 1962.
• Parfait, N. *Une certaine idée de l'Allemagne : l'identité allemande de Luther à Heidegger.* Dejonquères, 1995.
• Poncet, A.-F. (chancelier de l'Institut de France), *La chapelle du collège des quatre nations 1662-1962, le tricentenaire d'un bâtiment : la coupole de l'Institut de France.* Éditions Vincent, Fréal et Cie, 1962.
• Theuriet, C. *Histoire de Nuits sous Beaune.* LeMeure/Michaut 1886, reprints 1983.
• Retel, F. « *Une famille de la moyenne bourgeoisie* ». Mémoire de maîtrise en sociologie, Paris, 1981.
• Retel, J. *Paysage.* Editions Jean Subervie, 1968.
• Retel, J. *Images.* Éditions Jean Subervie, 1976.

Table des illustrations

Table des matières

(suite et fin des titres parus)

Michel Cointat, *Florian 1755-1794. Aspects méconnus de l'auteur de « Plaisir d'amour »*, 2007.

Roger Teyssou, *Quatre siècles de thérapeutique médicale du XVIe au XIXe siècle en Europe.* Préface de Richard Moreau, 2007.

Claude Brezinski, *Comment l'esprit vient aux savants*, 2007.

Pierre Bayart, *La Méridienne de France. Et l'aventure de sa prolongation jusqu'aux Baléares.* Préface de Jean-Claude Pecker, 2007.

Serge Boarini, *Introduction à la casuistique*, 2007.

Agnès Traverse, *Le projet Soleil. Chronique et analyse d'un combat*, 2007.

Shefqet Ndroqi, *Une vie au service de la vie. Mémoires d'un médecin albanais (1914-1997).* Adaptation française et présentation de Jean-Paul Martineaud, 2007.

Ludovic Bot, *Philosophie des sciences de la matière*, 2007.

Jean Maimbourg, *Balta, aventurier de la peste. Professeur Marcel Baltazard – 1908-1971.* Préface de Jean-Michel Alonso et de Henri-Hubert Mollaret, 2007.

Général d'armée Jean-Pierre Kelche, Grand Chancelier de la Légion d'honneur (sous la présidence de), *Les Maisons d'éducation de la Légion d'honneur: deux siècles d'apport à l'instruction et à l'éducation des jeunes filles.* Actes du Colloque organisé à l'occasion du Bicentenaire des Maisons d'éducation de la Légion d'honneur, Saint-Denis, 5 avril 2006, paru 2007.

Jean-Paul Martineaud, *De Vincent de Paul à Robert Debré. Des enfants abandonnés et des enfants malades à Paris*, 2007.

Joseph Averous, *Sur mer et au-delà des mers. La vie d'un jeune médecin de Marine, 1888-1904*, préface de Jean Kermarec, 2006.

André Krzywicki, *Un improbable chemin de vie*, 2006.

Joseph Averous, *Marie-Joseph Caffarelli (1760-1845), Préfet maritime à Brest sous le Consulat et l'Empire*, 2006.

Claude Brezinski, *Histoires de sciences. Inventions, découvertes et savants*, 2006.

Paul Germain, *Mémoire d'un scientifique chrétien*, 2006.

Marc de Lacoste-Lareymondie, *Une philosophie pour la physique quantique*, 2006.

Jean-Paul Moreau, *Un Pasteurien sous les tropiques*, 2006.

André Audoyneau, *Le Docteur Albert Schweitzer et son hôpital à Lambaréné. L'envers d'un mythe*, 2005.

Jacques Verdrager, *L'OMS et le paludisme. Mémoires d'un médecin spécialiste de la malaria*, 2005.
Christian Marais, *L'âge du plastique*. Préface de Pierre-Gilles de Gennes, 2005.
Jean Perdijon, *Einstein, la relativité et les quanta*, 2005.
Lucienne Félix, *Réflexion d'une agrégée de mathématiques au XXe siècle*, 2005.
Lise Brachet, *Le professeur Jean Brachet, mon père*, 2004.
Patrice Pinet, *Pasteur et la philosophie*, 2004.
Jean Defrasne, *Histoire des Associations françaises*, 2004.
Arnaud Diemer, *Enseigner l'économie*. Préface de Gilbert Abraham-Frois, 2004.
Jacques Risse, *Les professions médicales en politique (1875-2002)*, 2004.
Pierre Schuller, *La face cachée d'une vocation. Lettres à un futur médecin*. Préface de Bernard Lebeau, 2004.
François Du Mesnil du Buisson, *Penser la recherche. L'exemple de la physiologie animale*, 2003.
Michel Cointat, *Le Moyen Âge moderne : scènes de la vie quotidienne au XXe siècle*, 2003.
Robert Sigalea, *Johann-Martin Hongberger, médecin et aventurier de l'Asie*, 2003.
Philippe Caspar (sous la dir. de) *Maladies sexuellement transmissibles. Sexualité et institutions*, 2003.
Yvon Houdas, *La Médecine arabe aux siècles d'or, VIIIe-XIIIe siècles*, 2003.
Daniel Penzac, *Docteur Adrien Proust. Père méconnu, précurseur oublié*, 2003.
Richard Moreau, *Louis Pasteur. Besançon et Paris : l'envol*, 2003.
Richard Moreau, *Les deux Pasteur, le père et le fils, Jean-Joseph Louis Pasteur (Dole, Marnoz, Arbois)*, 2003.
M. Heyberger, *Santé et développement économique en France au XIXe siècle. Essai d'histoire anthropométrique*, 2003.
Jean Boulaine et Richard Moreau, *Olivier de Serres et l'évolution de l'agriculture moderne*, 2003.
Claude Vermeil, *Médecins nantais en Outre-Mer (1962-1985)*, 2003.
Jean-Claude Boual et Philippe Brachet (sous la dir. de) *Service public et principe de précaution*, 2003.
Richard Moreau et Michel Durand-Delga, *Jules Marcou (1824-1898), précurseur français de la géologie nord-américaine*, 2002.

Roger Teyssou, *La Médecine à la Renaissance, et évolution des connaissances, de la pensée médicale, du quatorzième siècle au dix-neuvième siècle en Europe*, 2002.
Jacqueline Bonhamour, Jean-Marc Boussard (sous la dir. de) *Agriculture, régions et organisation administrative. Du global au local.* Colloque de l'Académie d'Agriculture de France, 2002.
Pierre Pignot, *Les Anglais confrontés à la politique agricole commune ou la longue lutte des Britanniques contre l'Europe des Pères fondateurs*, 2002.
Michel Cointat, *Histoires de fleurs.* Préface de Richard Moreau, 2001.
Jean Roy, *Histoire d'un siècle de lutte anti-acridienne en Afrique. Contributions de la France*, 2001.
Serge Nicolas, *La mémoire et ses maladies selon Théodule Ribot*, 2001.
Michel Cointat, *Les Couloirs de l'Europe*, 2001. Préface de Richard Moreau.
Paulette Godard, *Souvenirs d'une universitaire rangée. Une vocation sous l'éteignoir.* Préface de Richard Moreau, 2001.
Michel Cointat, *Rivarol (1753-1801) Un écrivain controversé*, 2001.
Jean-Pierre Gratia, *Les premiers artisans belges de la Microbiologie et les débuts de la Biologie moléculaire*, 2001. Préface de Richard Moreau.
Jean-Pierre Dedet, *Histoire des Instituts Pasteur d'Outre-Mer*, 2000.
Richard Moreau, *Préhistoire de Pasteur*, 2000.

L'HARMATTAN, ITALIA
Via Degli Artisti 15 ; 10124 Torino

L'HARMATTAN HONGRIE
Könyvesbolt ; Kossuth L. u. 14-16
1053 Budapest

L'HARMATTAN BURKINA FASO
Rue 15.167 Route du Pô Patte d'oie
12 BP 226
Ouagadougou 12
(00226) 76 59 79 86

ESPACE L'HARMATTAN KINSHASA
Faculté des Sciences Sociales,
Politiques et Administratives
BP243, KIN XI ; Université de Kinshasa

L'HARMATTAN GUINEE
Almamya Rue KA 028
En face du restaurant le cèdre
OKB agency BP 3470 Conakry
(00224) 60 20 85 08
harmattanguinee@yahoo.fr

L'HARMATTAN COTE D'IVOIRE
M. Etien N'dah Ahmon
Résidence Karl / cité des arts
Abidjan-Cocody 03 BP 1588 Abidjan 03
(00225) 05 77 87 31

L'HARMATTAN MAURITANIE
Espace El Kettab du livre francophone
N° 472 avenue Palais des Congrès
BP 316 Nouakchott
(00222) 63 25 980

L'HARMATTAN CAMEROUN
BP 11486
(00237) 458 67 00
(00237) 976 61 66

671250 - Août 2016
Achevé d'imprimer par

1livre.com
du rêve à la réalité !

www.ingramcontent.com/pod-product-compliance
Lightning Source LLC
LaVergne TN
LVHW050802061126
851857LV00012B/654
9782296122031